Blouin, Davesne, Giard,
Laliberté, Lavoie

ALGÈBRE LINÉAIRE
ET GÉOMÉTRIE

gaëtan morin
éditeur

gaëtan morin éditeur
C.P. 965, CHICOUTIMI, QUÉBEC, CANADA
G7H 5E8   TÉL.: (418) 545-3333

ISBN-2-89105-103-3

Dépôt légal 3e trimestre 1982
Bibliothèque nationale du Québec
Bibliothèque nationale du Canada

Distributeur exclusif pour l'Europe et l'Afrique :
Éditions Eska S.A.R.L.
30, rue de Domrémy
75013 Paris, France
Tél. : 583.62.02

On peut se procurer nos ouvrages chez les diffuseurs suivants :

Algérie

Entreprise nationale du livre
3, boul. Zirout Youcef
Alger
Tél. : (213) 63.92.67

Espagne

DIPSA
Francisco Aranda n° 43
Barcelone
Tél. : (34-3) 300.00.08

Portugal

LIDEL
Av. Praia de Victoria 14A
Lisbonne
Tél. : (351-19) 57.12.88

Algérie

Office des publications
   universitaires
1, Place Centrale
Ben-Aknoun (Alger)
Tél. : (213) 78.87.18

Tunisie

Société tunisienne
   de diffusion
5, av. de Carthage
Tunis
Tél. : (216-1) 255000

et dans les librairies universitaires des pays suivants :

Algérie	Côte-d'Ivoire	Luxembourg	Rwanda
Belgique	France	Mali	Sénégal
Cameroun	Gabon	Maroc	Suisse
Congo	Liban	Niger	Tchad

TABLE DES MATIÈRES

AVANT-PROPOS

Cet ouvrage rassemble théorie et exercices en un texte qui se veut le plus complet possible. Depuis quelques années, une certaine mode, inspirée de l'enseignement par modules, ne mettait, en définitive, entre les mains de l'étudiant, que des manuels d'exercices: il fallait donc étoffer le cours d'une série d'exposés théoriques qui, d'une part, s'inséraient mal dans la démarche intuitive de ces manuels et, d'autre part, forçaient l'étudiant à prendre en classe quantité de notes. Ce manuel tente donc de pallier ces inconvénients. L'étudiant y trouvera en effet toute la matière du programme et un peu plus, l'utilisant à la fois comme référence théorique et recueil d'exercices.

Le texte se divise en onze chapitres. Les chapitres 1, 2 et 3 sont consacrés à l'étude des vecteurs. Une façon rigoureuse de les présenter serait sans doute de les considérer comme éléments d'un espace vectoriel. Mais, les structures algébriques n'étant pas connues de l'étudiant, il a paru préférable d'aborder les vecteurs par le biais de la géométrie. L'étude des vecteurs du plan et de l'espace facilite par la suite la généralisation aux vecteurs algébriques. Les chapitres 4, 5 et 6 traitent des matrices et des déterminants. Les matrices sont introduites à l'aide d'exemples, ce qui est de nature à en souligner la simplicité et en montrer l'utilité dans tous les domaines du savoir. La notion de déterminant, quant à elle, est présentée de façon axiomatique. Dès ce stade, elle permet de parler d'inversion de matrices. Le chapitre 7 porte sur les systèmes d'équations linéaires et leur résolution. Les équations linéaires sont présentées sous forme matricielle, ce qui assure la continuité avec les chapitres précédents. Le chapitre 8 reprend l'étude des vecteurs en présentant les notions de produits scalaire, vectoriel et mixte. Pourquoi ne pas avoir défini ces opérations plus tôt? C'est que le calcul des produits vectoriel et mixte utilise la notion de déterminant. Les chapitres 9, 10 et 11, plus géométriques qu'algébriques, traitent de la droite dans le plan, de la droite dans l'espace et du plan dans l'espace. Ces notions sont traitées vectoriellement, ce qui permet l'utilisation de tous les concepts vus antérieurement.

Nous disions plus tôt que le présent ouvrage contient plus qu'il n'est coutume de voir à un tel niveau. Nous avons en effet intégré au texte des notions qui, bien que non essentielles, le complètent harmonieusement. Nous avons toutefois organisé la présentation de la théorie de façon qu'il soit possible d'aborder ou non ces notions, sans nuire à la compréhension de la suite du cours. Ces notions plus ou moins facultatives sont celles d'espace vectoriel (sections 3.4 et 3.5), de rang d'une matrice (5.11 et 5.12), de rang d'un système d'équations linéaires (sections 7.11 et 7.12), de faisceau de droites (exercice 16 de la section 9.7), de faisceau de plans et de plans projetants d'une droite (sections 11.7, 11.8 et 11.9).

Tout au long de cet ouvrage, la théorie s'appuie sur des exemples: l'exposé de chaque notion est suivi d'un exemple devant en faciliter la compréhension et l'application. Les exercices, nombreux, variés et de difficulté moyenne, font partie intégrante du texte et donnent à l'étudiant l'occasion de vérifier s'il a bien assimilé la matière. À la fin du volume, une section spéciale contient les réponses à la plupart des exercices. Cependant, les solutions complètes n'y apparaissent pas: nous croyons qu'étudiant et professeur tireront un grand profit à discuter des différentes solutions possibles. Dans une annexe, nous rappelons les principales notions de trigonométrie vues au secondaire. L'étudiant en sentant le besoin pourra lire ces quelques pages: nous supposerons donc dès le départ ces notions connues.

Ce livre accorde beaucoup d'importance à la représentation graphique. Une tendance récente dans l'enseignement des mathématiques a trop souvent ignoré cet aspect. Cette tendance, heureusement en voie de résorption, a eu pour effet de faire oublier le côté concret des mathématiques pour n'en retenir que le côté abstrait. Nous croyons nécessaire de faire visualiser les situations mathématiques, tout au moins au niveau collégial. C'est pourquoi nous avons étayé notre texte de graphiques qui, loin d'être accessoires, constituent un élément important de la présentation.

Comment faut-il utiliser ce manuel? De la façon la plus traditionnelle qui soit, serions-nous tentés de répondre... Nous sommes de ceux qui croient qu'il est économiquement peu rentable et pédagogiquement peu recommandable d'abandonner l'étudiant à ses seuls moyens dans la découverte des concepts mathématiques que contient un cours de niveau collégial. La tâche du professeur ne doit pas se limiter à un rôle de dépanneur. Il doit aider à découvrir; il doit apprendre à conceptualiser, exprimer, démontrer et résoudre; il doit favoriser l'établissement de relations et le passage du concret à l'abstrait. Nous espérons que ce livre pourra contribuer à une telle démarche.

Nous remercions à l'avance étudiants et professeurs qui nous soumettraient critiques, commentaires et remarques.

Les auteurs.

Chapitre **1**

Vecteurs

géométriques

1.1 INTRODUCTION À LA NOTION DE VECTEUR

La notion de vecteur constitue un exemple remarquable du développement que connaissent parfois certains objets tout simples au départ, mais dont l'usage révèle l'aspect puissant et indispensable. Créés comme outils devant mener à la solution de problèmes précis de physique et de géométrie, les vecteurs se sont avérés si efficaces que des générations de mathématiciens et de physiciens en ont fait l'objet de leurs recherches, explorant à la fois leur nature et la structure des ensembles auxquels ils appartiennent. C'est ainsi que la notion de vecteur est devenue un concept fondamental des mathématiques et des sciences.

La formulation par Stevinus en 1586 de la loi du parallélogramme sur l'addition des forces (que nous verrons dans les pages suivantes) marqua le début de l'étude des vecteurs. Au cours des siècles suivants, leur utilité devint de plus en plus évidente, principalement à cause de la simplicité et de la concision avec lesquelles ils permettent de formuler des problèmes complexes des sciences physiques: une nouvelle branche des mathématiques, l'analyse vectorielle, était née.

L'analyse vectorielle fit des progrès importants au XIXᵉ siècle, en particulier grâce aux travaux du physicien américain J.W. Gibbs (1839-1903) et du mathématicien allemand H. Grassmann (1809-1877). Ce dernier publia entre autres un travail très profond, lequel, quoique ignoré lors de sa publication, influença grandement les recherches subséquentes. Il faut mentionner aussi l'Irlandais W. Hamilton (1805-1865) dont les quaternions firent progresser de façon importante l'algèbre des vecteurs. Ces hommes furent jusqu'à un certain point les contemporains de A. Cayley (1821-1895), bien connu pour ses travaux sur les matrices.

Dans la seconde moitié du XIXᵉ siècle, les besoins de la physique et de la géométrie conduisirent Riemann et Christoffel à la généralisation du concept de vecteur à des espaces de dimensions supérieures à celles de l'espace physique. Le point culminant de leurs travaux fut la découverte de l'analyse tensorielle, ou étude des tenseurs, qui sont en quelque sorte des vecteurs généralisés. L'analyse tensorielle favorisa le développement de la géométrie différentielle et de la physique mathématique, ce qui rendit possible la création de la théorie générale de la relativité.

Ajoutons en terminant ce survol historique que l'informatique a également fait sienne la notion de vecteur et que celle-ci est très largement utilisée dans certains langages traitant de problèmes de gestion, de sociologie, d'économie ou de statistiques, pour ne mentionner que ceux-là.

1.2   VECTEURS ET SCALAIRES

Il suffit d'un nombre pour spécifier entièrement certaines quantités physiques ou géométriques. Ainsi, la masse d'un corps peut être donnée par un nombre de grammes, son volume par un nombre de centimètres cubes, la température d'une solution par un nombre de degrés, et la distance entre deux points par un nombre de mètres. Ces quantités sont dites *scalaires*.

Par contre, pour définir de façon complète d'autres quantités, il faut utiliser un nombre et une orientation. Tels sont, par exemple, une force, une vitesse ou un déplacement. Pour les connaître complètement, il faut connaître à la fois leur grandeur ainsi que l'orientation selon laquelle ils agissent. Ces quantités sont dites *vectorielles*.

DÉFINITION: Une *quantité* est *scalaire* si elle peut être définie par un nombre réel.

DÉFINITION: Une *quantité* est *vectorielle* si elle ne peut être définie qu'au moyen d'un nombre et d'une orientation.

Bien qu'il soit facile de comprendre intuitivement ce qu'est un vecteur, il est difficile d'en donner une définition rigoureuse. Par application des définitions précédentes, nous appellerons *vecteur* l'expression contenant un nombre et une orientation, utilisée pour définir une quantité vectorielle; par opposition à ce terme, nous appellerons *scalaire* un nombre seul décrivant une quantité scalaire.

1.3   REPRÉSENTATION. NOTATION. OPPOSÉ. VECTEUR NUL

1.3.1   Représentation graphique

Un *vecteur* se représente graphiquement par un segment de droite orienté ayant:

a)   une origine,

b)   une extrémité,

c)   une direction,

d)   un sens,

e)   une longueur.

Exemple: Dans l'exemple de la figure 1.1,

a)   l'*origine* est le point A;

b)   l'*extrémité* est le point B;

c)   la *direction* est celle de la droite D qui supporte le vecteur $\overrightarrow{AB}$, et celle de toutes les droites parallèles à D;

d)   le *sens* est celui qui va du point A au point B (indiqué par la flèche);

e)   la *longueur* (ou *module*, ou *norme*) est un nombre positif (ou nul) exprimant la distance qui sépare les points A et B; cette longueur est représentée par $|\overrightarrow{AB}|$.

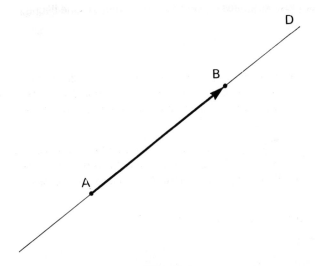

Fig. 1.1

Remarque 1:   Nous emploierons le mot orientation pour désigner à la fois la direction et le sens. Ainsi, nous dirons que deux vecteurs ont la *même orientation* s'ils ont la même direction et le même sens.

Remarque 2:   À l'occasion, nous utiliserons le symbole "————▶" pour représenter un vecteur.

     Un *scalaire* se représente graphiquement par un point sur une échelle numérique appropriée.

Exemple 1:   Le scalaire exprimant la température d'un corps (en °C) se représente par un point sur l'échelle Celsius.

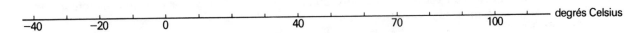

Fig. 1.2

Exemple 2:   Les scalaires réels se représentent par des points sur la droite numérique connue.

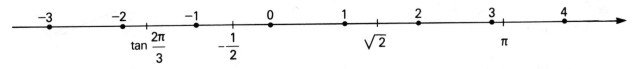

Fig. 1.3

1.3.2 Notation

Il existe plusieurs façons de noter les *vecteurs*. Nous utiliserons les deux suivantes:

a)   deux lettres (ordinairement des majuscules) représentant les extrémités du vecteur, surmontées d'une flèche,

b)   une lettre (ordinairement minuscule) surmontée d'une flèche.

Exemple: $\overrightarrow{AB}$, $\overrightarrow{QP}$, $\vec{u}$.

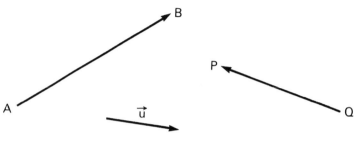

Fig. 1.4

Les *scalaires* sont généralement représentés par une lettre minuscule.

Exemple: Les lettres a, b, c, k, l, p, q sont souvent utilisées pour représenter des scalaires.

Remarque: Dans ce texte, tous les scalaires seront des nombres réels, de sorte que les opérations sur les scalaires seront les opérations définies dans ℝ.

1.3.3 Opposé d'un vecteur

Si $\vec{u}$ représente le vecteur qui va du point C au point D, alors $-\vec{u}$ représentera le vecteur qui va du point D au point C.

> ***DÉFINITION:***   L'opposé d'un vecteur $\vec{u}$ est le vecteur ayant même longueur et même directeur que $\vec{u}$, mais un sens opposé. On le note $-\vec{u}$.

Exemple 1:   Dans la figure 1.4, l'opposé de $\overrightarrow{AB}$ est le vecteur $\overrightarrow{BA}$.

Exemple 2:   Dans la figure 1.5, le vecteur $\vec{v}$ est celui qui va du point E au point F; le vecteur $-\vec{v}$, qui va du point F au point E, est son opposé.

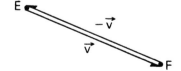

Fig. 1.5

Remarque: Contrairement à ce qui paraît sur la figure 1.5, les vecteurs $\vec{EF}$ et $\vec{FE}$ sont superposés.

1.3.4   Vecteur nul

DÉFINITION: Le *vecteur nul*, noté $\vec{0}$, est un vecteur dont l'origine et l'extrémité coïncident.

La principale propriété du vecteur nul est que sa longueur égale 0. Quant à son orientation, elle est indéterminée. Il est évident que tout vecteur de la forme $\vec{AA}$ est un vecteur nul.

1.4   ÉGALITÉ OU ÉQUIPOLLENCE DES VECTEURS

DÉFINITION: Deux *vecteurs* sont dits *égaux,* ou *équipollents,* si et seulement si ils ont la même longueur et la même orientation. En d'autres termes:

$\vec{a} = \vec{b} \iff \vec{a}$ a la même longueur, le même sens et la même direction que $\vec{b}$.

Une conséquence de cette définition est qu'un vecteur donné peut être représenté dans l'espace par une infinité de segments de droites orientés, ou encore, qu'il y a une infinité de vecteurs équipollents à un vecteur donné.

Dans la figure 1.6:

. les vecteurs $\vec{a}$, $\vec{b}$ et $\vec{c}$ sont équipollents;

. $\vec{d}$ ne leur est pas équipollent, car il n'a pas la même direction;

. $\vec{e}$ non plus ne leur est pas équipollent, car il n'a pas le même sens;

. $\vec{f}$ et $\vec{g}$, parce qu'ils n'ont pas la même longueur, ne leur sont pas équipollents.

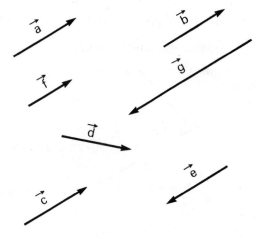

Fig. 1.6

Nous voyons aussi, à l'aide de la figure 1.6, que le lieu occupé par les vecteurs n'est pas important en terme d'équipollence. Cependant, si nous reportons deux vecteurs équipollents à un même point d'origine, alors ils coïncident sur toute leur longueur. Il convient de faire ici la distinction entre vecteurs libres, glissants et liés.

La définition de l'égalité des vecteurs que nous avons donnée plus haut, ainsi que les remarques qui la suivent, s'appliquent aux vecteurs libres. Cependant, pour certaines applications de physique et de géométrie, il est utile d'introduire le concept de vecteur glissant et de vecteur lié.

Deux vecteurs *glissants* sont égaux si, en plus d'avoir la même longueur et la même orientation, ils sont portés par la même droite. Un vecteur lié est restreint à un seul point d'application, de sorte que deux vecteurs *liés* sont égaux si, en plus d'être de même longueur et de même orientation, ils ont le même point comme origine.

Exemple 1:   En géométrie, les vecteurs de la forme $\overrightarrow{AB}$, où A et B sont des points déterminés du plan ou de l'espace, peuvent être considérés comme des vecteurs liés. Si tel est le cas, deux vecteurs $\overrightarrow{AB}$ et $\overrightarrow{CD}$ ne sont égaux que s'ils ont même longueur et même orientation, et que les points A et C coïncident.

Exemple 2:   Les vecteurs représentant la force gravitationnelle de la terre sont un bon exemple de vecteurs liés. Leur origine, qui est le point d'application de cette force, est le centre de gravité de l'objet sur lequel la force s'exerce. Leur direction est celle qui relie les centres de gravité de la terre et de l'objet. Leur sens est celui qui va vers le centre de la terre. Leur longueur, qui exprime la grandeur de la force d'attraction, varie en fonction de la proximité de l'objet à la terre. Selon les définitions précédentes, deux vecteurs représentant la force d'attraction terrestre seront égaux s'ils sont de même longueur et appliqués en un même point de l'espace.

Dans cet ouvrage, nous considérerons *tous les vecteurs géométriques comme des vecteurs libres*, de sorte que deux vecteurs seront égaux s'ils ont même orientation et même longueur.

1.5   ADDITION DES VECTEURS. SOUSTRACTION. PROPRIÉTÉS

1.5.1   Méthode du parallélogramme

L'addition des vecteurs géométriques se fait par la méthode du parallélogramme, de la façon suivante: Soit à additionner les vecteurs quelconques $\vec{a}$ et $\vec{b}$:

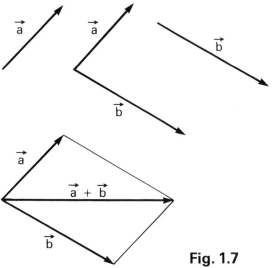

1°   plaçons les deux vecteurs à additionner de façon que leurs origines coïncident,

2°   complétons le parallélogramme engendré par ces vecteurs.

La somme des vecteurs $\vec{a}$ et $\vec{b}$ est la diagonale ayant comme origine, l'origine des vecteurs $\vec{a}$ et $\vec{b}$.

Fig. 1.7

1.5.2   Méthode du triangle

Le même résultat s'obtient en procédant de la façon suivante:

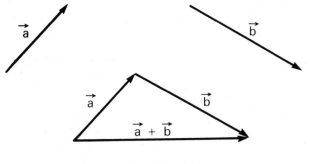

1°   les vecteurs à additionner sont placés de façon consécutive,

2°   complétons le triangle: la somme des vecteurs $\vec{a}$ et $\vec{b}$ est le vecteur constituant le troisième côté du triangle; son origine est l'origine du 1er vecteur et son extrémité, l'extrémité du 2e vecteur.

Fig. 1.8

Cette méthode met en évidence le résultat suivant:

$$\vec{AB} + \vec{BC} = \vec{AC}.$$

Ce résultat, appelé *loi de Chasles*, est très utile en calcul vectoriel. Il permet de réduire des expressions contenant des sommes de vecteurs sans passer par les méthodes graphiques. Il est facile d'imaginer une généralisation de cette loi, du type:

$$\vec{AB} + \vec{BC} + \vec{CD} + ... + \vec{XY} + \vec{YZ} = \vec{AZ}.$$

Remarque 1:   L'application répétée de la méthode du triangle permet d'effectuer la somme de plusieurs vecteurs en les plaçant consécutivement:

$$\vec{AB} + \vec{BC} + \vec{CD} + \vec{DE} + \vec{EF} + \vec{FG} = \vec{AG}$$

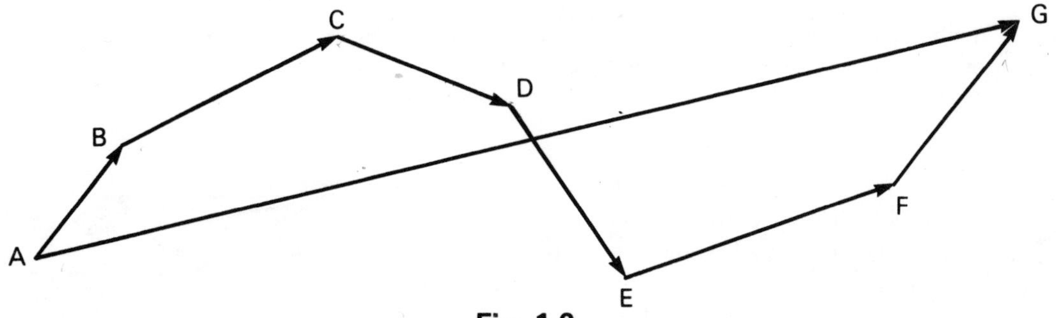

Fig. 1.9

Remarque 2:   L'addition de vecteurs ayant la même direction se fait également en les plaçant de façon consécutive. La résultante est un vecteur de même direction.

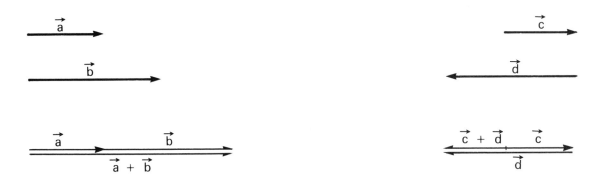

Fig. 1.10

1.5.3   Soustraction de vecteurs

Soustraire des vecteurs équivaut à additionner au premier vecteur l'opposé du second, c'est-à-dire:
$$\vec{a} - \vec{b} = \vec{a} + (-\vec{b}).$$

Soit les vecteurs $\vec{a}$ et $\vec{b}$, et la différence $\vec{a} - \vec{b}$ à effectuer:

1°   par la méthode du triangle, la différence $\vec{a} - \vec{b}$ est le troisième côté du triangle ayant $\vec{a}$ et $-\vec{b}$ comme côtés, allant de l'origine de $\vec{a}$ vers l'extrémité de $-\vec{b}$,

2°   par la méthode du parallélogramme, la différence $\vec{a} - \vec{b}$ est la diagonale issue de l'origine de $\vec{a}$ et de $-\vec{b}$.

De sorte que, dans le parallélogramme engendré par $\vec{a}$ et $\vec{b}$, une diagonale représente la somme $\vec{a} + \vec{b}$ et l'autre, la différence $\vec{a} - \vec{b}$.

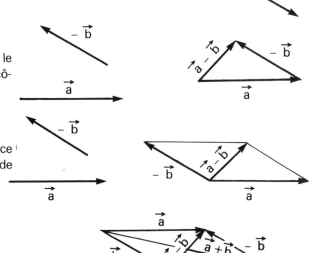

Fig. 1.11

1.5.4   Propriétés de l'addition des vecteurs

a) *commutativité:* $\vec{a} + \vec{b} = \vec{b} + \vec{a}$

La diagonale du parallélogramme ayant $\vec{a}$ et $\vec{b}$ comme côtés correspond à la fois à la somme $\vec{a} + \vec{b}$ et à la somme $\vec{b} + \vec{a}$ obtenues par la méthode du triangle:

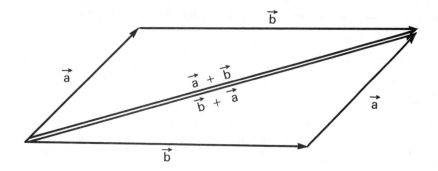

Fig. 1.12

b) *associativité:* $\vec{a} + (\vec{b} + \vec{c}) = (\vec{a} + \vec{b}) + \vec{c}$

L'addition par la méthode du triangle, appliquée à $\vec{b} + \vec{c}$ puis à $\vec{a}$, de même qu'à $\vec{a} + \vec{b}$, puis à $\vec{c}$, montre bien que le vecteur somme est le même dans les deux cas:

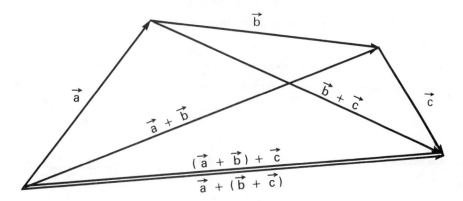

Fig. 1.13

c) *élément neutre:* $\vec{a} + \vec{0} = \vec{0} + \vec{a} = \vec{a}$

Le vecteur nul, tel qu'il a été défini en 1.3.4, sera un élément neutre pour l'addition des vecteurs.

d) *élément symétrique:* $\vec{a} + (-\vec{a}) = (-\vec{a}) + \vec{a} = \vec{0}$

L'opposé d'un vecteur $\vec{a}$ étant, tel qu'il a été défini en 1.3.3 , un vecteur ayant la même longueur et la même direction que $\vec{a}$, mais un sens contraire, il est évident que l'addition de ces deux vecteurs donnera le vecteur nul.

1.6 EXERCICES

1. Classifier les quantités suivantes comme scalaires ou vectorielles: a) vitesse d'un mobile; b) densité d'un corps; c) accélération d'un mobile; d) attraction gravitationnelle; e) segment de droite orienté; f) travail effectué par une force; g) âge d'un sujet; h) longueur d'un trajet; i) champ magnétique créé par un courant électrique; j) chaleur spécifique de l'eau; k) poids d'un corps; l) masse d'un corps; m) vitesse maximum sur l'autoroute.

2. BCED est un parallélogramme, et $|\overrightarrow{AD}| = |\overrightarrow{BD}|$.

a) Trouver, s'ils existent, des vecteurs équipollents à $\overrightarrow{BD}$, $\overrightarrow{CB}$, $\overrightarrow{DE}$ et $\overrightarrow{AC}$.

b) Nommer les vecteurs opposés à $\overrightarrow{AD}$, à $\overrightarrow{BD}$.

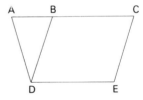

3. Une automobile parcourt 3 km en direction nord et 5 km en direction nord-est.

a) Représenter graphiquement ces déplacements.

b) Représenter graphiquement le déplacement résultant et évaluer approximativement sa longueur et sa direction.

c) Tracer sur le même graphique le ou les parcours que l'automobile devrait maintenant suivre pour que le déplacement résultant total soit nul.

4. Exprimer les vecteurs non identifiés sur la figure ci-contre, en fonction des vecteurs $\overrightarrow{OA}$ et $\overrightarrow{OB}$.

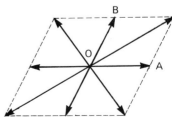

5. La figure ci-contre représente un prisme rectangulaire droit. Trouver un vecteur équipollent aux sommes de vecteurs suivantes:

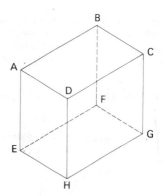

a) $\vec{HD} + \vec{HG}$;

b) $\vec{HD} + \vec{DC}$;

c) $\vec{HE} + \vec{HG}$;

d) $\vec{HD} + \vec{HF}$;

e) $\vec{AE} + \vec{EG}$;

f) $(\vec{HD} + \vec{HG}) + \vec{CB}$;

g) $\vec{HD} + (\vec{HG} + \vec{CB})$;

h) $\vec{AE} - \vec{CA}$;

i) $\vec{BA} + \vec{CG} + \vec{EH} - \vec{FE}$;

j) $\vec{AC} - \vec{GC} - \vec{EH} - \vec{HG} + \vec{HD}$.

6. La figure ci-contre représente une pyramide à base carrée. Donner les vecteurs équipollents à:

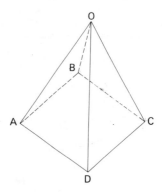

a) $\vec{DA}$;

b) $\vec{OA}$;

c) $\vec{AB}$;

d) $\vec{OA} + \vec{AB}$;

e) $\vec{AB} - \vec{AO}$;

f) $\vec{CB} - \vec{CO}$.

g) $(\vec{OB} + \vec{BC}) + \vec{CD}$;

h) $\vec{OB} + (\vec{BC} + \vec{CD})$.

7. Construire les vecteurs suivants (les angles sont mesurés dans la direction positive à partir de l'axe des X):

a) une force $\vec{F}_1$ de 35 newtons, faisant un angle de 60°;

b) une force $\vec{F}_2$ de 20 newtons, faisant un angle de 120°;

c) une force $\vec{F}_3$ de 50 newtons, faisant un angle de 210°;

d) $\vec{F}_4 = \vec{F}_1 + \vec{F}_2 + \vec{F}_3$;

e) $\vec{F}_5 = (\vec{F}_1 + \vec{F}_2) - \vec{F}_3$.

8. Un bateau parcourt 5 milles en direction sud-est, 3 milles en direction nord-est et 4 milles en direction nord.

a) Construire le vecteur représentant le déplacement résultant.

b) Déterminer sa direction.

c) Calculer sa longueur.

9. Un bateau pouvant naviguer à une vitesse de 12 noeuds se dirige vers l'ouest en traversant une rivière. La vitesse du courant est de 4 noeuds en direction du sud. Calculer la vitesse et la direction réelle du bateau. (Suggestion: Le problème se représente graphiquement de la façon ci-contre.)

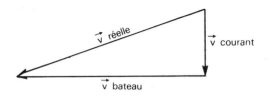

10. Soit les vecteurs $\overrightarrow{AB}$ et $\overrightarrow{AC}$ formant un angle θ de 45°. Si $|\overrightarrow{AB}| = 5$ et $|\overrightarrow{AC}| = 8$, calculer:

a) la longueur du vecteur $\overrightarrow{AB} + \overrightarrow{AC}$, c.-à-d. $|\overrightarrow{AB} + \overrightarrow{AC}|$;

b) l'angle entre les vecteurs $\overrightarrow{AB} + \overrightarrow{AC}$ et $\overrightarrow{AC}$.

11. La figure ci-contre représente un prisme rectangulaire droit. Si $|\overrightarrow{UQ}| = 4$, $|\overrightarrow{UT}| = 3$ et $|\overrightarrow{UV}| = 10$, calculer:

a) $|(\overrightarrow{UQ} + \overrightarrow{UT}) + \overrightarrow{UV}|$;

b) l'angle SUW.

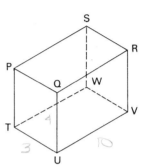

12. Montrer graphiquement que, pour tout vecteur $\vec{u}$, $\vec{v}$, $-(\vec{u} - \vec{v}) = -\vec{u} + \vec{v}$.

13. Montrer que pour tout vecteur $\vec{a}$, $\vec{a} + (-\vec{a}) = (-\vec{a}) + \vec{a} = \vec{0}$.

14. Si $\vec{u}$, $\vec{v}$ et $\vec{w}$ représentent les arêtes d'un cube issues d'un même sommet, que représente le vecteur $\vec{u} + \vec{v} + \vec{w}$ et quelle est sa longueur?

15. Montrer que, si deux vecteurs $\vec{u}$ et $\vec{v}$ sont perpendiculaires, alors $|\vec{u} + \vec{v}| = |\vec{u} - \vec{v}|$.

16. Soit $\vec{a}$ et $\vec{b}$ deux vecteurs ayant même direction et même sens, mais des longueurs différentes, et soit $\vec{c} = -\vec{b}$.

a) Représenter graphiquement $\vec{a} + \vec{b}$.

b) Que pouvez-vous dire de $|\vec{a} + \vec{b}|$?

c) Représenter graphiquement $\vec{a} + \vec{c}$.

d) Que pouvez-vous dire de $|\vec{a} + \vec{c}|$?

17. Soit P, Q, R et S, les sommets d'un parallélogramme. Soit T, le point d'intersection des diagonales PR et QS. Soit X, le point milieu de PQ. Si $\vec{u} = \overrightarrow{PQ}$ et $\vec{v} = \overrightarrow{QR}$, écrire les vecteurs suivants en fonction de $\vec{u}$ et de $\vec{v}$:

a) $\overrightarrow{PR}$; b) $\overrightarrow{PT}$; c) $\overrightarrow{QS}$; d) $\overrightarrow{QT}$; e) $\overrightarrow{TX}$; f) $\overrightarrow{SX}$.

18. Prouver, à l'aide des propriétés des triangles, que, pour tout vecteur $\vec{a}$, $\vec{b}$:

i) $|\vec{a} + \vec{b}| \leqslant |\vec{a}| + |\vec{b}|$;

ii) $|\vec{a} - \vec{b}| \geqslant |\vec{a}| - |\vec{b}|$.

19. Soit A, B, C, D et E, des points d'un plan tels que $\overrightarrow{AB} + \overrightarrow{CD} - \overrightarrow{AE} = \overrightarrow{CB} - \overrightarrow{CE}$. Montrer alors que les points C et D coïncident.

20. Soit un cube dont chacune des arêtes mesure 1 unité. Quelle est la longueur du vecteur représentant la somme des trois vecteurs tracés diagonalement à partir d'un même sommet sur les faces du cube adjacentes à ce sommet?

1.7   PRODUIT D'UN VECTEUR PAR UN SCALAIRE

1.7.1   Définition

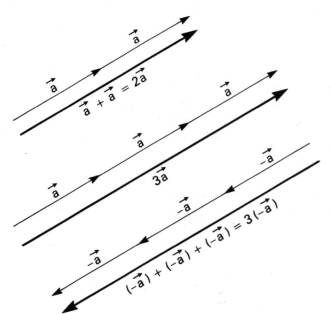

Si nous additionnons graphiquement un vecteur quelconque à lui-même un certain nombre de fois, nous obtiendrons un vecteur dont l'orientation est la même que celle du vecteur initial, mais dont la longueur est différente.

Nous constatons de plus que le vecteur $3\,(-\vec{a})$ (voir figure 1.14) est exactement l'opposé du vecteur $3\,\vec{a}$, donc que $3\,(-\vec{a}) = -3\,\vec{a}$.

Ces constatations permettent de définir une nouvelle opération, celle de la multiplication d'un vecteur par un scalaire.

Fig. 1.14

DÉFINITION: Étant donné un vecteur $\vec{a}$ et un scalaire k, *le produit $k\,\vec{a}$* engendre un vecteur dont:

1°   la direction est la même que $\vec{a}$,

2°   le sens est le même que $\vec{a}$ si $k > 0$, le contraire de $\vec{a}$ si $k < 0$,

3°   la longueur est égale à $\left|k\right|\,\left|\vec{a}\right|$.

Remarque: L'expression $\dfrac{1}{4}\,\vec{a}$ ou $\dfrac{\vec{a}}{4}$ correspond au produit de $\dfrac{1}{4}$ par le vecteur $\vec{a}$, et non au quotient de $\vec{a}$ par 4, laquelle opération n'est pas définie.

1.7.2   Propriétés du produit d'un vecteur par un scalaire

Quels que soient les vecteurs $\vec{u}$ et $\vec{v}$, quels que soient les scalaires p et q:

1° $1\vec{v} = \vec{v}$;

2° $p(q\vec{v}) = (pq)\vec{v}$;

3° $(p + q)\vec{v} = p\vec{v} + q\vec{v}$;

4° $p(\vec{u} + \vec{v}) = p\vec{u} + p\vec{v}$.

La démonstration des trois premières propriétés se fait en utilisant la définition même de l'opération "produit d'un vecteur par un scalaire". Comme la quatrième propriété implique une somme de deux vecteurs, elle devra être démontrée par une méthode graphique, puisque ce sont les seules méthodes que nous avons vues jusqu'ici pour additionner des vecteurs. Toutefois, avant de démontrer cette dernière propriété, nous devrons définir la notion de vecteurs parallèles, puisque nous utiliserons également cette notion au cours de la démonstration.

Cependant, toutes ces démonstrations sont beaucoup plus longues que celles que nous pourrons écrire après avoir défini le concept de vecteur algébrique. Voilà pourquoi nous ne démontrerons qu'en partie certaines propriétés: d'autres parties seront demandées en exercice, et nous reviendrons sur la démonstration de ces propriétés dans le chapitre 3.

Propriété 1: $1\vec{v} = \vec{v}$.

Le vecteur $1\vec{v}$ est un vecteur ayant la même orientation que $\vec{v}$, et sa longueur est égale à $|1||\vec{v}|$ (définition du produit d'un vecteur par un scalaire). Or:

$$|1||\vec{v}| = 1|\vec{v}| = |\vec{v}|$$ (propriétés des réels).

Donc, le vecteur $1\vec{v}$ est égal au vecteur $\vec{v}$ (définition de l'égalité des vecteurs).

Propriété 2: $p(q\vec{v}) = (pq)\vec{v}$.

Premier cas: $p > 0, q > 0$.

1) $q > 0$ implique que $q\vec{v}$ a la même orientation que $\vec{v}$, et $|q\vec{v}| = |q||\vec{v}|$
(définition du produit d'un vecteur par un scalaire).

2) $p > 0$ implique que $p(q\vec{v})$ a la même orientation que $q\vec{v}$, donc celle de $\vec{v}$, et
$$|p(q\vec{v})| = |p||q\vec{v}| = |p||q||\vec{v}|$$ (définition du produit d'un vecteur par un scalaire).

3) $p > 0, q > 0 \Rightarrow pq > 0$
$$\Rightarrow (pq)\vec{v} \text{ a la même orientation que } \vec{v}, \text{ et}$$
$$|(pq)\vec{v}| = |pq||\vec{v}| = |p||q||\vec{v}|$$

(car, quels que soient x et y $\in \mathbb{R}$,
$$|xy| = |x||y|).$$

Donc, en comparant 2) et 3), $p(q\vec{v}) = (pq)\vec{v}$.

Deuxième cas: $p > 0$, $q < 0$.

1) $q < 0 \Rightarrow q\vec{v}$ a la même direction, mais le sens opposé à $\vec{v}$, et $|q\vec{v}| = |q||\vec{v}|$ (par définition).

2) $p > 0 \Rightarrow p(q\vec{v})$ a la même direction et le même sens que $q\vec{v}$, donc le sens opposé à $\vec{v}$, et $|p(q\vec{v})| = |p||q\vec{v}| = |p||q||\vec{v}|$ (par définition).

3) $p > 0$, $q < 0 \Rightarrow pq < 0 \Rightarrow (pq)\vec{v}$ a la même direction que $\vec{v}$, mais le sens opposé à $\vec{v}$, et $|(pq)\vec{v}| = |pq||\vec{v}| = |p||q||\vec{v}|$ (cf. 1er cas, 3)).

Donc, en comparant 2) et 3), $p(q\vec{v}) = (pq)\vec{v}$.

Troisième cas: $p < 0$, $q < 0$.

1) $q < 0 \Rightarrow q\vec{v}$ est un vecteur ayant la même direction que $\vec{v}$, le sens opposé à $\vec{v}$ et une longueur égale à $|q||\vec{v}|$ (par définition).

2) $p < 0 \Rightarrow p(q\vec{v})$ est un vecteur ayant la même direction que $\vec{v}$, le sens opposé à $q\vec{v}$, donc le même sens que $\vec{v}$, et une longueur égale à $|p||q||\vec{v}|$ (par définition).

3) $p < 0$, $q < 0 \Rightarrow pq > 0 \Rightarrow (pq)\vec{v}$ est un vecteur ayant la même direction que $\vec{v}$ et une longueur égale à $|p||q||\vec{v}|$ (par définition).

Donc, en comparant 2) et 3), $p(q\vec{v}) = (pq)\vec{v}$.

Quatrième cas: $p < 0$, $q > 0$.

Cette démonstration est identique à celle du deuxième cas, mutatis mutandis.

Propriété 3: $(p + q)\vec{v} = p\vec{v} + q\vec{v}$.

Dans la démonstration de cette propriété, les cas suivants sont à considérer:

1er cas: $p > 0$, $q > 0$, $\vec{v} \neq \vec{0}$;	6e cas: $p < 0$, $q < 0$;
2e cas: $p > 0$, $q < 0$, $|p| > |q|$;	7e cas: $p = 0$ ou $q = 0$;
3e cas: $p > 0$, $q < 0$, $|p| < |q|$;	8e cas: $p + q = 0$;
4e cas: $p < 0$, $q > 0$, $|p| > |q|$;	9e cas: $\vec{v} = \vec{0}$.
5e cas: $p < 0$, $q > 0$, $|p| < |q|$;	

Premier cas: $p > 0$, $q > 0$, $\vec{v} \neq \vec{0}$.

$\qquad$ $p > 0$, $q > 0 \Rightarrow$ les vecteurs $p\vec{v}$, $q\vec{v}$, $p\vec{v} + q\vec{v}$ et $(p + q)\vec{v}$ ont la même orientation que $\vec{v}$

$\qquad$ (définition du produit d'un vecteur par un scalaire, et addition des vecteurs).

De plus, $\left| p\vec{v} + q\vec{v} \right| = \left| p\vec{v} \right| + \left| q\vec{v} \right|$ $\qquad$ (addition de vecteurs de même orientation)

$\qquad\qquad\qquad$ $= |p|\left| \vec{v} \right| + |q|\left| \vec{v} \right|$ $\qquad$ (définition du produit d'un vecteur par un scalaire)

$\qquad\qquad\qquad$ $= (|p| + |q|)\left| \vec{v} \right|$ $\qquad$ (propriétés des réels)

$\qquad\qquad\qquad$ $= |p + q|\left| \vec{v} \right|$ $\qquad$ (propriété des réels pour p, $q > 0$).

$\qquad$ Les vecteurs $p\vec{v} + q\vec{v}$ et $(p + q)\vec{v}$ sont donc égaux car ils ont la même orientation et la même longueur.

Deuxième cas: $p > 0$, $q < 0$, $|p| > |q|$.

$\qquad$ Soit $r = p + q$ et $s = -q$. Alors:

$\qquad$ $r, s > 0 \Rightarrow (r + s)\vec{v} = r\vec{v} + s\vec{v}$ $\qquad\qquad$ (1er cas)

$\qquad\qquad$ $\Rightarrow (p + q - q)\vec{v} = (p + q)\vec{v} - q\vec{v}$

$\qquad\qquad$ $\Rightarrow \qquad\quad p\vec{v} = (p + q)\vec{v} - q\vec{v}$

$\qquad\qquad$ $\Rightarrow \quad p\vec{v} + q\vec{v} = (p + q)\vec{v}$.

$\qquad$ La démonstration de quelques autres cas sera demandée en exercices.

1.7.3   Vecteurs parallèles

$\qquad$ Le vecteur $k\vec{a}$ est le vecteur obtenu par la multiplication du vecteur $\vec{a}$ par le scalaire k. Pour cette raison, le vecteur $k\vec{a}$ est dit multiple scalaire du vecteur $\vec{a}$.

DÉFINITION: $\quad$ Les vecteurs $\vec{a}$ et $\vec{b}$ sont dits *multiples scalaires* s'il existe un scalaire k tel que $\vec{a} = k\vec{b}$.

$\qquad$ De plus, comme le produit du vecteur $\vec{a}$ par le scalaire k engendre le vecteur $k\vec{a}$, ayant la même direction que $\vec{a}$, les vecteurs $\vec{a}$ et $k\vec{a}$ sont parallèles.

DÉFINITION: $\quad$ Les vecteurs $\vec{a}$ et $\vec{b}$ sont *parallèles* si et seulement si ils sont multiples scalaires.

$\qquad$ En langage mathématique:

$$\vec{a} \,/\!/\, \vec{b} \Leftrightarrow \exists k \in \mathbb{R} : \vec{a} = k\vec{b} \text{ ou } \vec{b} = k\vec{a}.$$

Les théorèmes suivants établissent des résultats importants au sujet des vecteurs multipliés par des scalaires.

THÉORÈME

Pour tout vecteur $\vec{v}$ et pour tout scalaire k, $k\vec{v} = \vec{0} <=> k = 0$ ou $\vec{v} = \vec{0}$.

Démonstration: $k\vec{v} = \vec{0} <=> |k\vec{v}| = 0$ (propriété du vecteur nul)

$<=> |k||\vec{v}| = 0$ (définition du produit d'un scalaire par un vecteur)

$<=> |k| = 0$ ou $|\vec{v}| = 0$
        (propriétés des réels)

$<=> k = 0$ ou $\vec{v} = \vec{0}$
        (propriétés des réels et du vecteur nul).   □

THÉORÈME

Soit les vecteurs $\vec{a}$ et $\vec{b}$ tels que $\vec{a} \parallel \vec{b}$. Si $\vec{a}$ et $\vec{b}$ sont non nuls, alors le scalaire k tel que $\vec{a} = k\vec{b}$ est unique.

Démonstration:

Supposons qu'il existe des scalaires k_1, k_2, tels que

$\vec{a} = k_1\vec{b}$

$\vec{a} = k_2\vec{b}$.

Alors,

$k_1\vec{b} = k_2\vec{b}$

et

$k_1\vec{b} - k_2\vec{b} = \vec{0}$

ou

$(k_1 - k_2)\vec{b} = \vec{0}$ $((p + q)\vec{u} = p\vec{u} + q\vec{u})$.

Donc, $k_1 - k_2 = 0$, puisque $\vec{b} \neq \vec{0}$ par hypothèse,
ou

$k_1 = k_2$.

Donc le scalaire k tel que $\vec{a} = k\vec{b}$ est unique.

□

Remarque: La définition que nous avons donnée pour les vecteurs parallèles entraîne le résultat suivant:

le vecteur nul est parallèle à tout vecteur, car

$$\forall \, \vec{a}, \, \exists \, k = 0 : \vec{0} = 0 \, \vec{a}.$$

1.7.4   Applications

Les exemples suivants illustrent l'utilisation des opérations et des propriétés définies sur les vecteurs.

Exemple 1:   Si S est le point milieu du segment QR et P, un point quelconque de l'espace, montrons que:

$$\vec{PS} = \frac{1}{2} \, \vec{PQ} + \frac{1}{2} \, \vec{PR}$$

1)   Représentons graphiquement les données du problèmes:

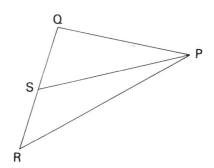

Fig. 1.15

2)   Appliquons les lois de l'addition des vecteurs:

$$\vec{PS} = \vec{PQ} + \vec{QS} \qquad (^1)$$

et

$$\vec{PS} = \vec{PR} + \vec{RS} \qquad (^2) \qquad \text{(loi de Chasles).}$$

Additionnons (^{1}) et (^{2}) :

$$2 \, \vec{PS} = \vec{PQ} + \vec{QS} + \vec{PR} + \vec{RS}$$

$$= \vec{PQ} + \vec{PR} + \vec{QS} + \vec{RS} \quad \text{(commutativité de l'addition).}$$

Mais

$$\vec{QS} + \vec{RS} = \vec{0},$$

car S est le point milieu de $\vec{QR}$. Donc,

$$2 \, \vec{PS} = \vec{PQ} + \vec{PR}$$

et

$$\vec{PS} = \frac{1}{2}(\vec{PQ} + \vec{PR})$$

$$= \frac{1}{2}\vec{PQ} + \frac{1}{2}\vec{PR}. \qquad (p(\vec{u} + \vec{v}) = p\vec{u} + p\vec{v})$$

Exemple 2:   Montrons que les diagonales d'un parallélogramme se coupent en leur milieu.

1)   Représentons graphiquement les données du problème:

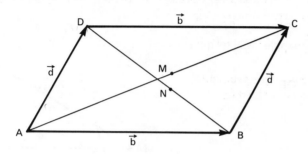

Fig. 1.16

Soit le parallélogramme ABCD. Soit M et N les points milieux de AC et de BD. Nous allons montrer que M et N coïncident.

2) $\vec{AN} = \frac{1}{2}\vec{d} + \frac{1}{2}\vec{b}$ (1)   (voir exemple 1)

$\vec{AM} = \frac{1}{2}\vec{AC}$ (2)   (par hypothèse)

$\vec{AC} = \vec{b} + \vec{d}$ (3)   (addition des vecteurs)

$\vec{AM} = \frac{1}{2}(\vec{b} + \vec{d})$ (4)   ((3) dans (2))

$\vec{AM} = \frac{1}{2}\vec{b} + \frac{1}{2}\vec{d}$ (5)

$\vec{AM} = \vec{AN}$ (6)   ((1) et (5))

Comme $\vec{AM}$ et $\vec{AN}$ ont la même origine, leurs extrémités coïncident et M = N.

Exemple 3:   Démontrons la quatrième propriété du produit d'un vecteur par un scalaire, c.-à-d.

Propriété 4: $p(\vec{u} + \vec{v}) = p\vec{u} + p\vec{v}$.

Premier cas: $p > 0$, $\vec{u}$ et $\vec{v}$ non parallèles.

Soit $\vec{u} = \vec{QR}$, $\vec{v} = \vec{RP}$. Alors

$$\vec{u} + \vec{v} = \vec{QP} \qquad \text{(loi de Chasles).}$$

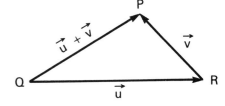

Construisons le triangle LMN tel que:

MN ∥ QR

NL ∥ RP

ML ∥ QP

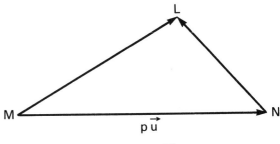

Fig. 1.17

et

$$\vec{MN} = p\vec{u} \qquad (^1).$$

Le triangle LMN est semblable au triangle PQR, d'où:

$$\vec{NL} = p\vec{RP} = p\vec{v} \qquad (2)$$

et

$$\vec{ML} = p\vec{QP} = p(\vec{u} + \vec{v}) \qquad (^3),$$

car, dans les triangles semblables, les côtés homologues sont proportionnels, c.-à-d.

$$\frac{|\vec{ML}|}{|\vec{QP}|} = \frac{|\vec{NL}|}{|\vec{RP}|} = \frac{|\vec{MN}|}{|\vec{QR}|} = p.$$

Mais, par la loi de Chasles,

$$\vec{ML} = \vec{MN} + \vec{NL}$$

$$= p\vec{u} + p\vec{v} \qquad (^4).$$

En comparant (^{3}) et (^{4}),

$$p(\vec{u} + \vec{v}) = p\vec{u} + p\vec{v}.$$

Deuxième cas: $p = 0$, $\vec{u}$ et $\vec{v}$ non parallèles.

Troisième cas: $p < 0$, $\vec{u}$ et $\vec{v}$ non parallèles.

Quatrième cas: $\vec{u}$ et $\vec{v}$ sont parallèles et p est, respectivement, plus petit, égal et plus grand que 0.

Ces cas, faisant l'objet de démonstrations semblables, seront demandés en partie sous forme d'exercices.

1.8   EXERCICES

1.   Soit les vecteurs $\vec{a}$, $\vec{b}$, $\vec{c}$ tels que représentés:

 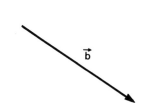 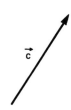

Construire les vecteurs:

a) $\vec{a} + \vec{b}$;

b) $\vec{a} - \vec{c}$;

c) $(\vec{a} + \vec{b}) - (\vec{a} - \vec{c})$

d) $2\vec{c} - \dfrac{\vec{b}}{2}$;

e) $\vec{a} + 2\vec{b} - 3\vec{c}$;

f) $2\vec{a} - \dfrac{\vec{b} + 2\vec{c}}{3}$

2.   Si O(0,0), A(3,5), B(−4,2) et C(1,−4) sont les coordonnées de points dans le plan cartésien, et $\vec{a} = \overrightarrow{OA}$, $\vec{b} = \overrightarrow{OB}$ et $\vec{c} = \overrightarrow{OC}$, construire les vecteurs:

a) $(\vec{a} + \vec{b}) + \vec{c}$;

b) $\vec{a} + 2\vec{c} - \vec{b}$;

c) $\dfrac{\vec{b} + \vec{c}}{2} - \vec{a}$.

3.   Montrer que, pour tout vecteur $\vec{v}$, pour tout scalaire p, q, $(p + q)\vec{v} = p\vec{v} + q\vec{v}$, dans les cas suivants:

a) $p > 0, q < 0, |p| \geqslant |q|$;

b) $p < 0, q < 0$;

c) $p = 0$ ou $q = 0$;

d) $\vec{v} = \vec{0}$.

4.   Montrer que, pour tout vecteur $\vec{u}$, $\vec{v}$, pour tout scalaire p, $p(\vec{u} + \vec{v}) = p\vec{u} + p\vec{v}$ dans les cas suivants:

a) $p < 0, \vec{u} \not\!/\!\!/ \vec{v}$;

b) $\vec{u} /\!\!/ \vec{v}$.

5.   Soit un triangle ABC. Montrer que le segment joignant les milieux de AB et AC est parallèle à BC et de longueur égale à sa moitié.

6.   Montrer que, pour tout vecteur $\vec{u}$, $\vec{v}$, pour tout scalaire $k \neq 0$, $\vec{u} = k\vec{v} \Rightarrow \vec{v} = \dfrac{1}{k}\vec{u}$.

7. Soit ABCD, un quadrilatère tel que $\overrightarrow{AB} = 2\overrightarrow{u}$, $\overrightarrow{BC} = 3\overrightarrow{v}$ et $\overrightarrow{BD} = 3\overrightarrow{v} - 3\overrightarrow{u}$. Exprimer $\overrightarrow{AD}$ et $\overrightarrow{CD}$ en fonction de $\overrightarrow{u}$ et de $\overrightarrow{v}$.

8. Soit ABCD un parallélogramme, et soit M et N les milieux des côtés BC et AD. Montrer que AMCN est aussi un parallélogramme.

9. Soit les points A (1,0), B (4,3) et C (2,−5).

a) Déterminer graphiquement les coordonnées du point D de façon à ce que $\overrightarrow{CD}$ soit parallèle à $\overrightarrow{AB}$ et que $|\overrightarrow{CD}| = 2|\overrightarrow{AB}|$.

b) Calculer le scalaire k tel que $\overrightarrow{AE} = k\overrightarrow{CD}$, pour E (0,−1).

10. Soit deux segments PQ et RS et soit M et N, leurs milieux respectifs. Montrer que $\overrightarrow{PR} + \overrightarrow{QS} = 2\overrightarrow{MN}$.

11. $\overrightarrow{PQ}$, $\overrightarrow{PR}$ et $\overrightarrow{PS}$ sont trois vecteurs mutuellement perpendiculaires.

a) Si $\overrightarrow{PQ} = 2\overrightarrow{u}$, $\overrightarrow{PR} = 3\overrightarrow{v}$ et $\overrightarrow{PS} = 4\overrightarrow{w}$, exprimer $\overrightarrow{PQ} + \overrightarrow{PR} + \overrightarrow{PS}$ en fonction de $\overrightarrow{u}$, $\overrightarrow{v}$ et $\overrightarrow{w}$.

b) Si $|\overrightarrow{u}| = 2$, $|\overrightarrow{v}| = 1$ et $|\overrightarrow{w}| = 3$, calculer $|\overrightarrow{PQ} + \overrightarrow{PR} + \overrightarrow{PS}|$.

12. Si A, B, C, D et F sont les sommets d'un hexagone régulier, trouver la résultante des forces représentées par les vecteurs $\overrightarrow{AB}$, $\overrightarrow{AC}$, $\overrightarrow{AD}$, $\overrightarrow{AE}$ et $\overrightarrow{AF}$.

Chapitre 2

Vecteurs

géométriques (suite)

2.1 COMBINAISON LINÉAIRE

Soit les vecteurs $\vec{u}$, $\vec{v}$ et $\vec{w}$, selon la figure 2.1:

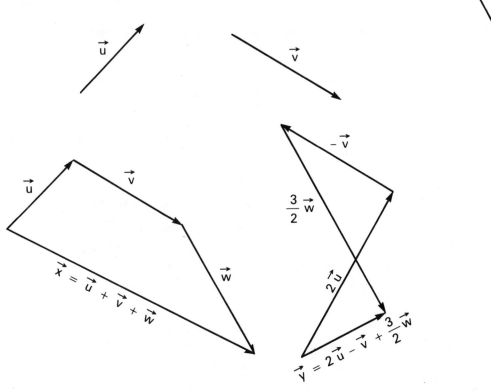
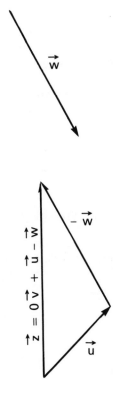

Fig. 2.1

Les graphiques de la figure 2.1 représentent les vecteurs

$$\vec{x} = \vec{u} + \vec{v} + \vec{w},$$

$$\vec{y} = 2\vec{u} - \vec{v} + \frac{3}{2}\vec{w}$$

$$\vec{z} = \vec{u} + 0\vec{v} - \vec{w},$$

résultant de la multiplication des vecteurs $\vec{u}$, $\vec{v}$ et $\vec{w}$ par des scalaires puis de l'addition des vecteurs ainsi obtenus. Les vecteurs $\vec{x}$, $\vec{y}$ et $\vec{z}$ sont dits *combinaisons linéaires* des vecteurs $\vec{u}$, $\vec{v}$ et $\vec{w}$.

> *DÉFINITION:*   De façon générale, nous appellerons *combinaison linéaire* de vecteurs, toute expression de la forme:
>
> $$k_1 \vec{a}_1 + k_2 \vec{a}_2 + \ldots + k_n \vec{a}_n,$$
>
> où $\vec{a}_1$, $\vec{a}_2$, ..., $\vec{a}_n$ sont des vecteurs et où k_1, k_2, ..., k_n sont des scalaires.

Une combinaison linéaire de vecteurs engendre évidemment un vecteur, puisque les opérations addition de vecteurs et multiplication par un scalaire engendrent des vecteurs.

2.2   DÉPENDANCE ET INDÉPENDANCE LINÉAIRE; VECTEURS COLINÉAIRES ET COPLANAIRES

2.2.1   Dépendance et indépendance linéaire d'un ensemble de vecteurs

Reprenons les vecteurs de la figure 2.1: voyons s'il est possible d'obtenir le vecteur $\vec{w}$ à partir d'une combinaison linéaire des vecteurs $\vec{u}$ et $\vec{v}$.

1°   Plaçons les vecteurs $\vec{u}$, $\vec{v}$ et $\vec{w}$ à la même origine.

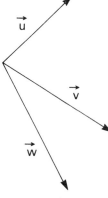

2°   Projetons l'extrémité de $\vec{w}$ sur $\vec{u}$ parallèlement à $\vec{v}$, et sur $\vec{v}$ parallèlement à $\vec{u}$; nous voyons qu'il faut prolonger $\vec{u}$ en sens inverse et $\vec{v}$ dans son sens propre.

3°   Nous avons ainsi représenté $\vec{w}$ comme diagonale d'un parallélogramme dont les côtés sont des multiples scalaires de $\vec{u}$ et de $\vec{v}$; $\vec{w}$ représente la somme de $-\dfrac{3}{4}\,\vec{u}$ et $\dfrac{9}{8}\,\vec{v}$.

Nous pouvons donc écrire:

$$\vec{w} = -\frac{3}{4}\,\vec{u} + \frac{9}{8}\,\vec{v}.$$

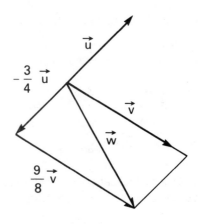

Fig. 2.2

Puisque nous pouvons écrire $\vec{w}$ comme combinaison linéaire de $\vec{u}$ et de $\vec{v}$, nous disons que $\vec{w}$ est engendré par $\vec{u}$ et $\vec{v}$, ou encore que les vecteurs $\vec{u}$, $\vec{v}$ et $\vec{w}$ sont *linéairement dépendants*.

Remarquons qu'il serait également possible ici d'écrire $\vec{u}$ comme combinaison linéaire de $\vec{v}$ et $\vec{w}$, ainsi que $\vec{v}$ comme combinaison linéaire de $\vec{u}$ et $\vec{w}$.

Par contre, en prenant uniquement les vecteurs $\vec{u}$ et $\vec{v}$, il est clair que le vecteur $\vec{u}$ ne pourra être exprimé comme combinaison linéaire de $\vec{v}$. En effet, il est impossible de trouver un scalaire k tel que $\vec{u} = k\,\vec{v}$.

Les vecteurs $\vec{u}$ et $\vec{v}$ ne sont pas parallèles, et tout multiple scalaire de $\vec{v}$ engendre un vecteur parallèle à $\vec{v}$. Nous disons que les vecteurs $\vec{u}$ et $\vec{v}$ sont *linéairement indépendants*, d'où la définition suivante.

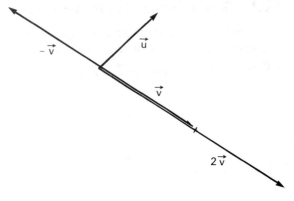

Fig. 2.3

DÉFINITION: Les vecteurs $\vec{a}_1$, $\vec{a}_2$, ..., $\vec{a}_n$ sont dits *linéairement indépendants* si et seulement si aucun de ces vecteurs ne peut être engendré par une combinaison linéaire des autres vecteurs.

Dans le cas contraire, c'est-à-dire si au moins un de ces vecteurs peut être engendré par une combinaison linéaire des autres vecteurs, ces vecteurs sont dits *linéairement dépendants*.

Reprenons maintenant les vecteurs $\vec{u}$, $\vec{v}$ et $\vec{w}$ de la figure 2.2. Ces vecteurs sont reliés par la combinaison linéaire

$$\vec{w} = -\frac{3}{4}\vec{u} + \frac{9}{8}\vec{v}.$$

Il est possible d'écrire également:

$$\vec{0} = -\frac{3}{4}\vec{u} + \frac{9}{8}\vec{v} - \vec{w}.$$

Le vecteur nul peut donc être engendré par une combinaison linéaire des vecteurs $\vec{u}$, $\vec{v}$ et $\vec{w}$.

Est-il possible d'engendrer le vecteur nul en prenant uniquement les vecteurs $\vec{u}$ et $\vec{v}$? Supposons qu'il existe des scalaires k_1, $k_2 \neq 0$, tels que:

$$\vec{0} = k_1\vec{u} + k_2\vec{v}.$$

L'équation peut alors s'écrire:

$$-k_1\vec{u} = k_2\vec{v}.$$

Et, nous avons:

$$\vec{u} = -\frac{k_2}{k_1}\vec{v}$$

ou

$$\vec{v} = -\frac{k_1}{k_2}\vec{u}.$$

Or, nous savons que $\vec{u}$ et $\vec{v}$ ne sont pas des vecteurs parallèles, donc qu'ils ne peuvent être multiples scalaires. Il faut donc conclure que la seule combinaison linéaire de $\vec{u}$ et $\vec{v}$ qui puisse engendrer le vecteur nul est la combinaison linéaire triviale

$$\vec{0} = 0\,\vec{u} + 0\,\vec{v},$$

c'est-à-dire celle où tous les scalaires sont nuls.

Bien sûr, il est toujours possible d'engendrer le vecteur nul à l'aide de la combinaison linéaire triviale. Ainsi, nous aurions pu écrire:

$$\vec{0} = 0\,\vec{u} + 0\,\vec{v} + 0\,\vec{w}.$$

Ce qui distingue $\{\vec{u}, \vec{v}\}$ de $\{\vec{u}, \vec{v}, \vec{w}\}$, c'est que, dans le cas des vecteurs linéairement indépendants $\vec{u}$ et $\vec{v}$, la combinaison linéaire triviale est la *seule* qui puisse engendrer le vecteur nul, tandis que dans le cas des vecteurs $\vec{u}$, $\vec{v}$ et $\vec{w}$, il existe *au moins une autre* combinaison linéaire non triviale pouvant engendrer le vecteur nul. (Nous en connaissons une... Pouvons-nous en écrire d'autres?)

Les observations qui précèdent permettent de donner une seconde définition de l'indépendance linéaire.

DÉFINITION: Étant donné un ensemble de vecteurs $\vec{a}_1$, $\vec{a}_2$, ..., $\vec{a}_n$, ces vecteurs sont dits *linéairement indépendants* si et seulement si la seule combinaison linéaire de ces vecteurs pouvant engendrer le vecteur nul est la combinaison linéaire triviale (c.-à-d. celle où tous les scalaires sont nuls.)

En langage mathématique:

$\vec{a}_1$, $\vec{a}_2$, ..., $\vec{a}_n$ sont *linéairement indépendants*

$$\Longleftrightarrow$$

$$k_1\,\vec{a}_1 + k_2\,\vec{a}_2 + ... + k_n\,\vec{a}_n = \vec{0} \Rightarrow k_1 = k_2 = ... = k_n = 0.$$

Ces deux définitions d'indépendance linéaire sont équivalentes, et l'une ou l'autre au choix peut être utilisée pour vérifier la dépendance ou l'indépendance linéaire de vecteurs.

2.2.2   Vecteurs colinéaires

DÉFINITION: Deux ou plusieurs vecteurs sont dits *colinéaires* si et seulement si ils sont parallèles entre eux.

La notion de colinéarité est donc synonyme de parallélisme pour les vecteurs géométriques. Cependant, cette notion est plus générale, et pourra être utilisée par la suite pour les vecteurs autres que géométriques.

Nous allons maintenant tenter d'établir un lien entre les notions de parallélisme et de dépendance linéaire.

Rappelons qu'à la section 1.7, nous avons défini ainsi le parallélisme des vecteurs:

$$\vec{a} \mathbin{/\!/} \vec{b} <=> \exists\, k \in \mathbb{R} : \vec{a} = k\,\vec{b} \quad \text{ou}\ \vec{b} = k\,\vec{a}.$$

Dans la présente section, nous venons de faire des synonymes des mots *"parallèles"* et *"colinéaires"*. De plus, dans l'expression $\vec{a} = k\,\vec{b}$, $\vec{a}$ apparaît comme *multiple scalaire* de $\vec{b}$, ou comme combinaison linéaire de $\vec{b}$, ce qui fait de $\vec{a}$ et $\vec{b}$ des vecteurs linéairement dépendants.

Force est donc de constater que, dans le cas de *deux vecteurs*, ces caractéristiques ne vont pas l'une sans l'autre.

Ce qui précède permet d'écrire les équivalences suivantes:

Deux vecteurs $\vec{a}$ et $\vec{b}$ sont *colinéaires*

> $<=>$ ils sont parallèles

> $<=>$ ils sont multiples scalaires

> $<=>$ l'un peut s'écrire comme combinaison linéaire de l'autre

> $<=>$ ils sont linéairement dépendants.

2.2.3   Vecteurs coplanaires

DÉFINITION: Trois vecteurs géométriques ou plus sont dits *coplanaires* si et seulement si, ramenés à une même origine, ils sont situés dans le même plan.

Dans la figure 2.4, les vecteurs $\vec{u}$, $\vec{v}$ et $\vec{w}$ sont situés entièrement dans le plan P. Le vecteur $\vec{x}$ n'a que son origine dans le plan P. Tous ses autres points sont extérieurs à P. Le vecteur $\vec{x}$ n'est donc pas coplanaire à $\vec{u}$, $\vec{v}$ et $\vec{w}$, mais ceux-ci sont coplanaires entre eux.

Existe-t-il un lien entre les notions de vecteurs coplanaires et de dépendance linéaire?

Considérons le cas de trois vecteurs géométriques. Il est évident que si ces vecteurs sont coplanaires, alors ils sont linéairement dépendants. En effet, que ces vecteurs soient colinéaires ou non, il est toujours possible d'obtenir au moins l'un d'entre eux à partir d'une combinaison linéaire des autres vecteurs. Il en serait de même pour tout vecteur appartenant à ce plan. En fait, comme nous le verrons plus loin, il suffit de deux vecteurs non parallèles pour engendrer tous les vecteurs d'un plan, et seulement ceux-là.

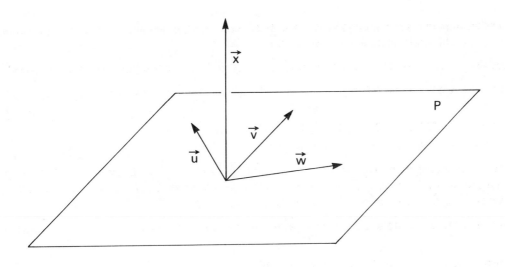

Fig. 2.4

Inversement, si trois vecteurs sont linéairement dépendants, c'est qu'au moins un de ces vecteurs peut s'écrire comme combinaison linéaire des autres vecteurs.

Supposons, par exemple, que le vecteur $\vec{c}$ puisse s'écrire comme combinaison linéaire des vecteurs $\vec{a}$ et $\vec{b}$, c'est-à-dire que:

$$\vec{c} = k_1 \vec{a} + k_2 \vec{b} \qquad\qquad (k_1, k_2 \in \mathbb{R}).$$

Le vecteur $\vec{c}$ appartient alors à l'ensemble des vecteurs engendrés par $\vec{a}$ et $\vec{b}$, c'est-à-dire au plan contenant $\vec{a}$ et $\vec{b}$; d'où il faut conclure que $\vec{a}$, $\vec{b}$ et $\vec{c}$ sont coplanaires.

L'étude des espaces vectoriels permettra de revenir sur ces notions et de les expliquer plus à fond.

Nous admettrons donc les équivalences suivantes:

Trois vecteurs sont *coplanaires*

<=> ils sont situés dans un même plan lorsque ramenés à la même origine

<=> au moins un de ces vecteurs peut s'écrire comme combinaison linéaire des autres vecteurs

<=> ils sont linéairement dépendants.

Exemple 1:   Représentons graphiquement $\vec{w}$ comme combinaison linéaire de $\vec{u}$ et $\vec{v}$ et estimons les scalaires de cette combinaison linéaire.

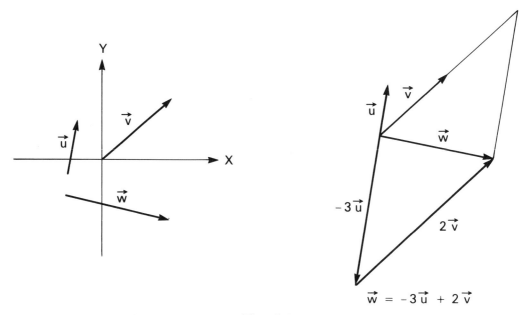

Fig. 2.5

Exemple 2:   Trois vecteurs coplanaires $\vec{u}$, $\vec{v}$ et $\vec{w}$ font des angles de 40°, 130° et 250° respectivement avec l'horizontale. Si $|\vec{u}| = 4$, $|\vec{v}| = 6$ et $|\vec{w}| = 12$, exprimer $\vec{w}$ comme combinaison linéaire de $\vec{u}$ et $\vec{v}$.

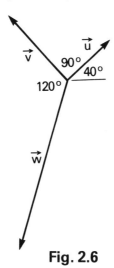

Fig. 2.6

Soit $\vec{w} = b\,\vec{v} + k\,\vec{u}$. Dans le ΔABC, $|\overrightarrow{AB}| = 12$, $|\overrightarrow{AC}| = 6\,|b|$ et $|\overrightarrow{BC}| = 4\,|k|$. $^{\angle}$ABC $= 30°$, $^{\angle}$ACB $= 90°$ et $^{\angle}$BAC $= 60°$.

$$|\overrightarrow{AC}| = |\overrightarrow{AB}| \sin 30°,$$

$$6\,|b| = 12 \times \frac{1}{2},$$

$$|b| = 1.$$

De plus,

$$|\overrightarrow{BC}| = |\overrightarrow{AB}| \cos 30°,$$

$$4\,|k| = \frac{12\sqrt{3}}{2},$$

$$|k| = \frac{3\sqrt{3}}{2}.$$

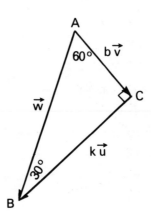

D'après le diagramme, $k < 0$, $b < 0 \Rightarrow k = -\dfrac{3\sqrt{3}}{2}$ et $b = -1$,

d'où $\quad \vec{w} = -\vec{v} - \dfrac{3\sqrt{3}}{2}\,\vec{u}$.

2.3   EXERCICES

1. Soit, dans le plan cartésien, les points A (4, 4), B (10, 4) et C (14, 2):

a) représenter graphiquement $\overrightarrow{OB}$ comme combinaison linéaire de $\overrightarrow{OA}$ et $\overrightarrow{OC}$;

b) estimer les scalaires de cette combinaison linéaire.

2. Soit les points A (3, 4), B (7, 8), C (−7, −3), D (1, −5), E (1, 1) et F (0, −3):

a) représenter graphiquement $\overrightarrow{AB}$ comme combinaison linéaire de $\overrightarrow{CD}$ et $\overrightarrow{EF}$; estimer les scalaires de cette combinaison linéaire;

b) même question pour $\overrightarrow{CD}$ en fonction de $\overrightarrow{AB}$ et $\overrightarrow{EF}$;

c) même question pour $\overrightarrow{EF}$ en fonction de $\overrightarrow{AB}$ et $\overrightarrow{CD}$.

3. Soit les vecteurs $\vec{u}$, $\vec{v}$, $\vec{w}$ et $\vec{x}$, tels que représentés:

a)   tracer le vecteur $\vec{s} = \vec{u} + \vec{v} - \vec{w} - \vec{x}$;

b)   les vecteurs $\vec{s}$, $\vec{u}$, $\vec{v}$, $\vec{w}$ et $\vec{x}$ sont-ils linéairement indépendants?

c)   même question pour $\vec{u}$, $\vec{v}$, $\vec{w}$ et $\vec{x}$;

d)   même question pour $\vec{v}$, $\vec{w}$ et $\vec{x}$;

e)   même question pour $\vec{w}$ et $\vec{x}$.

4.   Soit les vecteurs $\vec{u}$, $\vec{v}$ et $\vec{w}$ représentés de la façon suivante:

a)   exprimer $\vec{w}$ comme combinaison linéaire de $\vec{u}$ et $\vec{v}$;

b)   les vecteurs $\vec{u}$, $\vec{v}$, et $\vec{w}$ sont-ils linéairement indépendants?

c)   même question pour $\vec{u}$ et $\vec{v}$;

d)   même question pour $\vec{u}$ et $\vec{w}$.

5.   Deux vecteurs sont colinéaires si et seulement si ils sont parallèles. Cette affirmation demeure-t-elle vraie dans le cas de trois vecteurs? Justifier.

6.   Deux vecteurs sont colinéaires si et seulement si ils sont linéairement dépendants. Est-ce encore vrai dans le cas de trois vecteurs? Justifier.

7.   Trois vecteurs sont coplanaires si et seulement si chacun de ces vecteurs peut s'écrire comme combinaison linéaire des autres vecteurs. Cette proposition est-elle vraie? Justifier.

8.   Trois vecteurs ou plus sont coplanaires si et seulement si ils sont linéairement dépendants. Discuter.

9.   Soit $\vec{u}$, $\vec{v}$ et $\vec{w}$ des vecteurs non coplanaires. Soit:

$$\vec{a} = \vec{u} + 2\vec{v} + 8\vec{w},$$
$$\vec{b} = -\vec{u} + 2\vec{v} + 4\vec{w},$$
$$\vec{c} = \vec{u} - \vec{v} - \vec{w}.$$

a)   Montrer que $3\vec{a} + 4\vec{b} + 5\vec{c} = 4\vec{a} + \vec{b} + \vec{c}$.

b)   Les vecteurs $\vec{a}$, $\vec{b}$ et $\vec{c}$ sont-ils coplanaires?

c)   Écrire $\vec{a}$ en fonction de $\vec{b}$ et $\vec{c}$.

d)   Écrire la combinaison linéaire de $\vec{u}$, $\vec{v}$ et $\vec{w}$ représentant le vecteur $\vec{d}$ colinéaire à $\vec{a}$, mais de sens contraire et de longueur égale à sa moitié.

e)   Écrire le vecteur $\vec{e} = 3\vec{d}$.

10.   Soit le triangle PQR tel que représenté ci-contre, et soit M le point milieu du segment QR.

a)   Exprimer $\overrightarrow{OM}$ comme combinaison linéaire de $\overrightarrow{OQ}$ et $\overrightarrow{OR}$.

b)   Exprimer $\overrightarrow{PM}$ comme combinaison linéaire de $\overrightarrow{OP}$, $\overrightarrow{OQ}$ et $\overrightarrow{OR}$.

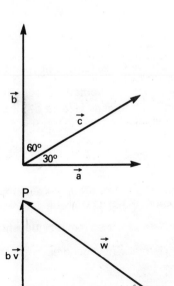

11.   Soit les points A(−4, 2), B(−2, 3), C(1, −3) et D(1, 1).   Déterminer graphiquement l'extrémité du vecteur $\vec{u} = 3\overrightarrow{AB} - \frac{1}{4}\overrightarrow{CD}$, lorsque le point A est reporté à l'origine du système d'axes cartésien.

12.   Dans la figure ci-contre, $\vec{a}$, $\vec{b}$ et $\vec{c}$ représentent trois vecteurs coplanaires. Si $|\vec{a}| = 10$, $|\vec{b}| = 12$ et $|\vec{c}| = 12$, exprimer $\vec{c}$ comme combinaison linéaire de $\vec{a}$ et $\vec{b}$, et $\vec{b}$ comme combinaison linéaire de $\vec{a}$ et $\vec{c}$.

13.   Dans la figure ci-contre, $\overrightarrow{RP} = \vec{w}$, $\overrightarrow{RQ} = k\vec{u}$ et $\overrightarrow{QP} = b\vec{v}$, avec k > 0, b > 0. Si $|\vec{u}| = 4$, $|\vec{v}| = 5$ et $|\vec{w}| = 16$, calculer les valeurs de k et de b à deux décimales près.

$K = 2\sqrt{3}$

$b = \frac{8}{5}$

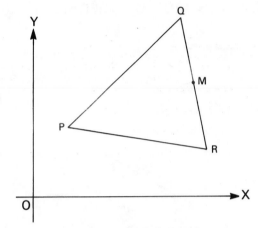

14. Montrer que le quadrilatère obtenu en joignant par des segments les milieux des côtés consécutifs d'un quadrilatère quelconque, est un parallélogramme.

15. Soit C, D, E et F, quatre points de l'espace, et $\vec{u}$, un vecteur tel que $3\vec{u} = \overrightarrow{FC} + \overrightarrow{FD} + \overrightarrow{FE}$. Montrer que:

$$\vec{u} = \overrightarrow{FC} + \frac{2}{3}\overrightarrow{CD} + \frac{1}{3}\overrightarrow{DE}.$$

2.4   LES VECTEURS GÉOMÉTRIQUES DU PLAN

2.4.1   Notion de base et de repère

Soit deux vecteurs non parallèles $\vec{a}$ et $\vec{b}$, placés à une même origine:

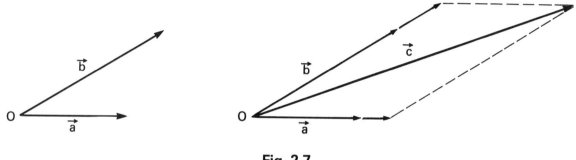

Fig. 2.7

Nous remarquons que:

1° $\vec{a}$ et $\vec{b}$ sont linéairement indépendants.

2°   N'importe quel vecteur $\vec{c}$ contenu dans le plan de $\vec{a}$ et $\vec{b}$ peut s'écrire comme combinaison linéaire de $\vec{a}$ et $\vec{b}$. (Il suffit de faire de $\vec{c}$ une diagonale d'un parallélogramme dont les côtés sont des multiples scalaires de $\vec{a}$ et $\vec{b}$.)

Nous disons que $\{\vec{a}, \vec{b}\}$ est une base pour les vecteurs du plan contenant les vecteurs $\vec{a}$ et $\vec{b}$. Nous la noterons $\langle\vec{a}, \vec{b}\rangle$.

De façon générale, pour que des vecteurs constituent une *base* d'un ensemble donné, il faut:

1)   qu'ils soient linéairement indépendants;

2)   qu'ils puissent engendrer tout vecteur de l'ensemble donné.

Nous avons déjà montré que deux vecteurs non parallèles sont linéairement indépendants (voir section 2.2.1). Au chapitre 3, nous démontrerons que deux vecteurs non parallèles engendrent tous les vecteurs du plan auquel ils appartiennent. Admettons pour l'instant que, lorsque l'ensemble de vecteurs considéré est l'ensemble des vecteurs géométriques d'un plan, il suffit, pour former une base, de prendre *deux vecteurs non parallèles* appartenant à ce plan. Ceci exclut évidemment le vecteur nul, lequel est un multiple scalaire de tout vecteur donné.

Dans la combinaison linéaire obtenue à la figure 2.7, $\vec{c} = 1{,}2\,\vec{a} + 1{,}3\,\vec{b}$, les scalaires 1,2 et 1,3 sont appelées les *composantes* du vecteur $\vec{c}$ dans la base $<\vec{a}, \vec{b}>$.

THÉORÈME

> Les composantes d'un vecteur dans une base donnée sont uniques.

Démonstration:

Soit la base $<\vec{a}, \vec{b}>$ et le vecteur quelconque $\vec{c}$ appartenant à l'ensemble des vecteurs engendrés par $\vec{a}$ et $\vec{b}$. Supposons qu'il existe des scalaires k_1, k_2, b_1 et b_2 tels que:

$$\vec{c} = k_1\,\vec{a} + k_2\,\vec{b},$$

$$\vec{c} = b_1\,\vec{a} + b_2\,\vec{b}.$$

Alors:

$$k_1\,\vec{a} + k_2\,\vec{b} = b_1\,\vec{a} + b_2\,\vec{b} \qquad \text{(transitivité de l'égalité)}$$

ou

$$k_1\,\vec{a} + k_2\,\vec{b} - b_1\,\vec{a} - b_2\,\vec{b} = \vec{0} \qquad \text{(addition de vecteurs)}$$

et

$$(k_1 - b_1)\,\vec{a} + (k_2 - b_2)\,\vec{b} = \vec{0} \qquad ((p + q)\,\vec{u} = p\,\vec{u} + q\,\vec{u});$$

$\vec{a}$ et $\vec{b}$ étant linéairement indépendants, les scalaires $k_1 - b_1$ et $k_2 - b_2$ sont nécessairement nuls
(définition de l'indépendance linéaire).

Or $(k_1 - b_1) = 0 => k_1 = b_1$ et $(k_2 - b_2) = 0 => k_2 = b_2$.

Il faut donc conclure que les composantes d'un vecteur dans une base donnée sont uniques.   □

Remarque: $(0, \vec{a}, \vec{b})$ constitue un repère du plan P contenant les vecteurs $\vec{a}$ et $\vec{b}$.

DÉFINITION: Un *repère* est un système d'axes qui permet de situer un point dans un espace donné.

Exemple 1:   Soit D une droite. Soit O et A deux points distincts de D et soit $\vec{a} = \vec{OA}$:

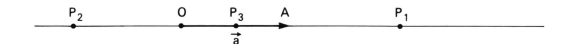

Fig. 2.8

Tout point P de la droite D peut se repérer de la façon suivante:

P_1: $\overrightarrow{OP}_1 = 2\overrightarrow{OA} = 2\vec{a}$

P_2: $\overrightarrow{OP}_2 = -\overrightarrow{OA} = -\vec{a}$

P_3: $\overrightarrow{OP}_3 = \dfrac{1}{2}\overrightarrow{OA} = \dfrac{1}{2}\vec{a}$

À chaque point P correspond un et un seul nombre réel x qui est la composante de $\overrightarrow{OP}$ dans la base $\langle\vec{a}\rangle$ et, réciproquement, à chaque nombre réel correspond un et un seul point de la droite D. Ainsi, $(0, \vec{a})$ est un repère pour les points de la droite D.

Exemple 2:   Soit un plan P. Soit O, A et B trois points distincts et non alignés de P. Soit deux vecteurs $\vec{a} = \overrightarrow{OA}$ et $\vec{b} = \overrightarrow{OB}$.

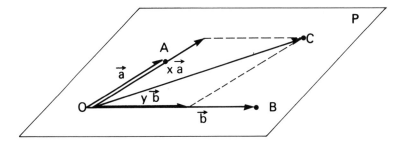

Fig. 2.9

Tout point C du plan P peut se repérer de la façon suivante:

C: $\overrightarrow{OC} = x\vec{a} + y\vec{b}$, $x, y \in \mathbb{R}$.

Il existe une correspondance biunivoque (bijection) entre les points du plan P et les couples de réels (x, y) appartenant à l'ensemble formé par le produit cartésien ℝ × ℝ. Ainsi, (0, $\vec{a}$, $\vec{b}$) est un repère pour les points du plan P.

Exemple 3:   De la même façon, soit dans l'espace quatre points O, A, B, C, tels que $\vec{OA} = \vec{a}$, $\vec{OB} = \vec{b}$ et $\vec{OC} = \vec{c}$ ne soient pas coplanaires. Il est possible de repérer chaque point D de l'espace de la façon suivante:

$$D: \vec{OD} = x\,\vec{a} + y\,\vec{b} + z\,\vec{c}.$$

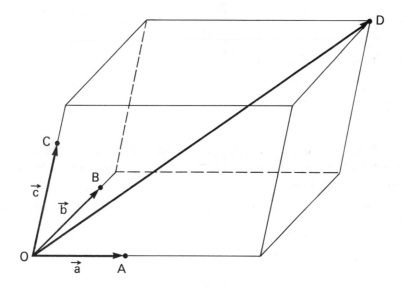

Fig. 2.10

Nous disons que (O, $\vec{a}$, $\vec{b}$, $\vec{c}$) est un repère pour les points de l'espace.

2.4.2 Représentation des vecteurs géométriques dans le plan cartésien

Nous savons déjà comment nous y prendre pour représenter un couple de nombres réels par un point sur le plan cartésien déterminé par deux axes perpendiculaires (ou orthogonaux) se rencontrant en un point O appelé origine. Plaçons sur les axes OX et OY les vecteurs $\vec{i}$ et $\vec{j}$ de façon à ce que leur origine coïncide avec l'origine du système d'axes et leur extrémité, respectivement, avec les points (1, 0) et (0, 1). Ces deux vecteurs forment une base pour l'ensemble des vecteurs du plan, car ce sont des vecteurs non parallèles.

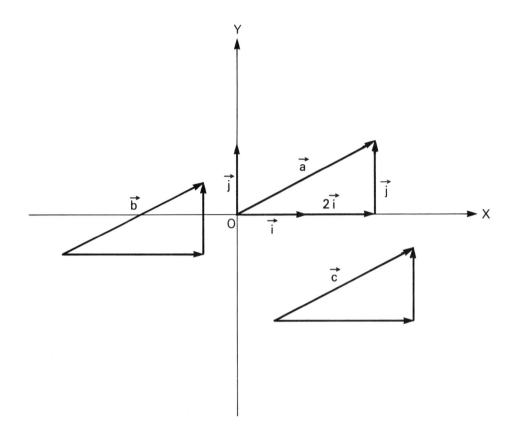

Fig. 2.11

DÉFINITION: Une *base orthonormée* est une base dont les vecteurs sont perpendiculaires et de longueur 1.

Ainsi, $< \vec{i} , \vec{j} >$ forme une base orthonormée de l'ensemble des vecteurs géométriques du plan, car:

1°   les vecteurs $\vec{i}$ et $\vec{j}$ sont perpendiculaires;

2°   leur longueur (ou norme) est égale et détermine une unité de longueur utilisable dans toutes les directions.

Les vecteurs $\vec{a}$, $\vec{b}$ et $\vec{c}$ de la figure 2.11 sont égaux car ils ont tous la même longueur, la même direction et le même sens. De plus, ils représentent tous la même combinaison linéaire des vecteurs $\vec{i}$ et $\vec{j}$:

$$\vec{a} = 2\vec{i} + \vec{j} = \vec{b} = \vec{c}.$$

Les scalaires 2 et 1 de cette combinaison linéaire sont appelés les composantes de $\vec{a}$ (ou $\vec{b}$, ou $\vec{c}$) dans la base $< \vec{i}, \vec{j} >$.

DÉFINITION: Soit la combinaison linéaire $\vec{u} = x\vec{i} + y\vec{j}$ exprimant le vecteur $\vec{u}$ en fonction des vecteurs de la base $< \vec{i}, \vec{j} >$. Les scalaires x et y sont appelés les *composantes* de $\vec{u}$ dans la base $< \vec{i}, \vec{j} >$.

Il est d'usage de représenter les composantes d'un vecteur géométrique du plan dans une base donnée sous forme d'un couple. Ainsi, pour les vecteurs $\vec{a}$, $\vec{b}$ et $\vec{c}$ étudiés plus haut:

$$\vec{a} = \vec{b} = \vec{c} = (2, 1).$$

D'où une nouvelle définition de l'égalité des vecteurs.

DÉFINITION: Deux vecteurs sont *égaux* si et seulement si leurs composantes de même rang sont égales dans une base donnée.

Remarque 1:   En donnant les composantes d'un vecteur, il est important de spécifier la base ou le repère de référence. Ainsi, dans la figure 2.12, les vecteurs $\vec{u}$ et $\vec{v}$ ont les mêmes composantes, ce qui n'en fait pas des vecteurs égaux car la base n'est pas la même. Cependant, quand la base ne ne sera pas spécifiée, il faudra assumer qu'il s'agit de la base $< \vec{i}, \vec{j} >$, base usuelle.

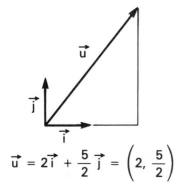

$$\vec{u} = 2\vec{i} + \frac{5}{2}\vec{j} = \left(2, \frac{5}{2}\right)$$

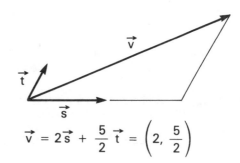

$$\vec{v} = 2\vec{s} + \frac{5}{2}\vec{t} = \left(2, \frac{5}{2}\right)$$

Fig. 2.12

Remarque 2:   Un couple de nombres réels peut représenter un point: A(2, 3) ou A: (2, 3); ou un vecteur: $\overrightarrow{AB} = (2, 3)$ ou $\vec{u} = (2, 3)$. Le contexte et une notation rigoureuse aident à éliminer la confusion.

Remarque 3:   Si l'origine d'un vecteur coïncide avec l'origine des vecteurs de la base, alors les composantes du vecteur sont les mêmes que les coordonnées du point qui constitue l'extrémité du vecteur.

Exemple: Soit $\vec{OA}$, le vecteur $\vec{a}$ de la figure 2.11. Alors (2, 1) peut représenter à la fois le point A ou le vecteur $\vec{a}$. Il faudra écrire $\vec{a}$ = (2, 1) ou A: (2, 1), selon le cas.

Nous allons maintenant voir comment calculer les composantes d'un vecteur à partir des coordonnées de ses extrémités. Soit le vecteur $\vec{AB}$ allant du point A (2, –1) au point B (6, 5) dans le repère (0, $\vec{i}$, $\vec{j}$):

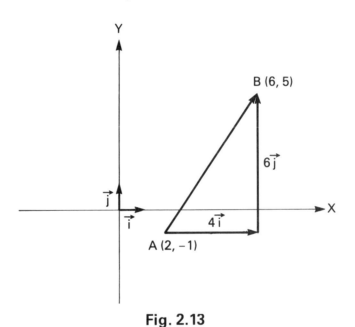

Fig. 2.13

Le vecteur $\vec{AB}$ est la somme des vecteurs $4\vec{i}$ et $6\vec{j}$. Si nous faisons la différence entre les coordonnées du point B et celles du point A, nous obtenons:

(6, 5) – (2, –1) = (6 – 2, 5 – (–1)) = (4, 6).

Il est donc possible de calculer les composantes d'un vecteur donné à partir des coordonnées de ses extrémités.

De façon générale: soit A: (x_1, y_1) et B: (x_2, y_2), alors les *composantes* de $\vec{AB}$ sont $x_2 - x_1$ et $y_2 - y_1$, de sorte que $\vec{AB} = (x_2 - x_1, y_2 - y_1)$.

2.4.3   Norme d'un vecteur

DÉFINITION: La *norme* d'un vecteur géométrique $\vec{AB}$ (ou *longueur*, ou *module*), notée $|\vec{AB}|$ est égale à la distance entre son origine A et son extrémité B.

Soit le vecteur $\vec{v} = a\vec{i} + b\vec{j}$ appartenant à l'ensemble des vecteurs géométriques du plan muni de la base $<\vec{i}, \vec{j}>$.

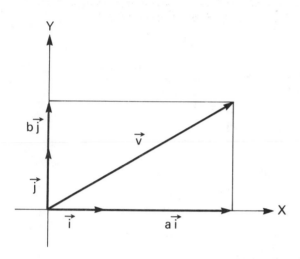

Fig. 2.14

Le vecteur $\vec{v}$ étant l'hypoténuse d'un triangle rectangle, nous aurons, selon le théorème de Pythagore:

$$|\vec{v}|^2 = |a\vec{i}|^2 + |b\vec{j}|^2.$$

Or

$$|a\vec{i}| = |a||\vec{i}| \qquad \text{(définition du produit d'un vecteur par un scalaire)}$$

$$= |a| \qquad \text{(puisque } |\vec{i}| = 1\text{)}$$

et, de plus

$$|b\vec{j}| = |b|.$$

Donc

$$|\vec{v}|^2 = |a|^2 + |b|^2$$

$$= a^2 + b^2 \quad \text{(puisque dans } \mathbb{R}, |x|^2 = x^2\text{).}$$

D'où la formule:

$$|\vec{v}| = \sqrt{a^2 + b^2}$$

Remarque 1:   Cette formule n'est valable que si les composantes d'un vecteur sont données dans une base orthonormée.

Remarque 2:   Si un vecteur est connu par ses extrémités, soit A (x_1, y_1) et B (x_2, y_2), alors
$$\vec{AB} = (x_2 - x_1, y_2 - y_1) \text{ et}$$
$$|\vec{AB}| = \sqrt{(x_2 - x_1)^2 + (y_2 - y_1)^2}$$

ce qui n'est autre que la formule de la distance entre deux points du plan cartésien.

Exemple 1:   Soit $\vec{u} = (3, -5)$. Alors

$$|\vec{u}| = \sqrt{9 + 25} = \sqrt{34}.$$

Exemple 2:   Soit A $(-1, -4)$ et B $(3, 6)$:

$$|\overrightarrow{AB}| = \sqrt{(3 + 1)^2 + (6 + 4)^2}$$

$$= \sqrt{16 + 100}$$

$$= \sqrt{116}$$

DÉFINITION: Un vecteur *unitaire* est un vecteur dont la longueur est 1.

Exemple: Soit $\overrightarrow{u} = \left(\dfrac{1}{2}, \dfrac{\sqrt{3}}{2} \right)$. Le vecteur $\overrightarrow{u}$ est unitaire car:

$$|\overrightarrow{u}| = \sqrt{\left(\frac{1}{2}\right)^2 + \left(\frac{\sqrt{3}}{2}\right)^2}$$

$$= \sqrt{\frac{1}{4} + \frac{3}{4}}$$

$$= \sqrt{1}$$

$$= 1.$$

2.5   LES VECTEURS GÉOMÉTRIQUES DE L'ESPACE

2.5.1   Base dans l'espace

Soit trois vecteurs non coplanaires $\overrightarrow{a}$, $\overrightarrow{b}$ et $\overrightarrow{c}$, reportés à une origine commune O. Soit $\overrightarrow{d}$ un vecteur quelconque de l'espace.

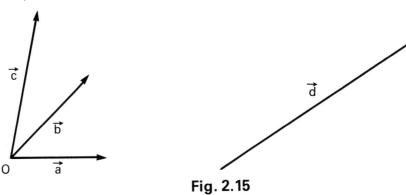

Fig. 2.15

Reportons l'origine du vecteur $\vec{d}$ au point O: nous déterminons un nouveau vecteur $\overrightarrow{OB} = \vec{d}$.

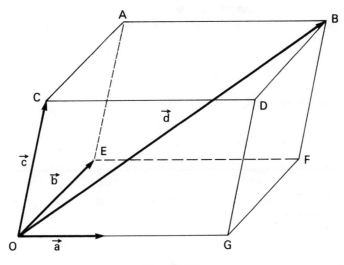

Fig. 2.16

Le point B détermine un parallélépipède dont $\overrightarrow{OB}$ est une diagonale et dont les arêtes sont parallèles à l'un ou l'autre des vecteurs $\vec{a}$, $\vec{b}$ ou $\vec{c}$.

Le vecteur $\overrightarrow{OB}$ est la somme des vecteurs $\overrightarrow{OC}$, $\overrightarrow{CA}$ et $\overrightarrow{AB}$:

$$\overrightarrow{OB} = \overrightarrow{OC} + \overrightarrow{CA} + \overrightarrow{AB}.$$

Mais,

$$\overrightarrow{OC} = \vec{c} , \qquad \overrightarrow{CA} = \vec{b} \quad \text{et} \quad \overrightarrow{AB} = \frac{7}{3} \vec{a}.$$

D'où

$$\overrightarrow{OB} = \frac{7}{3} \vec{a} + \vec{b} + \vec{c}$$

et $\overrightarrow{OB}$ est combinaison linéaire des vecteurs $\vec{a}$, $\vec{b}$ et $\vec{c}$.

De la même façon, tout vecteur de l'espace pourrait s'écrire comme combinaison linéaire des vecteurs $\vec{a}$, $\vec{b}$ et $\vec{c}$. Nous disons que $< \vec{a}, \vec{b}, \vec{c} >$ forme une base pour l'ensemble des vecteurs de l'espace, puisque les vecteurs $\vec{a}$, $\vec{b}$ et $\vec{c}$ satisfont aux conditions générales déjà énoncées: ce sont des vecteurs linéairement indépendants, pouvant engendrer tout vecteur d'un ensemble donné.

Nous savons déjà que trois vecteurs sont linéairement indépendants si et seulement si ils sont non coplanaires. Au chapitre 3, nous verrons que trois vecteurs non coplanaires suffisent pour engendrer tout vecteur de l'espace. Admettons pour l'instant que, lorsque l'ensemble de vecteurs considéré est l'ensemble des vecteurs géométriques de l'espace, il suffit, pour former une base, de prendre *trois vecteurs non coplanaires*.

Dans la combinaison linéaire $\vec{d} = \dfrac{7}{3}\vec{a} + \vec{b} + \vec{c}$, les scalaires $\dfrac{7}{3}$, 1 et 1 sont appelés les *composantes* du vecteur $\vec{d}$ dans la base $<\vec{a}, \vec{b}, \vec{c}>$. Ces scalaires sont uniques dans une base donnée.

2.5.2   Représentation graphique dans l'espace

Dans l'espace à trois dimensions, la représentation peut se faire à l'aide d'un système constitué de trois axes perpendiculaires, se coupant en un point O appelé *origine*. Les trois axes sont appelés *axes de coordonnées*. Pris deux à deux, ils déterminent trois plans perpendiculaires, plan XY, plan XZ et plan YZ, appelés *plans de coordonnées*. Ces plans sont des régions illimitées.

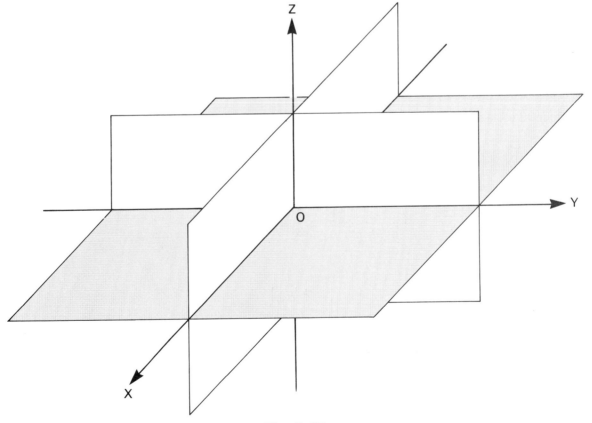

Fig. 2.17

Les axes de coordonnées divisent l'espace en huit régions, appelées *octants*. Le 1er octant est celui où les coordonnées X, Y et Z sont positives. Les autres ne sont pas numérotées systématiquement. Nous y réfé-rerons en mentionnant les signes des coordonnées: par exemple, nous parlerons de la région où X et Y sont positifs, ou de la région où seul Z est positif, etc.

Comment situer un point P de l'espace représentant le triplet (x, y, z)? En nous déplaçant à partir de l'origine O,

- de x unités sur l'axe des X,

- de y unités parallèlement à l'axe des Y,

- de z unités parallèlement à l'axe des Z.

Exemple 1:   Les points (2, 5, 3) et (−3, −6, 4) se représentent ainsi:

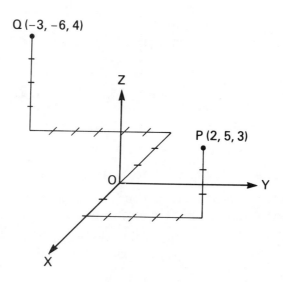

Fig. 2.18

Remarque: La coordonnée en X du point P porte le nom d'*abscisse*, la coordonnée en Y, celui d'*ordonnée*, et la coordonnée en Z, celui de *cote*.

Exemple 2:   Chaque point de l'espace est le sommet d'un prisme droit dont les arêtes sont parallèles aux axes de coordonnées. Ainsi, les sommets du prisme ABCDOEFG ont-ils les coordonnées suivantes: O: (0, 0, 0), D: (0, 5, 3), F: (−1, 5, 0), E: (−1, 0, 0), A: (0, 0, 3), B: (−1, 0, 3), C: (−1, 5, 3), G: (0, 5, 0). Notons de plus que les points situés sur les axes de coordonnées ont toujours deux coordonnées nulles, et les points situés dans les plans de coordonnées, hors des axes, une coordonnée nulle.

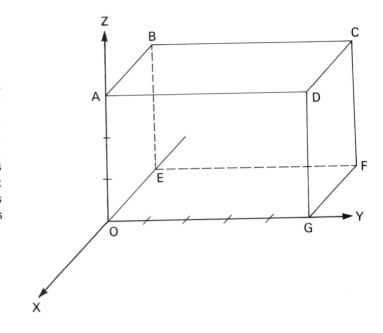

Fig. 2.19

2.5.3   Représentation des vecteurs géométriques de l'espace

Nous connaissons déjà la définition de base orthonormée, et nous savons que $< \vec{i}, \vec{j} >$ constitue une base orthonormée pour l'ensemble des vecteurs géométriques du plan.

Procédons d'une façon semblable dans l'espace, et plaçons sur les axes OX, OY et OZ les vecteurs $\vec{i}, \vec{j}$ et $\vec{k}$ de façon que leur origine coïncide avec l'origine du système d'axes et leur extrémité, respectivement, avec les points (1, 0, 0), (0, 1, 0) et (0, 0, 1).

DÉFINITION: Les trois vecteurs $\vec{i}, \vec{j}$ et $\vec{k}$ forment une *base orthonormée* de l'espace, en ce sens que:

1°   ils sont mutuellement perpendiculaires,

2°   leur longueur respective est égale à 1.

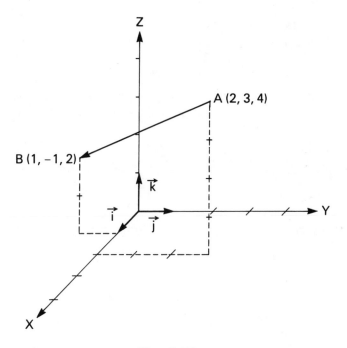

Fig. 2.20

Pour représenter le vecteur géométrique $\overrightarrow{AB}$ dans ce repère, il suffira de situer les points A et B représentant les extrémités de ce vecteur et de tracer le segment orienté allant de A vers B.

Exemple: Dans la figure 2.20, le vecteur $\overrightarrow{AB}$ a comme origine A (2, 3, 4) et comme extrémité (1, −1, 2).

DÉFINITION: Soit la combinaison linéaire $\vec{u} = x\vec{i} + y\vec{j} + z\vec{k}$ exprimant le vecteur $\vec{u}$ en fonction des vecteurs de la base $< \vec{i}, \vec{j}, \vec{k} >$. Les scalaires x, y et z sont appelés les *composantes* de $\vec{u}$ dans la base $< \vec{i}, \vec{j}, \vec{k} >$.

Il est d'usage de représenter les composantes d'un vecteur géométrique de l'espace sous forme d'un triplet de nombres réels, de la façon suivante:

$$\vec{u} = (x, y, z).$$

Comme dans le cas des vecteurs du plan, il ne faudra évidemment pas confondre le triplet (a, b, c) représentant le point P de l'espace, et le triplet (a, b, c) représentant le vecteur $\vec{v}$. Cependant, si un vecteur est représenté graphiquement avec son origine placée à l'origine du système d'axes OX, OY, OZ, son extrémité et ses composantes seront représentées par le même triplet de nombres réels.

DÉFINITION: Deux vecteurs $\vec{u} = (u_1, u_2, u_3)$ et $\vec{v} = (v_1, v_2, v_3)$ seront dits *égaux* si et seulement si: $u_1 = v_1$, $u_2 = v_2$ et $u_3 = v_3$.

Il est également possible de calculer les composantes d'un vecteur de l'espace à partir des coordonnées de ses extrémités. Ainsi, le vecteur $\overrightarrow{AB}$ allant de A (2, 3, 0) à B (1, −1, 1) a pour composantes: (1 −2, −1 −3, 1 −0) ou (−1, −4, 1).

De façon générale, soit A: (x_1, y_1, z_1) et B: (x_2, y_2, z_2). Alors les *composantes* de $\overrightarrow{AB}$ sont $x_2 - x_1$, $y_2 - y_1$ et $z_2 - z_1$ et $\overrightarrow{AB} = (x_2 - x_1, y_2 - y_1, z_2 - z_1)$.

2.5.4   Norme d'un vecteur géométrique de l'espace

La formule pour le calcul de la norme d'un vecteur de l'espace est également tirée du théorème de Pythagore.

Soit un vecteur $\vec{v} = a\,\vec{i} + b\,\vec{j} + c\,\vec{k}$ appartenant à l'ensemble des vecteurs géométriques de l'espace muni de la base $< \vec{i}, \vec{j}, \vec{k} >$. Nous avons:

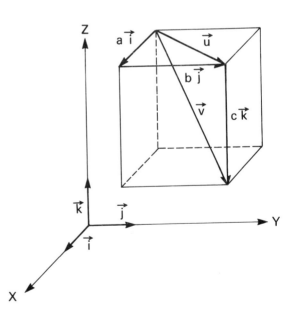

$$\vec{v} = a\,\vec{i} + b\,\vec{j} + c\,\vec{k}$$

$$= \vec{u} + c\,\vec{k} \qquad \text{(addition des vecteurs).}$$

Or:

$$|\vec{v}|^2 = |\vec{u}|^2 + |c\,\vec{k}|^2$$

(théorème de Pythagore).

Mais

$$|\vec{u}|^2 = |a|^2 + |b|^2 \quad \text{(norme des vecteurs du plan)}$$

et

$$|c\,\vec{k}| = |c|\,|\vec{k}| \quad \text{(produit d'un vecteur par un scalaire)}$$

$$= |c| \qquad (|\vec{k}| = 1).$$

Fig. 2.21

D'où:

$$|\vec{v}|^2 = |a|^2 + |b|^2 + |c|^2$$

$$= a^2 + b^2 + c^2$$

et

$$|\vec{v}| = \sqrt{a^2 + b^2 + c^2}.$$

Remarque: Comme pour les vecteurs du plan, cette formule n'est valable que dans une base orthonormée.

Exemple 1:   Soit $\vec{v} = (1, -4, 6)$. Alors $|\vec{v}| = \sqrt{1 + 16 + 36} = \sqrt{53}$.

Exemple 2:   Soit A: $(2, 5, 3)$ et B: $(-4, 6, 0)$. Alors:

$$|\overrightarrow{AB}| = \sqrt{(-4-2)^2 + (6-5)^2 + (-3)^2} = \sqrt{36 + 1 + 9} = \sqrt{46} .$$

2.6   OPÉRATIONS SUR LES VECTEURS EXPRIMÉS PAR LEURS COMPOSANTES

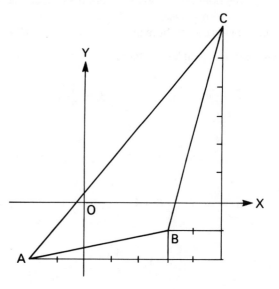

Sur la figure ci-contre,

$$\overrightarrow{AB} = 5\vec{i} + \vec{j} = (5, 1).$$

$$\overrightarrow{BC} = 2\vec{i} + 7\vec{j} = (2, 7).$$

$$\overrightarrow{AC} = 7\vec{i} + 8\vec{j} = (7, 8).$$

Mais: $\overrightarrow{AC} = \overrightarrow{AB} + \overrightarrow{BC}$ et les composantes peuvent s'obtenir également en additionnant les composantes de même rang des vecteurs $\overrightarrow{AB}$ et $\overrightarrow{BC}$.

Fig. 2.22

Toutes les opérations définies précédemment sur les vecteurs géométriques peuvent être effectuées sur les composantes de ces vecteurs exprimés dans une base donnée. Le tableau suivant résume ces opérations sur les vecteurs géométriques du plan et de l'espace.

OPÉRATIONS	Soit $\vec{u} = (u_1, u_2)$, $\vec{v} = (v_1, v_2), p \in \rm I\!R$.	Soit $\vec{u} = (u_1, u_2, u_3)$, $\vec{v} = (v_1, v_2, v_3), p \in \rm I\!R$.
ADDITION	$\begin{aligned}\vec{u} + \vec{v} &= (u_1, u_2) + (v_1, v_2) \\ &= (u_1 + v_1, u_2 + v_2)\end{aligned}$	$\begin{aligned}\vec{u} + \vec{v} &= (u_1, u_2, u_3) + (v_1, v_2, v_3) \\ &= (u_1 + v_1, u_2 + v_2, u_3 + v_3)\end{aligned}$
SOUSTRACTION	$\begin{aligned}\vec{u} - \vec{v} &= (u_1, u_2) - (v_1, v_2) \\ &= (u_1 - v_1, u_2 - v_2)\end{aligned}$	$\begin{aligned}\vec{u} - \vec{v} &= (u_1, u_2, u_3) - (v_1, v_2, v_3) \\ &= (u_1 - v_1, u_2 - v_2, u_3 - v_3)\end{aligned}$
PRODUIT PAR UN SCALAIRE	$\begin{aligned}p\vec{u} &= p(u_1, u_2) \\ &= (pu_1, pu_2)\end{aligned}$	$\begin{aligned}p\vec{u} &= p(u_1, u_2, u_3) \\ &= (pu_1, pu_2, pu_3)\end{aligned}$

Ces opérations ayant été définies, nous allons maintenant donner quelques exemples, puis nous verrons, sous forme d'exemples également, ce que deviennent les notions de vecteurs colinéaires, de combinaisons linéaires de vecteurs et d'indépendance linéaire.

Exemple 1:   Soit les vecteurs $\vec{u} = (1, 6, -4)$, $\vec{v} = (3, 5, 1/2)$. Soit le scalaire $k = 2$. Alors:

$$\vec{u} + \vec{v} = (1, 6, -4) + \left(3, 5, \frac{1}{2}\right) = \left(1 + 3, 6 + 5, -4 + \frac{1}{2}\right)$$

$$= \left(4, 11, -\frac{7}{2}\right)$$

$$\vec{u} - \vec{v} = (1, 6, -4) - \left(3, 5, \frac{1}{2}\right) = \left(1, -3, 6 - 5, -4 - \frac{1}{2}\right)$$

$$= \left(-2, 1, -\frac{9}{2}\right)$$

$$k\vec{u} = 2(1, 6, -4) = (2, 12, -8).$$

Exemple 2:   Les vecteurs $\vec{u}$ et $\vec{v}$ de l'exemple 1 sont-ils parallèles?

$\vec{u}$ et $\vec{v}$ sont parallèles $<=> \exists\, k \in \rm I\!R: \vec{u} = k\vec{v}$ ou $\vec{v} = k\vec{u}$.

Or,

$$(1, 6, -4) = k\,(3, 5, \tfrac{1}{2}) \iff \begin{cases} 1 = 3\,k \\[1.5em] 6 = 5\,k \\[1.5em] -4 = \dfrac{1}{2}\,k \end{cases} \iff \begin{cases} k = \dfrac{1}{3} \\[1em] k = \dfrac{6}{5} \\[1em] k = -8 \end{cases}.$$

Il n'existe pas de scalaire unique k tel que $\vec{u} = k\,\vec{v}$. Donc, $\vec{u}$ et $\vec{v}$ ne sont pas parallèles.

Exemple 3:   Exprimons le vecteur $(2, 4)$ comme combinaison linéaire des vecteurs $(1, 3)$ et $(-1, 5)$.

Alors

$(2, 4) = a\,(1, 3) + b\,(-1, 5)$ .... (définition de combinaison linéaire)

$\iff (2, 4) = (a, 3a) + (-b, 5b)$ .... (multiplication par un scalaire d'un vecteur)

$\iff (2, 4) = (a - b, 3a + 5b)$ .... (addition des vecteurs)

$$\iff \begin{cases} 2 = a - b \\[1em] 4 = 3a + 5b \end{cases} \qquad \text{(égalité des vecteurs)}$$

$$\iff \begin{cases} a = 2 + b \\[1em] a = \dfrac{4 - 5b}{3} \end{cases}.$$

D'où

$$2 + b = \frac{4 - 5b}{3} \iff 6 + 3b = 4 - 5b \iff 8b = -2 \iff b = -\frac{1}{4}$$

et

$$a = \frac{7}{4}.$$

Le vecteur $(2, 4)$ est combinaison linéaire de $(1, 3)$ et de $(-1, 5)$ selon l'équation:

$$(2, 4) = \frac{7}{4}(1, 3) - \frac{1}{4}(-1, 5) \ .$$

Exemple 4:   Les vecteurs $(1, 2, 3)$, $(0, -4, 6)$ et $(-1, 5, 0)$ sont-ils linéairement indépendants? Nous allons donner deux méthodes:

1°   Les vecteurs $\vec{u}$, $\vec{v}$ et $\vec{w}$ sont linéairement indépendants si et seulement si aucun des vecteurs ne peut s'obtenir à partir d'une combinaison linéaire des autres vecteurs:

i)   Soit $(1, 2, 3) = a(0, -4, 6) + b(-1, 5, 0)$. Donc

$$(1, 2, 3) = (0, -4a, 6a) + (-b, 5b, 0)$$

$$= (-b, -4a + 5b, 6a)$$

$$<=> \begin{cases} 1 = -b \\ 2 = -4a + 5b \\ 3 = 6a \end{cases} <=> \begin{cases} b = -1 \\ 2 = -2 - 5: \text{impossible.} \\ a = \frac{1}{2} \end{cases}$$

ii)   Soit $(0, -4, 6) = a(1, 2, 3) + b(-1, 5, 0)$. Donc

$$\begin{cases} 0 = a - b \\ -4 = 2a + 5b, \\ 6 = 3a \end{cases} \begin{cases} a = b \\ -4 = 14: \text{impossible.} \\ a = 2 \end{cases}$$

iii)   Soit $(-1, 5, 0) = a(1, 2, 3) + b(0, -4, 6)$. Donc

$$\begin{cases} -1 = a \\ 5 = 2a - 4b <=> \\ 0 = 3a + 6b \end{cases} \begin{cases} a = -1 \\ 5 = -2 - 2: \text{impossible.} \\ b = \frac{1}{2} \end{cases}$$

Nous pouvons donc dire que les vecteurs donnés sont linéairement indépendants.

2°   Nous savons que: $\vec{u}$, $\vec{v}$, $\vec{w}$ sont linéairement indépendants si et seulement si:
$a\,\vec{u} + b\,\vec{v} + c\,\vec{w} = \vec{0} \Rightarrow a = b = c = 0$. Alors

$a\,(1, 2, 3) + b\,(0, -4, 6) + c\,(-1, 5, 0) = (0, 0, 0)$

$$\Leftrightarrow \begin{cases} a - c = 0 \\ 2\,a - 4\,b + 5\,c = 0 \\ 3\,a + 6\,b = 0 \end{cases} \Leftrightarrow \begin{cases} a = c \\ 2a - 4\left(-\dfrac{a}{2}\right) + 5\,a = 0 \\ a = -2\,b \Leftrightarrow b = -\dfrac{a}{2} \end{cases}$$

Alors $2\,a + 2\,a + 5\,a = 0 \Rightarrow a = 0 \Rightarrow c = 0, b = 0$.

Donc les vecteurs donnés sont linéairement indépendants.

2.7 EXERCICES

1.   Parmi les ensembles de vecteurs suivants exprimés dans la base $<\vec{i}, \vec{j}>$, lesquels forment une base de l'ensemble des vecteurs géométriques du plan?

$A = \left\{ (0, 0), (3, 5) \right\}$;

$B = \left\{ (-2, 0), (0, -3) \right\}$;

$C = \left\{ (3, -1), (5, -2) \right\}$;

$D = \left\{ (10, -4), \left(1, -\dfrac{2}{5}\right) \right\}$;

$E = \left\{ \left(\dfrac{\sqrt{3}}{2}, \dfrac{1}{2}\right), \left(\dfrac{1}{2}, -\dfrac{\sqrt{3}}{2}\right) \right\}$.

2.   a)   Soit le vecteur $\vec{v} = (5, -2)$ exprimé dans la base $<\vec{i}, \vec{j}>$. Écrire ce vecteur comme combinaison linéaire des vecteurs de chacun des ensembles de l'exercice 1. Que remarquez-vous dans le cas des vecteurs de A? dans le cas des vecteurs de D? Ce dernier résultat ne contredit-il pas le théorème de la section 2.4.1?

b)   Pour chacun des ensembles de vecteurs de l'exercice 1 pouvant former une base, tracer un système d'axes portant ces vecteurs.

c)   Représenter le vecteur $\vec{v}$ sur chacun de ces systèmes d'axes à l'aide de ses composantes dans chacune de ces bases.

3.   Parmi les bases déterminées à l'exercice 1, y a-t-il une base orthonormée? Justifier.

4.   Soit l'équation $3\,(a, 1) - 2\,(2, b) = (2, 1)$.

i) $(a, 1)$, $(2, b)$ et $(2, 1)$ représentent-ils des points ou des vecteurs?

ii)   Calculer a et b.

5.   Soit les points $A\,(2, 3)$, $B\,(5, 1)$ et $C\,(-2, -1)$.

a)   Calculer les composantes des vecteurs $\vec{AB}$, $\vec{AC}$ et $\vec{BC}$ dans la base $<\vec{i}, \vec{j}>$.

b)   Déterminer un point D tel que $\overrightarrow{AD} = \overrightarrow{CB}$.

6.   Soit, dans la base $<\vec{i}, \vec{j}>$, les vecteurs $\vec{a} = (1, -3)$ et $b = (4, -1)$. Déterminer le scalaire p tel que le vecteur $\vec{c} = \vec{a} + p\,\vec{b}$ ait sa première composante nulle.

7.   Quels sont, parmi les vecteurs suivants exprimés en base $<\vec{i}, \vec{j}>$, ceux qui sont parallèles?

$\vec{a} = (2, 6)$,

$\vec{b} = (-2, 6)$,

$\vec{c} = \left(\dfrac{1}{2}, \dfrac{6}{4}\right)$

$\vec{d} = \overrightarrow{AB}$ pour A $(2, 4)$ et B $(4, -2)$,

$\vec{e}$, le vecteur allant de l'origine au point $(1, 5)$,

$\vec{f} = \dfrac{1}{2}\,\vec{e}$

8.   a)   Une certaine combinaison linéaire des vecteurs $\vec{a} = 2\vec{i} + \vec{j}$ et $\vec{b} = \vec{i} - \vec{j}$ engendre le vecteur $\vec{c} = \vec{i}$. Quels sont les scalaires de cette combinaison linéaire?

b)   Même question pour $\vec{c} = \vec{0}$.

c)   Les vecteurs $\vec{a}$ et $\vec{b}$ forment-ils une base de l'ensemble des vecteurs géométriques du plan?

d)   Calculer $|\vec{a}|$ et $|\vec{b}|$.

9.   Illustrer à l'aide d'un exemple l'énoncé suivant: toute combinaison linéaire de combinaisons linéaires des vecteurs $\vec{v}_1, \vec{v}_2, \vec{v}_3, ..., \vec{v}_n$ est une combinaison linéaire des vecteurs $\vec{v}_1, \vec{v}_2, \vec{v}_3, ..., \vec{v}_n$.

10.   Soit les vecteurs $\vec{a}_1$ et $\vec{a}_2$ faisant entre eux un angle de $45°$, et tels que $|\vec{a}_1| = 4$ et $|\vec{a}_2| = 2\sqrt{2}$. Soit, de plus, le vecteur $\vec{v} = (1, 2)$ dans le repère $(0, \vec{a}_1, \vec{a}_2)$.

a)   Représenter graphiquement les vecteurs $\vec{a}_1$, $\vec{a}_2$ et $\vec{v}$.

b)   Calculer $|\vec{v}|$.

c)   Calculer les coordonnées de l'extrémité du vecteur $\vec{w}$ dont l'origine coïncide avec l'extrémité de $\vec{v}$ et dont les composantes, dans la base $<\vec{a}_1, \vec{a}_2>$ sont $(-\dfrac{3}{2}, -2)$.

11.   Effectuer les opérations suivantes:

a) $(4, 7) + (-3, 0)$;

b) $4(4, 1) + (3, 6) - 2(5, 1)$;

c) $(3, 5) - (3, -5)$;

d) $(1, 3) + a(6, -2)$;

e) $\dfrac{1}{2}(4, 5) + \dfrac{3}{5}(2, 0)$.

12.   a)   Les vecteurs $(2, 3)$, $(-6, 4)$ et $(4, 6)$ exprimés dans la base $<\vec{i}, \vec{j}>$ sont-ils linéairement indépendants?

b)   Choisir, parmi les vecteurs de a), deux vecteurs linéairement indépendants.

c)   Exprimer les composantes du vecteur $(5, 8)$ dans la base formée par les vecteurs choisis en b).

13. Représenter par des points dans l'espace les triplets de nombres réels suivants:

a) $(-4, 3, 5)$;

b) $(0, 7, 1)$;

c) $(1, 3, 2)$;

d) $(5, 0, 0)$;

e) $(3, -5, -1)$;

f) $(0, -1, 0)$.

14. Représenter sur le système d'axes usuel le vecteur $(1, 2, 3)$, en plaçant son origine:

a) à l'origine du système d'axes;

b) au point $(2, 0, 1)$;

c) au point $(-4, 5, 1)$.

15. Que pouvez-vous dire au sujet des composantes du vecteur (a, b, c) si ce vecteur est:

a) parallèle à l'axe OX?

b) parallèle au plan YZ?

c) perpendiculaire à l'axe OZ?

16. Calculer les composantes du vecteur $\overrightarrow{PQ}$ pour:

a) $P(1, 3, -5)$ et $Q(4, 9, 0)$;

b) $P(x, y, z)$ et $Q(1, 5, 2)$.

17. Vérifier l'associativité de l'addition des vecteurs à l'aide des vecteurs suivants:

$\vec{a} = (2, 5, 1)$; $\vec{b} = (0, 1, -3)$; $\vec{c} = (4, 5, -2)$.

18. Calculer x, y, z si $3\left[(x, 1, -1) + (3, -2, z) - (4, 3, -1)\right] = 6(-3, -y, 5)$.

19. Soit les vecteurs $\vec{u} = (-1, 3, 2)$ et $\vec{v} = (2, 0, -1)$. Déterminer un vecteur $\vec{w}$ qui appartienne au même plan que $\vec{u}$ et $\vec{v}$.

20. Les vecteurs $\vec{u}$ et $\vec{v}$ sont-ils colinéaires, si:

a) $\vec{u} = (-1, 3, 2)$ et $\vec{v} = (2, -6, -4)$?

b) $\vec{u} = (-1, 4, 0)$ et $\vec{v} = (2, 0, 1)$?

21. Soit A$(1, 1, 1)$, B$(-2, 1, 0)$ et C$(1, 3, 4)$. Calculer:

a) $\overrightarrow{AB}$, $\overrightarrow{BA}$;

b) $\overrightarrow{AC} + \overrightarrow{BC}$;

c) $|\overrightarrow{AC}|$;

d) $|\overrightarrow{AC} - \overrightarrow{CB}|$.

22. Soit les vecteurs $\vec{a} = 2\vec{i} + 3\vec{j} - \vec{k}$, $\vec{b} = 4\vec{i} - 2\vec{k}$, $\vec{c} = \vec{i} - \vec{j} - \vec{k}$ et $\vec{d} = \vec{j} + \vec{k}$. Calculer les vecteurs $\vec{u} = \vec{a} + \vec{b} + \vec{c}$ et $\vec{v} = 2\vec{a} - 3\vec{b} + 4\vec{c} - \vec{d}$.

23. Parmi les ensembles suivants de vecteurs exprimés dans la base $< \vec{i}, \vec{j}, \vec{k} >$, déterminer lesquels forment une base des vecteurs de l'espace:

a)   (0, 1, 0), (1, 0, 1) et (0, 0, 2);

b)   (1, −1, 2), (3, −1, 5) et (−2, 2, −4);

c)   (−1, 0, 1), (0, 1, 0) et (1, 2, 0);

d)   (−1, 0, 1), (0, 0, 1) et (1, 0, 0).

24. a) Les vecteurs (4, −1, 2), (1, 0, 3), (2, −1, 0) et (3, 2, 3) forment-ils une base de l'ensemble des vecteurs de l'espace?

b)   Pouvez-vous former une base à l'aide de vecteurs donnés en a).

c)   Exprimer les composantes du vecteur (2, 3, 6) dans la base formée en b).

25. Soit les vecteurs $\vec{u} = \vec{i} + \vec{k}$ et $\vec{v} = \vec{j} + \vec{k}$.

a)   Exprimer $2\vec{u} + 3\vec{v}$ comme combinaison linéaire de $\vec{i}$, $\vec{j}$ et $\vec{k}$.

b)   Parmi les vecteurs suivants, lesquels pouvez-vous exprimer comme combinaison linéaire de $\vec{u}$ et $\vec{v}$?

$$\vec{a} = \vec{i} + 2\vec{j} + \vec{k};$$
$$\vec{b} = 2\vec{i} + \vec{k};$$
$$\vec{c} = 2\vec{i} + 5\vec{j} + 3\vec{k};$$
$$\vec{d} = \vec{i} - \vec{j};$$
$$\vec{e} = \vec{i}.$$

26. Dans le repère $(0, \vec{i}, \vec{j}, \vec{k})$, soit les points A (3, 4, 5) et B (0, −1, 2).

a)   Donner le point milieu du segment AB.

b)   Déterminer le point N du segment AB qui soit trois fois plus près de A que de B.

27. Soit le vecteur $\vec{u} = 2\vec{i} - 4\vec{j} + 9\vec{k}$.

a)   Calculer $|\vec{u}|$.

b)   Déterminer deux vecteurs unitaires $\vec{v}$ et $\vec{w}$ parallèles à $\vec{u}$.

28. Montrer que $\dfrac{\vec{v}}{|\vec{v}|}, \forall\, \vec{v} \neq \vec{0}$, est un vecteur unitaire.

29. Prouver que tout ensemble de vecteurs géométriques de l'espace contenant le vecteur nul est un ensemble de vecteurs linéairement dépendants.

2.8 LIEUX GÉOMÉTRIQUES

DÉFINITION: Un *lieu géométrique* est un ensemble contenant tous les points qui satisfont à une ou plusieurs conditions données, et seulement ceux-ci.

Il y a plusieurs façons de décrire un lieu géométrique:

i)   *verbalement*:   c'est-à-dire en exprimant par des mots les conditions auxquelles satisfont les points appartenant au lieu géométrique;

Exemple 1:   Le lieu des points du plan situés à une distance égale à 5 de l'origine.

ii)   par une *équation algébrique*;

Exemple 2: $\{(x, y) \in \mathbb{R} \times \mathbb{R}: x^2 + y^2 = 25\}$

Pour trouver l'équation algébrique d'un lieu géométrique, il faut partir de la description verbale (ou du graphique) et traduire en langage mathématique les conditions auxquelles satisfont les points du lieu géométrique en question, en appliquant les définitions et les formules appropriées.

Exemple 3:   Trouvons l'équation d'un cercle de rayon 5 centré à l'origine.

Soit P (x, y), un point appartenant au lieu cherché. P (x, y) est tel que la distance de P (x, y) à (0, 0) soit 5:

$$\sqrt{(x - 0)^2 + (y - 0)^2} = 5, \text{ c.-à-d.}$$

$$x^2 + y^2 = 25.$$

Donc, le lieu cherché est: $\{(x, y) \in \mathbb{R} \times \mathbb{R}: x^2 + y^2 = 25\}$.

Exemple 4:   Calculons l'équation du lieu géométrique des points situés à égale distance de l'axe des X et de l'axe des Y.

Soit P (x, y), un point appartenant à ce lieu. P (x, y) est tel que:

d (P (x, y), axe OX) = d (P (x, y), axe OY).

Ces points se trouvent sur les bissectrices des angles formés par les axes OX et OY.

La première droite a une pente égale à 1 et passe par (0, 0):

$$y - 0 = 1 (x - 0)$$

$$y = x.$$

La seconde a une pente égale à – 1 et passe par le même point:

$$y - 0 = - 1 (x - 0)$$

$$y = - x.$$

Donc le lieu cherché est: $\{(x, y) \in \mathbb{R} \times \mathbb{R}: x = y \text{ ou } x = - y\}$.

Il y a une autre façon de décrire un lieu géométrique:

iii)   par un *graphique*:

Exemple 5:

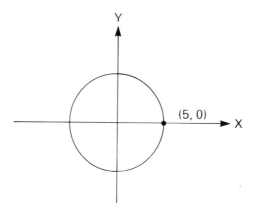

Fig. 2.23

$$\{(x, y) \in \mathbb{R} \times \mathbb{R} : x^2 + y^2 = 25\}$$

Exemple 6:

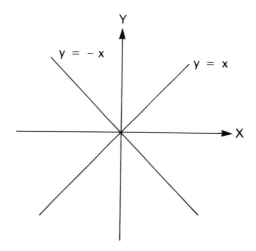

Fig. 2.24

$$\{(x, y) \in \mathbb{R} \times \mathbb{R} : y = x \text{ ou } y = -x\}$$

Exemple 7:

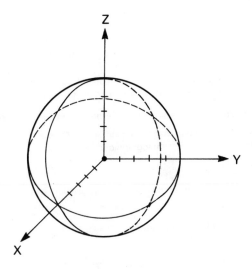

Fig. 2.25

$$\{(x, y, z) \in \mathbb{R} \times \mathbb{R} \times \mathbb{R} : x^2 + y^2 + z^2 = 25\}$$

2.9 EXERCICES

1. a)   Décrire les positions relatives de 2 droites dans le plan.

b)   Décrire les positions relatives de 2 droites dans l'espace.

c)   Décrire les positions relatives de 2 plans dans l'espace.

d)   Décrire les positions relatives de 3 plans dans l'espace.

e)   Décrire les positions relatives dans l'espace d'un plan et d'une droite.

2. Représenter:

a)   deux plans sécants;

b)   deux droites gauches (c.-à-d. des droites dans l'espace ni parallèles, ni sécantes);

c)   deux droites gauches et une droite sécante aux deux premières;

d)   une droite sécante à un plan;

e)   trois plans sécants sur une droite;

f)   trois plans sécants en un point.

3. Combien de plans peuvent passer par:

a)   une droite?

b)   deux droites concourantes?

c)   deux droites gauches?

4. Combien de plans peuvent passer par:

a)   un point?

b)   deux points?

c)   trois points?

Y a-t-il des cas particuliers?

5. Soit deux points fixes M et N, appartenant à un plan donné. Si un point P se déplace dans ce plan de façon que sa distance à M soit toujours égale à sa distance à N, quel est le lieu de P? Représenter graphiquement.

6. Reprendre l'exercice 5, mais pour des points M et N situés dans l'espace et un point P qui se déplace dans $\mathbb{R}^3$.

7. Soit D_1 et D_2, deux droites fixes parallèles appartenant à un plan donné. Quel est le lieu du point P qui se déplace dans ce plan en demeurant toujours à égale distance de D_1 et D_2? Représenter graphiquement.

8. Reprendre l'exercice 7 pour D_1 et D_2 sécantes.

9. Reprendre l'exercice 7 en faisant de D_1 et D_2 des droites parallèles appartenant à l'espace.

10. Reprendre l'exercice 7 avec D_1 et D_2 sécantes dans l'espace.

11. Soit une droite D dans l'espace. Quel est le lieu du point P qui se déplace de façon que sa distance à la droite D soit constante et égale à r.

12. Soit un point fixe O appartenant à un plan. Quel est le lieu du point P qui se déplace dans le plan de façon que sa distance à O soit constante et égale à k.

13. Même question qu'en 12 si le point O est situé dans l'espace et le point P se déplace dans l'espace.

14. Une parabole est définie comme le lieu des points d'un plan qui sont à égale distance d'un point fixe F, appelé foyer, et d'une droite fixe D, appelée directrice. Représenter graphiquement un tel lieu, si D est l'axe OY et F, le point (4, 2).

15. Décrire verbalement les lieux géométriques représentés par les graphiques suivants:

a)

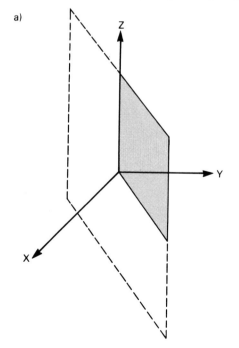

b)

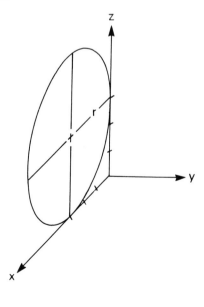

c)

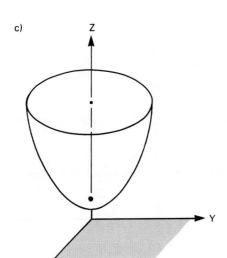

d)

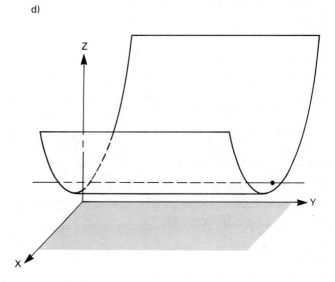

e)

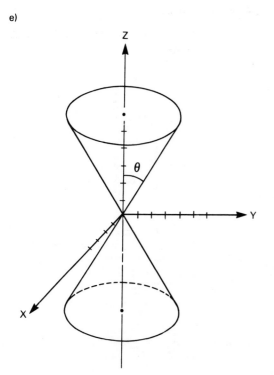

f)

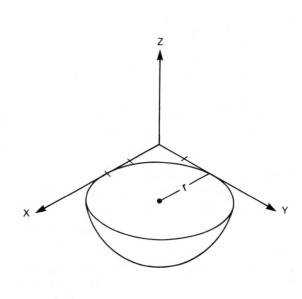

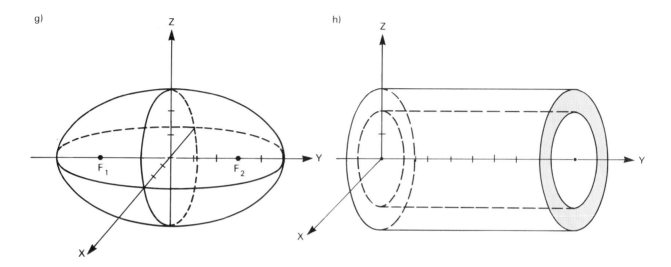

16. a)   Définir en langage mathématique les plans de coordonnées XY, XZ et YZ.

b)   Définir de la même façon les axes de coordonnées OX, OY et OZ.

17. a)   Quelle sera la caractéristique des points appartenant à un plan parallèle au plan YZ? Donner un exemple et représenter graphiquement.

b)   Même question pour le plan XY.

c)   Même question pour le plan XZ.

18.   Décrire verbalement et représenter graphiquement les lieux géométriques suivants:

a) $\{ x \in \mathbb{R}: x = 3 \}$;

b) $\{ (x, y) \in \mathbb{R} \times \mathbb{R}: x = 3 \}$;

c) $\{ (x, y, z) \in \mathbb{R} \times \mathbb{R} \times \mathbb{R}: x = 3 \}$.

19.   Décrire verbalement et représenter graphiquement les lieux géométriques suivants:

a) $\{ (x, y) \in \mathbb{R} \times \mathbb{R}: x = 1 \text{ et } y = 2 \}$;

b) $\{ (x, y, z) \in \mathbb{R} \times \mathbb{R} \times \mathbb{R}: x = 1 \text{ et } y = 2 \}$.

20.   Représenter graphiquement et définir algébriquement les lieux suivants:

a)   les plans parallèles au plan XY et situés à une distance égale à 3 de ce plan;

b)   les droites parallèles à l'axe des X et d'ordonnée égale à 5.

21.   Soit O, un point fixe, et P, un point quelconque. Quel est le lieu des points P tel que:

a) $|\overrightarrow{OP}| = 2$; b) $|\overrightarrow{OP}| < 2$; c) $|\overrightarrow{OP}| \leqslant 2$; d) $|\overrightarrow{OP}| > 2$.

Répondre à cette question pour l'espace à 1 dimension, à 2 dimensions et à 3 dimensions.

22.   Soit A et B des points fixes dans un plan. Trouver le lieu des points P de ce plan tel que:

a) $|\overrightarrow{AP}| = |\overrightarrow{BP}|$ b) $|\overrightarrow{AP}| + |\overrightarrow{BP}| = 2|\overrightarrow{AB}|$

c) $|\overrightarrow{AP}| - |\overrightarrow{BP}| = 2|\overrightarrow{AB}|$.

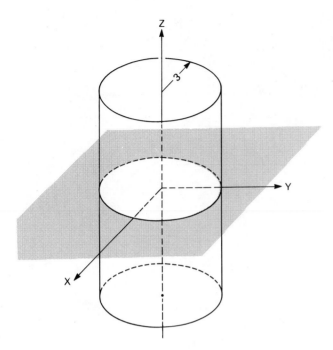

23. a)   Définir algébriquement et décrire verbalement le lieu géométrique représenté ci-contre. b)   Définir algébriquement les intersections de ce lieu géométrique avec les plans de coordonnées. c)   Définir algébriquement les intersections avec les axes de coordonnées.

Chapitre **3**

Vecteurs

algébriques

3.1 DÉFINITION DES VECTEURS ALGÉBRIQUES

Dans les deux premiers chapitres, nous avons étudié les vecteurs géométriques, et nous avons vu qu'à chaque vecteur du plan ou de l'espace correspond un couple ou un triplet de nombres réels appelés composantes de ce vecteur dans une base donnée: nous sentons intuitivement qu'il y a là matière à généralisation, car nous n'avons pas de peine à imaginer des suites de nombres réels comportant 4, 5, 10 ou même n éléments. Si n égale 2 ou 3, nous pouvons représenter ces suites de nombres par un vecteur tracé dans le plan ou dans l'espace. Mais, pour $n > 3$, nous devons renoncer à associer un objet géométrique à ces suites de nombres.

Cette généralisation permet de représenter sous forme de vecteurs un grand nombre de quantités, physiques ou non. Ainsi, par exemple, si un groupe d'étudiants subit une série de 5 examens, chaque étudiant se voit attribuer 5 notes qui sont ses résultats à ces examens. Ou encore, à chaque étudiant correspond une suite de 5 nombres, un quintuplet (ou 5-uplet) qui n'est autre qu'un vecteur algébrique.

DÉFINITION: Un *vecteur algébrique* est un ensemble ordonné de nombres réels de la forme:

$$\vec{v} = (v_1, v_2, v_3, ..., v_n).$$

Les nombres réels (ou scalaires) v_1, v_2, v_3, ..., v_n sont appelés les *composantes* ou éléments du vecteur. La *dimension* d'un vecteur est déterminée par le nombre de ses composantes. Un vecteur ayant n composantes sera appelé *n-uplet* ou *n-tuplet*.

si ont est ds le m base donnée.

3.2 OPÉRATIONS SUR LES VECTEURS ALGÉBRIQUES

Les vecteurs algébriques seront-ils soumis aux mêmes opérations que les vecteurs géométriques, ou, pour poser la question d'une façon différente, les opérations définies pour les vecteurs géométriques auront-elles un sens lorsque appliquées aux vecteurs algébriques?

Si, par exemple, deux forces sont représentées par des vecteurs, la somme de ces vecteurs représente une force qui communiquera à une particule une accélération de même grandeur, de même direction et de même sens que celle que lui donneraient les deux forces appliquées simultanément. Reprenons l'exemple du vecteur $\vec{v} = (v_1, v_2, v_3, v_4, v_5)$ représentant les notes d'un étudiant à une série de 5 examens. Il est facile de concevoir que, si $\vec{w} = (w_1, w_2, w_3, w_4, w_5)$ et $\vec{x} = (x_1, x_2, x_3, x_4, x_5)$ représentent les résultats de 2 autres étudiants du groupe à ce même examen, le vecteur

$$\vec{y} = \frac{1}{3}(\vec{v} + \vec{w} + \vec{x})$$

$$= \frac{1}{3}(v_1 + w_1 + x_1, v_2 + w_2 + x_2, v_3 + w_3 + x_3, v_4 + w_4 + x_4, v_5 + w_5 + x_5)$$

représentera la note moyenne de ces trois étudiants aux mêmes examens.

Il semble donc logique de définir pour les vecteurs algébriques, les mêmes opérations que nous avons définies pour les vecteurs géométriques exprimés sous formes de couples ou de triplets de nombres réels.

3.2.1 Égalité

DÉFINITION: Deux vecteurs de même dimension sont *égaux* si et seulement si leurs composantes correspondantes sont égales. En d'autres termes:

soit $\vec{u} = (u_1, u_2, ..., u_n)$ et $\vec{v} = (v_1, v_2, ..., v_n)$;

alors

$\vec{u} = \vec{v} <=> u_1 = v_1, u_2 = v_2, ..., u_n = v_n.$

Exemple 1: Soit $\vec{u} = (1, 2, 0)$ et $\vec{v} = (1, 2)$. Alors, $\vec{u} \neq \vec{v}$ car $\vec{u}$ et $\vec{v}$ n'ont pas la même dimension.

Exemple 2: Soit $\vec{a} = (3, -1, 4)$ et $\vec{b} = (k, -1, 4)$. Alors $\vec{a} = \vec{b}$ si et seulement si k = 3.

3.2.2   Addition - Propriétés - Soustraction

DÉFINITION: *L'addition de deux vecteurs* de même dimension se fait en additionnant leurs composantes de même rang:

soit $\vec{u} = (u_1, u_2, ..., u_n)$ et $\vec{v} = (v_1, v_2, ..., v_n)$;

alors

$$\vec{u} + \vec{v} = (u_1 + v_1, u_2 + v_2, ..., u_n + v_n).$$

de m̂ base

Exemple: Soit $\vec{u} = (1, 2, 3, 4)$ et $\vec{v} = (0, -1, -3, 5)$. Alors

$$\vec{u} + \vec{v} = (1 + 0, 2 + (-1), 3 + (-3), 4 + 5) = (1, 1, 0, 9).$$

Les *propriétés de l'addition des vecteurs algébriques* sont les mêmes que celles de l'addition des vecteurs géométriques:

i)   *commutativité:* $\forall \vec{u}, \vec{v}$ de même dimension, $\vec{u} + \vec{v} = \vec{v} + \vec{u}$;

ii)   *associativité:* $\forall \vec{u}, \vec{v}, \vec{w}$ de même dimension, $(\vec{u} + \vec{v}) + \vec{w} = \vec{u} + (\vec{v} + \vec{w})$;

iii)   *élément neutre:* $\forall \vec{u}$ de dimension n, il existe $\vec{0}$ de même dimension tel que $\vec{u} + \vec{0} = \vec{0} + \vec{u} = \vec{u}$;

iv)   *élément symétrique:* $\forall \vec{u} = (u_1, u_2, ..., u_n)$, $\exists (-\vec{u}) = (-u_1, -u_2, ..., -u_n)$ tel que $\vec{u} + (-\vec{u}) = (-\vec{u}) + \vec{u} = \vec{0}$.

La démonstration de ces propriétés se fait à l'aide des propriétés des opérations dans $\mathbb{R}$.

Démonstration de la commutativité:

Soit $\vec{u} = (u_1, u_2, ..., u_n)$ et $\vec{v} = (v_1, v_2, ..., v_n)$. Alors

$$\vec{u} + \vec{v} = (u_1, u_2, ..., u_n) + (v_1, v_2, ..., v_n)$$

$$= (u_1 + v_1, u_2 + v_2, ..., u_n + v_n) \qquad \text{(par définition)}$$

$$= (v_1 + u_1, v_2 + u_2, ..., v_n + u_n) \qquad \text{(commutativité dans } \mathbb{R})$$

$$= (v_1, v_2, ..., v_n) + (u_1, u_2, ..., u_n) \qquad \text{(définition de l'addition des vecteurs)}$$

$$= \vec{v} + \vec{u}.$$

La démonstration des autres propriétés sera demandée en exercice.

DÉFINITION: La *soustraction* est ainsi définie:

soit $\vec{u} = (u_1, u_2, ..., u_n)$ et $\vec{v} = (v_1, v_2, ..., v_n)$; alors

$$\vec{u} - \vec{v}. = \vec{u} + (-\vec{v})$$

$$= (u_1, u_2, ..., u_n) + (-v_1, -v_2, ..., -v_n)$$

$$= (u_1 - v_1, u_2 - v_2, ..., u_n - v_n)$$

ds in base

Soustraire un vecteur $\vec{v}$ d'un vecteur $\vec{u}$ consistera donc à ajouter à $\vec{u}$ l'opposé de $\vec{v}$ qui est $-\vec{v}$.

Exemple: Soit $\vec{u} = (1, 4, 5)$ et $\vec{v} = (-3, 0, 6)$. Alors:

$$\vec{u} - \vec{v} = (1, 4, 5) + (3, 0, -6) = (4, 4, -1).$$

3.2.3   Multiplication par un scalaire

DÉFINITION: La *multiplication d'un vecteur par un scalaire* se fait en multipliant toutes les composantes du vecteur par ce scalaire.

soit $\vec{u} = (u_1, u_2, ..., u_n)$ et $k \in \mathbb{R}$; alors

$$k\vec{u} = (ku_1, ku_2, ..., ku_n).$$

Produit par un scalaire

Cette opération possède les mêmes *propriétés* que celles du produit d'un vecteur géométrique par un scalaire:

Quels que soient les vecteurs $\vec{u}$ et $\vec{v}$, quels que soient les scalaires p et q:

i) $1\vec{v} = \vec{v}$,   neutre du produit d'un vecteur par un scalaire

ii) $p(q\vec{v}) = (pq)\vec{v}$,   associativité " " " scalaire " " vecteur

iii) $(p + q)\vec{v} = p\vec{v} + q\vec{v}$,   distributivité " " vecteur sur l'add. des sca.

iv) $p(\vec{u} + \vec{v}) = p\vec{u} + p\vec{v}$.   " " scalaire " un vecteur

Démonstration:

i) Soit $\vec{v} = (v_1, v_2, ..., v_n)$ et soit $1 \in \mathbb{R}$. Alors

$1\,\vec{v} = 1\,(v_1, v_2, ..., v_n)$

$\quad = (1\,v_1, 1\,v_2, ..., 1\,v_n)$ (définition du produit d'un vecteur par un scalaire)

$\quad = (v_1, v_2, ..., v_n)$ (1 est élément neutre pour la multiplication)

$\quad = \vec{v}.$

ii) Soit $\vec{v} = (v_1, v_2, ..., v_n)$ et soit $p, q \in \mathbb{R}$. Alors

$p\,(q\,\vec{v}) = p\,(q\,(v_1, v_2, ..., v_n))$

$\quad = p\,(qv_1, qv_2, ..., qv_n)$ (définition du produit d'un vecteur par un scalaire)

$\quad = (pqv_1, pqv_2, ..., pqv_n)$ (idem)

$\quad = pq\,(v_1, v_2, ..., v_n)$ (idem)

$\quad = (pq)\,\vec{v}.$

iii) Soit $\vec{v} = (v_1, v_2, ..., v_n)$ et soit $p, q \in \mathbb{R}$. Alors

$(p + q)\,\vec{v} = (p + q)\,(v_1, v_2, ..., v_n)$

$\quad = ((p+q)\,v_1, (p+q)\,v_2, ..., (p+q)\,v_n)$
(définition du produit d'un vecteur par un scalaire)

$\quad = (pv_1 + qv_1, pv_2 + qv_2, ..., pv_n + qv_n)$
(distributivité de la multiplication sur l'addition dans $\mathbb{R}$)

$\quad = (pv_1, pv_2, ..., pv_n) + (qv_1, qv_2, ..., qv_n)$
(définition de l'addition de vecteurs)

$\quad = p\,\vec{v} + q\,\vec{v}.$

3.2.4   Vecteurs colinéaires

Comme dans le cas des vecteurs géométriques, les vecteurs algébriques seront dits *colinéaires* s'ils sont des multiples scalaires l'un de l'autre.

Soit $\vec{u} = (u_1, u_2, ..., u_n)$ et $\vec{v} = (v_1, v_2, ..., v_n)$. Alors $\vec{u}$ et $\vec{v}$ sont *colinéaires* si et seulement si il existe $k \in \mathbb{R}$ tel que $\vec{u} = k\vec{v}$ ou $\vec{v} = k\vec{u}$.

Exemple 1:   Les vecteurs $\vec{u} = (1, 2, -1, 3)$ et $\vec{v} = \left(\dfrac{1}{2}, 1, -\dfrac{1}{2}, \dfrac{3}{2} \right)$ sont-ils colinéaires?

$\vec{u}$ et $\vec{v}$ sont colinéaires $\iff \exists k \in \mathbb{R} : \vec{u} = k\vec{v}$

$$\iff (1, 2, -1, 3) = k \left(\dfrac{1}{2}, 1, -\dfrac{1}{2}, \dfrac{3}{2} \right)$$

$$\iff \begin{cases} 1 = k/2 \\[2mm] 2 = k \\[2mm] -1 = -\dfrac{1}{2}k \\[2mm] 3 = \dfrac{3}{2}k \end{cases}$$

$$\iff k = 2.$$

Les vecteurs $\vec{u}$ et $\vec{v}$ sont donc colinéaires car $\vec{u} = 2\vec{v}$.

Exemple 2:   Soit $\vec{u} = (0, 1, -4, 3)$ et $\vec{v} = (1, 3, -12, 9)$:

$\vec{u}, \vec{v}$ colinéaires $\iff (0, 1, -4, 3) = k(1, 3, -12, 9)$

$$\iff \begin{cases} 0 = k \\[2mm] 1 = 3k \\[2mm] -4 = -12k \\[2mm] 3 = 9k \end{cases} \qquad \begin{array}{l} \iff k = 0 \\[4mm] \iff k = \dfrac{1}{3}. \end{array}$$

Ainsi, $\vec{u}$ et $\vec{v}$ ne sont pas colinéaires.

3.3   EXERCICES

1.   Dire si les vecteurs $\vec{u}$ et $\vec{v}$ sont égaux et justifier sa réponse:

a) $\vec{u} = (2, -1)$ et $\vec{v} = (2, -1, 0)$;

b) $\vec{u} = (2, 3, 1)$ et $\vec{v} = \dfrac{1}{4}(8, 12, 4)$;

c) $\vec{u} = (a, 3, 2, 6)$ et $\vec{v} = (-2, b, 2, 6)$;

d) $\vec{u} = \dfrac{1}{k}(2, 4, 6, 8)$ et $\vec{v} = (1, 2, 3, 4)$.

2.   Soit les vecteurs $\vec{u} = (1, 2, 3, 4, 5)$, $\vec{v} = (-1, 4, 0, 9, 6)$ et $\vec{w} = (3, 5, -2, 4, 1)$.

Calculer, si possible:

a) $\vec{u} + \vec{v} + \vec{w}$;

b) $2\vec{u} - 3\vec{v} + 4\vec{w}$;

c) $-2(\vec{u} + \vec{v})$;

d) $(4 + 2)\vec{w}$;

e) $\vec{x} = 5\vec{u} - \vec{w}$;

f)   le scalaire k tel que $\vec{u} + k\vec{v} = \vec{0}$.

3.   Déterminer si possible la valeur des paramètres de façon que les vecteurs suivants soient colinéaires:

a) $(3, -2, 4)$ et $(\dfrac{1}{2}, b, 2)$;

b) $(1, 4, 6, 1)$ et $(-4, c, -24, -4)$;

c) $(a, b, 0, 4)$ et $(1, 2, c, 2)$.

4.   Déterminer les scalaires x_1 et x_2 tels que:

a) $x_1(2, 3, 1, 1) + x_2(3, -1, -1, 2) = (0, 11, 5, -1)$;

b) $x_1(2, 3, 1, 1) + x_2(3, -1, -1, 2) = (5, 2, 0, 1)$.

5.   Démontrer les propriétés ii), iii) et iv) de l'addition des vecteurs.

6.   "   la   "   4) du produit par un scalaire (p: 70).

3.4   ESPACES VECTORIELS

Afin de généraliser encore davantage la notion de vecteur, nous allons définir un nouveau concept, celui d'espace vectoriel. Mais auparavant, il nous faut parler quelque peu de structures algébriques.

La structure d'un ensemble est définie par les opérations et les relations qui y sont utilisées. La plupart des propriétés d'un ensemble peuvent donc se rattacher aux propriétés des différentes structures qui s'y reconnaissent. Objets d'études des mathématiques depuis bientôt près de deux siècles, les structures algébriques les plus connues portent les noms de groupes, d'anneaux, de corps et d'espaces vectoriels. Ainsi, avez-vous sans doute utilisé l'expression le ''corps des réels'' précisant par là la structure particulière de l'ensemble des nombres réels. Quant à la notion d'espace vectoriel, elle s'est révélée l'un des concepts les plus fructueux en mathématiques pures et appliquées.

3.4.1   Présentation informelle du concept d'espace vectoriel

Appelons E l'ensemble des vecteurs de dimension 2 dont les composantes sont des nombres réels. Nous constatons que l'addition de deux vecteurs quelconques de E a pour résultat un vecteur appartenant également à E. En effet, soit $\vec{u} = (u_1, u_2)$ et soit $\vec{v} = (v_1, v_2)$, $u_1, u_2, v_1, v_2 \in \mathbb{R}$. Alors

$$\vec{u} + \vec{v} = (u_1, u_2) + (v_1, v_2)$$

$$= (u_1 + v_1, u_2 + v_2) \qquad \text{(définition de l'addition des vecteurs)}.$$

Or, $u_1 + v_1$ et $u_2 + v_2$ sont également des nombres réels, selon la définition de l'addition dans $\mathbb{R}$. Le vecteur $(u_1 + v_1, u_2 + v_2)$ appartient donc à E. Cette propriété porte le nom de *fermeture* et nous dirons que l'ensemble E est fermé pour l'addition des vecteurs.

D'autre part, nous avons vu que:

i)   l'addition des vecteurs est commutative;

ii)   l'addition des vecteurs est associative;

iii)   l'addition des vecteurs possède un élément neutre;

iv)   chaque vecteur possède un élément symétrique pour l'addition.

L'ensemble de ces cinq propriétés fait de E, muni de l'opération addition, un *groupe commutatif*.

De plus, si nous multiplions un vecteur de E par un scalaire réel, nous pouvons démontrer que le produit appartient également à E. En effet, soit $\vec{u} = (u_1, u_2)$, $u_1, u_2 \in \mathbb{R}$ et soit $k \in \mathbb{R}$. Alors

$$k\vec{u} = (ku_1, ku_2) \qquad \text{(définition du produit d'un vecteur par un scalaire)}.$$

Or $ku_1 \in \mathbb{R}$ et $ku_2 \in \mathbb{R}$, car l'ensemble de $\mathbb{R}$ est fermé pour la multiplication. Donc $k\vec{u} \in E$.

Enfin, nous savons également que le produit d'un vecteur par un scalaire possède les propriétés suivantes:

$\forall \vec{u}, \vec{v}, \forall p, q \in \mathbb{R}$,

i) $1\vec{v} = \vec{v}$;

ii) $p(q\vec{v}) = (pq)\vec{v}$;

iii) $(p + q)\vec{v} = p\vec{v} + q\vec{v}$;

iv) $p(\vec{u} + \vec{v}) = p\vec{u} + p\vec{v}$.

L'ensemble des dix propriétés que nous avons énumérées ci-haut fait de E, muni de l'addition et de la multiplication par un scalaire, un *espace vectoriel sur le corps des réels*.

3.4.2   Définition

L'exemple précédent devrait permettre de comprendre la notion d'espace vectoriel. Nous allons maintenant la définir de façon plus rigoureuse.

DÉFINITION: Soit V, un ensemble de vecteurs d'objets non vide. Soit K, un corps dont les éléments sont appelés scalaires. Définissons sur V une opération interne appelée addition, admettant $\vec{0}$ comme élément neutre, et une opération externe qui sera le produit d'un vecteur de V par un scalaire de K, et dont le neutre sera 1. Alors V est dit *espace vectoriel sur le corps K,* si $\forall$ $\vec{u}$, $\vec{v} \in$ V, $\forall$ p, q $\in$ K, les propriétés suivantes sont vérifiées:

1) $\vec{u} + \vec{v} \in V$;

2) $\vec{u} + \vec{v} = \vec{v} + \vec{u}$;

3) $\vec{u} + (\vec{v} + \vec{w}) = (\vec{u} + \vec{v}) + \vec{w}$;

4) $\vec{u} + \vec{0} = \vec{u}$;

5) $\vec{u} + (-\vec{u}) = \vec{0}$;

6) $p\vec{u} \in V$;

7) $1\vec{u} = \vec{u}$;

8) $p(q\vec{u}) = (pq)\vec{u}$;

9) $(p + q)\vec{u} = p\vec{u} + q\vec{u}$;

10) $p(\vec{u} + \vec{v}) = p\vec{u} + p\vec{v}$.

Nous allons maintenant donner d'autres exemples d'espaces vectoriels.

Exemple 1:   L'ensemble E des vecteurs de dimension 2 à composantes réelles est l'espace vectoriel habituellement appelé $\mathbb{R}^2$.

Exemple 2: $\mathbb{R}^3 = \{(x, y, z): x, y, z \in \mathbb{R}\}$ est un espace vectoriel dont les éléments, ou vecteurs, peuvent être représentés par les vecteurs géométriques de l'espace.

Exemple 3:   De la même façon, $\mathbb{R}^n$ sera l'espace vectoriel des vecteurs à n composantes réelles:

$$\mathbb{R}^n = \{(x_1, x_2, ..., x_n): x_1, x_2, ..., x_n \in \mathbb{R}\}.$$

Exemple 4:   L'ensemble des vecteurs colinéaires au vecteur (2,1) forme aussi un espace vectoriel. Si le vecteur (2,1) est représenté graphiquement avec son origine à l'origine d'un système d'axes, l'espace vectoriel tout entier est représenté par la droite portant le vecteur (2, 1).

Exemple 5:   L'ensemble des vecteurs de dimension 2 dont les composantes sont des entiers n'est pas un espace vectoriel sur le corps des réels, car la 6e condition n'est pas respectée.

P devrait être élément des entiers.

3.4.3   Combinaison linéaire

Des vecteurs d'un même espace vectoriel peuvent être combinés de façon à former d'autres vecteurs appartenant à ce même espace.

DÉFINITION: Soit $\vec{v_1}, \vec{v_2}, ..., \vec{v_n}$, des vecteurs appartenant à l'espace vectoriel V, et soit $k_1, k_2, ..., k_n$, des scalaires appartenant au corps K associé à V. Le vecteur

$$\vec{a} = k_1\vec{v_1} + k_2\vec{v_2} + ... + k_n\vec{v_n}$$

est dit *combinaison linéaire* des vecteurs $\vec{v_1}, \vec{v_2}, ..., \vec{v_n}$ et il appartient à l'espace V.

Exemple: Soit $\vec{u} = (1, 2, 3, 4)$ et soit $\vec{v} = (0, 1, 0, 1)$. Alors

$$\vec{a} = 2(1, 2, 3, 4) - 3(0, 1, 0, 1)$$
$$= (2, 4, 6, 8) + (0, -3, 0, -3)$$
$$= (2, 1, 6, 5).$$

Le vecteur $\vec{a}$ est combinaison linéaire de $\vec{u}$ et de $\vec{v}$.

DÉFINITION: Un ensemble de vecteurs $\vec{v_1}, \vec{v_2}, ..., \vec{v_n}$ *engendre* un espace vectoriel V si ces vecteurs appartiennent à V et que tout vecteur de V peut être exprimé comme combinaison linéaire de $\vec{v_1}, \vec{v_2}, ..., \vec{v_n}$. On dit alors que l'ens. $\{\vec{v_1}, \vec{v_2}, ..., \vec{v_n}\}$ est un ens. de générateur de l'espace vectoriel V.

Exemple 1:   Les vecteurs $\vec{v_1} = (1, 2)$ et $\vec{v_2} = (2, 2)$ engendrent $\mathbb{R}^2$ car ils appartiennent à $\mathbb{R}^2$ et un choix approprié de scalaires permet d'écrire tout vecteur de $\mathbb{R}^2$ comme combinaison linéaire de $\vec{v_1}$ et $\vec{v_2}$.

Exemple 2:   Les vecteurs $\vec{u_1} = (1, 0, 0)$, $u_2 = (0, 1, 0)$ et $\vec{u_3} = (1, 1, 0)$ n'engendrent pas $\mathbb{R}^3$; en effet, il est impossible d'écrire, par exemple, le vecteur $(1, 2, 3)$ comme combinaison linéaire de $\vec{u_1}, \vec{u_2}, \vec{u_3}$. Il est cependant possible de prouver que l'ensemble des vecteurs de $\mathbb{R}^3$ dont la 3e composante est nulle forme un espace vectoriel, et que $\vec{u_1}, \vec{u_2}$ et $\vec{u_3}$ engendrent cet espace.

Pour vérifier qu'un ensemble de vecteurs engendre un espace vectoriel donné, il suffit de prendre un vecteur quelconque appartenant à cet espace, et de déterminer les scalaires de la combinaison linéaire engendrant ce vecteur, en fonction des composantes de ce vecteur. Ainsi, dans l'exemple 1 cité plus haut, prenons les vecteurs $\vec{v_1} = (1, 2)$ et $\vec{v_2} = (2, 2)$, et $(x, y) \in \mathbb{R}^2$:

$$(x, y) = a(1, 2) + b(2, 2) \iff \begin{cases} x = a + 2b \\ y = 2a + 2b \end{cases}$$

$$\Leftrightarrow \begin{cases} a = x - 2b \\[2em] a = \dfrac{y - 2b}{2} \end{cases}$$

$$\Leftrightarrow \begin{cases} a = x - 2b \\[2em] x - 2b = \dfrac{y - 2b}{2}. \end{cases}$$

D'où

$$b = \frac{2x - y}{2} \text{ et } a = y - x.$$

Il suffit donc de choisir comme scalaires $a = y - x$ et $b = \dfrac{2x - y}{2}$ pour écrire tout vecteur $(x, y) \in \mathbb{R}^2$ comme combinaison linéaire de $\vec{v_1}$ et $\vec{v_2}$.

Par contre, pour écrire $(x, y, z) \in \mathbb{R}^3$ comme combinaison linéaire de $\vec{u_1} = (1, 0, 0)$, $\vec{u_2} = (0, 1, 0)$ et $\vec{u_3} = (1, 1, 0)$, il faudrait faire:

$$(x, y, z) = a(1, 0, 0) + b(0, 1, 0) + c(1, 1, 0)$$

ou

$$x = a + c$$
$$y = b + c$$
$$z = 0.$$

Nous voyons qu'il est impossible d'engendrer à l'aide de $\vec{u_1}$, $\vec{u_2}$ et $\vec{u_3}$ des vecteurs dont la 3e composante ne serait pas nulle.

Les exemples 1 et 2 précités illustrent les concepts de dépendance et d'indépendance linéaire. Ainsi, les vecteurs $\vec{v_1}$ et $\vec{v_2}$ de l'exemple 1 sont-ils linéairement indépendants car l'un ne peut s'écrire comme combinaison linéaire (ou comme multiple scalaire) de l'autre; par contre, les vecteurs $\vec{u_1}$, $\vec{u_2}$ et $\vec{u_3}$ de l'exemple 2 sont linéairement dépendants: il est évident que $\vec{u_3} = \vec{u_1} + \vec{u_2}$.

Suite à ces remarques, nous allons maintenant définir les notions d'indépendance et de dépendance linéaire pour les vecteurs algébriques.

3.4.4   Dépendance et indépendance linéaire

Comme dans le cas des vecteurs géométriques, nous admettrons deux définitions de l'indépendance linéaire, ce qui nous donnera deux méthodes pour vérifier l'indépendance linéaire d'un ensemble de vecteurs.

DÉFINITION 1:   Les vecteurs $\vec{v_1}$, $\vec{v_2}$, ..., $\vec{v_n}$ sont *linéairement indépendants* si et seulement si aucun de ces vecteurs ne peut s'écrire comme combinaison linéaire des autres vecteurs.

Exemple: Vérifions l'indépendance linéaire des vecteurs suivants:

$$\vec{u} = (1, 2, 3, 0)$$
$$\vec{v} = (0, 1, 0, 1)$$
$$\vec{w} = (1, 0, -1, 0)$$
$$\vec{x} = (2, 1, 0, 0).$$

Essayons d'écrire $\vec{u}$ comme combinaison linéaire de $\vec{v}$, $\vec{w}$ et $\vec{x}$:

$$(1, 2, 3, 0) = a(0, 1, 0, 1) + b(1, 0, -1, 0) + c(2, 1, 0, 0)$$

$$\Leftrightarrow \begin{cases} 1 = b + 2c \\ 2 = a + c \\ 3 = -b \\ 0 = a \end{cases} \quad \Leftrightarrow \quad \begin{cases} a = 0 \\ b = -3 \\ c = 2 \\ -3 + 4 = 1 \end{cases}.$$

D'où:

$$\vec{u} = 0\vec{v} - 3\vec{w} + 2\vec{x} = -3\vec{w} + 2\vec{x}$$

et

$\vec{u}$, $\vec{v}$, $\vec{w}$ et $\vec{x}$ ne sont pas linéairement indépendants.

DÉFINITION   Les vecteurs $\vec{v_1}$, $\vec{v_2}$, ..., $\vec{v_n}$ sont *linéairement indépendants* si et seulement si la seule combinaison linéaire de ces vecteurs pouvant engendrer le vecteur nul est la combinaison linéaire triviale.

Exemple: Vérifions l'indépendance linéaire des vecteurs suivants:

$$\vec{u} = (1, 0, 1, 0) \qquad\qquad \vec{t} = (3, 2, 1, 0)$$

$$\vec{v} = (2, 0, 0, 0) \qquad\qquad \vec{s} = (-1, -2, 0, 1)$$

Les vecteurs $\vec{u}$, $\vec{v}$, $\vec{t}$ et $\vec{s}$ sont linéairement indépendants si et seulement si

$$\vec{0} = a\vec{u} + b\vec{v} + c\vec{t} + d\vec{s} \Rightarrow a = b = c = d = 0.$$

Alors,

$$(0, 0, 0, 0) = a(1, 0, 1, 0) + b(2, 0, 0, 0) + c(3, 2, 1, 0) + d(-1, -2, 0, 1)$$

est équivalent à écrire:

$$\begin{cases} 0 = a + 2b + 3c - d \\ 0 = 2c - 2d \\ 0 = a + c \\ 0 = d \end{cases} \Longleftrightarrow \begin{cases} d = 0 \\ a = -c \\ 2c = 2d \\ -c + 2b + 3c = 0 \end{cases}$$

$$\Longleftrightarrow \begin{cases} d = 0 \\ a = -c \\ c = d = 0 \\ 2b = 0 \end{cases}$$

$$\Longleftrightarrow \quad a = b = c = d = 0.$$

D'où, il faut conclure que les vecteurs $\vec{u}$, $\vec{v}$, $\vec{s}$ et $\vec{t}$ sont linéairement indépendants.

Il s'ensuit que des vecteurs qui ne sont pas linéairement indépendants seront dits linéairement dépendants, et nous admettrons les deux définitions suivantes:

DÉFINITION 1:   Les vecteurs $\vec{v_1}$, $\vec{v_2}$, ..., $\vec{v_n}$ sont *linéairement dépendants* si au moins un de ces vecteurs peut s'écrire comme combinaison linéaire des autres vecteurs.

DÉFINITION 2:   Les vecteurs $\vec{v_1}$, $\vec{v_2}$, ..., $\vec{v_n}$ sont *linéairement dépendants* s'il existe un ensemble de scalaires k_1, k_2, ..., k_n non tous nuls tels que:

$$\vec{0} = k_1\vec{v_1} + k_2\vec{v_2} + ... + k_n\vec{v_n}.$$

Remarque: Lorsque des vecteurs sont linéairement dépendants, les deux méthodes peuvent s'avérer à peu près également rapides selon le cas. Mais, si les vecteurs sont linéairement indépendants, la deuxième méthode est beaucoup plus avantageuse car elle conduit au résultat en une étape alors que la première méthode exigerait autant de vérifications qu'il y a de vecteurs dans l'ensemble.

3.4.5   Base d'un espace vectoriel - Dimension - Norme d'un vecteur

DÉFINITION: Une *base* d'un espace vectoriel est un ensemble de vecteurs qui:

$1°$ sont linéairement indépendants;

$2°$ engendrent cet espace vectoriel.

Exemple 1:   Les vecteurs $(1, 2)$ et $(2, 2)$ donnés en exemple plus haut forment une base de $\mathbb{R}^2$ car ils sont linéairement indépendants et ils engendrent $\mathbb{R}^2$.

Exemple 2:   Ajoutons aux deux vecteurs de l'exemple 1, le vecteur $(2, 3)$. L'ensemble de ces trois vecteurs ne forme pas une base de $\mathbb{R}^2$, car ces vecteurs ne sont pas linéairement indépendants. En effet,

$$(2, 3) = (1, 2) + \frac{1}{2}(2, 2).$$

Exemple 3:   Les vecteurs $(1, 0, 0)$, $(0, 1, 0)$ et $(1, 1, 0)$ ne forment pas une base de $\mathbb{R}^3$ car ils n'engendrent pas tous les vecteurs de $\mathbb{R}^3$.   Surtout car ils sont L.D

Il est facile de voir qu'un même espace vectoriel peut avoir plusieurs bases. Prenons $\mathbb{R}^2$ comme exemple. Tout ensemble de deux vecteurs non colinéaires de $\mathbb{R}^2$ forme une base de cet espace vectoriel. De plus, nous percevons intuitivement que toutes les bases d'un même espace vectoriel contiennent le même nombre de vecteurs, et que ce nombre est égal à la dimension de ces vecteurs, c'est-à-dire au nombre de composantes de ces vecteurs. Ces remarques feraient l'objet de plusieurs théorèmes dans un texte de niveau supérieur au nôtre. Nous nous contenterons de les admettre afin de poser la définition suivante.

DÉFINITION: La *dimension* d'un espace vectoriel est le nombre de vecteurs que contiennent les bases de cet espace vectoriel.

Ainsi, $\mathbb{R}^2$ et $\mathbb{R}^3$ sont-ils respectivement des espaces vectoriels de dimension 2 et 3. Un espace vectoriel ne contenant que le vecteur nul serait dit de dimension 0. De façon générale, si les bases d'un espace vectoriel contiennent un nombre fini de vecteurs, l'espace est dit de dimension finie. Dans le cas contraire, cet espace est dit de dimension infinie.

Faisons maintenant un bref rappel. Lorsque nous avons étudié les vecteurs géométriques, nous avons défini la notion de base orthonormée, et nous avons fait de $< \vec{i}, \vec{j} >$ la base usuelle des vecteurs du plan; de la même façon, $< \vec{i}, \vec{j}, \vec{k} >$ constituait la base usuelle des vecteurs de l'espace.

Les espaces vectoriels $\mathbb{R}^2$, $\mathbb{R}^3$, ..., $\mathbb{R}^n$ ont aussi des bases usuelles, dites naturelles ou canoniques. Ainsi, la base usuelle de $\mathbb{R}^2$ sera $< (1, 0), (0, 1) >$ et celle de $\mathbb{R}^3$ $< (1, 0, 0), (0, 1, 0), (0, 0, 1) >$.

Nous soupçonnons que l'espace vectoriel $\mathbb{R}^n$ aura comme base naturelle $< \vec{e_1}, \vec{e_2}, ..., \vec{e_n} >$ où

$$\vec{e_1} = (1, 0, 0, ..., 0),$$
$$\vec{e_2} = (0, 1, 0, ..., 0),$$
$$\vec{e_3} = (0, 0, 1, ..., 0),$$
$$\vdots$$
$$\vec{e_n} = (0, 0, 0, ..., 1).$$

Il est facile de montrer que ces vecteurs sont linéairement indépendants et qu'ils engendrent tout vecteur $(x_1, x_2, x_3, ..., x_n) \in \mathbb{R}^n$. Ceci permet de définir la norme d'un vecteur de $\mathbb{R}^n$.

DÉFINITION: Soit $\vec{u} = (u_1, u_2, ..., u_n)$, un vecteur exprimé dans la base naturelle de $\mathbb{R}^n$; alors

$$|\vec{u}| = \sqrt{u_1^2 + u_2^2 + ... + u_n^2}$$

est appelée *norme* de $\vec{u}$.

Lorsque, au chapitre 8, nous définirons le produit scalaire, nous poserons également:

$$|\vec{u}| = (\vec{u} \cdot \vec{u})^{1/2} = (u_1^2 + u_2^2 + ... + u_n^2)^{1/2},$$

ce qui correspond à une définition non géométrique de la norme.

Nous sommes maintenant en mesure de justifier l'affirmation que nous faisions à la section 2.4.1, à l'effet que tout ensemble de deux vecteurs non parallèles constitue une base de l'ensemble des vecteurs géométriques du plan. Nous savons en effet que:

1°   un seul vecteur géométrique engendre un espace vectoriel de dimension 1;

2°   deux vecteurs géométriques parallèles ne seraient pas linéairement indépendants, et d'ailleurs leurs combinaisons linéaires n'engendrent également qu'un espace de dimension 1;

3°   deux vecteurs géométriques non parallèles sont linéairement indépendants (voir section 2.2.1), et lorsqu'ils sont exprimés sous forme d'un couple de nombres réels, il est facile de vérifier qu'ils engendrent tout vecteur du plan.

Soit les vecteurs non parallèles (a, b) et (c, d), et le vecteur quelconque (x, y):

$$(x, y) \text{ sera engendré par } (a, b) \text{ et } (c, d) \iff \begin{cases} \exists\, k_1, k_2 \in \mathbb{R}: \\ (x, y) = k_1 (a, b) + k_2 (c, d). \end{cases}$$

Comme nous le verrons par la suite (chapitre 7), la solution de ce système pour k_1 et k_2 serait:

$$k_1 = \frac{dx - cy}{ad - bc}$$

et

$$k_2 = \frac{ay - bx}{ad - bc},$$

lequel système n'admet de solution que si $ad - bc \neq 0$, c.-à-d. $ad \neq bc$, ou encore

$$\frac{a}{c} \neq \frac{b}{d},$$

c.-à-d. (a, b) et (c, d) ne sont pas parallèles.

4° trois vecteurs géométriques du plan seraient évidemment linéairement dépendants.

3.4.6   D'autres espaces vectoriels

D'après la définition que nous en avons donnée, l'expression ''espace vectoriel'' désigne un ensemble dont les éléments sont des suites ordonnées de nombres réels, ou n-uplets, sur lesquels des opérations et des propriétés ont été déterminées de façon précise. Il s'est avéré commode de *représenter* des couples et des triplets de réels par des vecteurs géométriques du plan ou de l'espace, bien qu'il ne nous soit jamais venu à l'idée d'*identifier* les couples ou triplets aux segments de droite orientés représentant les vecteurs géométriques.

Cependant, l'algèbre linéaire révèle l'existence de systèmes mathématiques qui n'ont, du moins en apparence, rien en commun avec les ensembles de n-uplets, si bien que, de flèches en n-uplets, il devient de plus en plus difficile de définir ce qu'est un vecteur. (Vous souvenez-vous de notre réticence à donner une définition du mot vecteur, à la section 1.2?) Le mieux serait peut-être de renoncer à formuler cette définition. En définitive, le plus important n'est peut-être pas de savoir ce qu'est un vecteur, mais de connaître la façon dont il se comporte: nous appellerons désormais *vecteur* tout élément d'un ensemble qui répond à la définition formelle d'espace vectoriel donnée à la section 3.4.2.

Ces remarques nous permettent de donner maintenant des exemples d'espaces vectoriels dont les éléments ne sont pas des n-uplets a priori.

Exemple 1: L'ensemble des progressions arithmétiques, muni de l'addition et de la multiplication par un scalaire, est un espace vectoriel sur $\mathbb{R}$.

Exemple 2: L'ensemble des polynômes entiers en x de degré $\leqslant 3$, à coefficients réels, muni des opérations addition et multiplication par un scalaire, est un espace vectoriel sur $\mathbb{R}$.

Exemple 3: L'ensemble des matrices carrées d'ordre n (nous en parlerons plus loin!), muni des opérations addition et multiplication par un scalaire, est un espace vectoriel sur $\mathbb{R}$.

Exemple 4: L'ensemble des fonctions continues définies sur l'intervalle $[0, 1] \subset \mathbb{R}$, muni des opérations usuelles d'addition et de multiplication par un scalaire, est un espace vectoriel sur $\mathbb{R}$.

3.4.7   Sous-espace vectoriel

Un sous-espace vectoriel est un sous-ensemble d'un espace vectoriel satisfaisant lui-même aux conditions d'un espace vectoriel. Ainsi, l'ensemble des vecteurs engendrés par le vecteur (1, 2) est-il un sous-espace de $\mathbb{R}^2$.

DÉFINITION: Soit V, un espace vectoriel sur un corps K. Soit W, un sous-ensemble de V. W est un *sous-espace vectoriel* de V si W est lui-même un espace vectoriel sur K, avec les opérations induites de V.

Exemple: L'ensemble des vecteurs engendrés par les vecteurs (1, 0, 0), (0, 1, 0) et (1, 1, 0) est un sous-espace vectoriel de $\mathbb{R}^3$.

3.5   EXERCICES

1.   Vérifier si les ensembles suivants, munis des opérations usuelles d'addition et de multiplication par un scalaire, forment des espaces vectoriels sur $\mathbb{R}$:

10 propriétés

a) $\{(0, 0)\}$;

b)   l'ensemble des multiples scalaires du vecteur (2, 3);

c)   l'ensemble des vecteurs géométriques du plan;

d) $\{cx + d : c, d \in \mathbb{R}\}$;   { polynôme à coefficient $\mathbb{R}$ de degrés ≤ 1 }

e) $\{(x, y, z) : x = 0, y \text{ et } z \in \mathbb{R}\}$.

2.   Choisir une base pour chacun des espaces vectoriels identifiés à l'exercice 1.

3.   Quelle est la dimension des espaces vectoriels identifiés en 1?

4.   Illustrer, à l'aide d'un ensemble de votre choix, pourquoi l'ensemble des vecteurs de dimension 2 dont les composantes sont des entiers n'est pas un espace vectoriel sur $\mathbb{R}$.

5.   Vérifier que les vecteurs (1, 3) et (2, 5) engendrent tout vecteur $(x, y) \in \mathbb{R}^2$.

6.   Vérifier que les vecteurs (1, 4, 6), (-1, 3, 1) et (2, 0, 1) engendrent tout vecteur $(x, y, z) \in \mathbb{R}^3$.

7.   Soit les vecteurs $\vec{e}_1 = (1, 0, 0, 0)$, $\vec{e}_2 = (0, 1, 0, 0)$ et $\vec{e}_3 = (0, 0, 1, 0) \in \mathbb{R}^4$.

a)   Quel est l'espace engendré par $\vec{e}_1$, $\vec{e}_2$ et $\vec{e}_3$?

b)   Cet espace est-il sous-espace de $\mathbb{R}^4$?

8.   Soit les vecteurs $\vec{u} = (1, 0, 0, 0)$, $\vec{v} = (1, 2, 0, 0)$, $\vec{w} = (1, 2, 3, 0)$, $\vec{s} = (1, 2, 3, 4)$ et $\vec{t} = (1, 1, 1, 1)$.

a)   Exprimer $\vec{t}$ comme combinaison linéaire des vecteurs $\vec{u}$, $\vec{v}$, $\vec{w}$ et $\vec{s}$.

b) Exprimer $\vec{s}$ comme combinaison linéaire des 4 autres vecteurs.

c) $\vec{u}$, $\vec{v}$, $\vec{w}$, $\vec{s}$ et $\vec{t}$ sont-ils linéairement indépendants?

d) $\vec{u}$, $\vec{v}$, $\vec{w}$ et $\vec{s}$ sont-ils linéairement indépendants?

9. Vérifier l'indépendance linéaire des ensembles de vecteurs suivants:

a) $\{(1, 4), (-2, 8)\}$;

b) $\{(0, 1, -2), (2, 1, 6)\}$;

c) $\{(1, 2, 3), (0, 1, -1), (0, 0, 0)\}$.

10. Démontrer que $\forall \ \vec{u} = (u_1, u_2, ..., u_n)$, $\forall \ k \in \mathbb{R}, |k \ \vec{u}| = |k| \ |\vec{u}|$.
(Remarque: $|k|$ désigne la valeur absolue de $k \in \mathbb{R}$; $|\vec{u}|$ désigne la norme du vecteur $\vec{u}$.)

11. Si $\vec{e}_1$, $\vec{e}_2$, $\vec{e}_3$ et $\vec{e}_4 \in \mathbb{R}^4$ sont les arêtes d'un hypercube, $\vec{e}_1 + \vec{e}_2 + \vec{e}_3 + \vec{e}_4$ en est la diagonale. Calculer la longueur de cette diagonale.

12. Même question dans $\mathbb{R}^n$.

13. Donner un exemple d'un ensemble de vecteurs de $\mathbb{R}^2$ qui engendre $\mathbb{R}^2$, mais ne constitue pas une base de $\mathbb{R}^2$.

14. Donner un exemple de vecteurs de $\mathbb{R}^3$ qui sont linéairement indépendants, mais qui n'engendrent pas $\mathbb{R}^3$.

15. Un espace vectoriel est engendré par quatre vecteurs linéairement indépendants. Que pouvez-vous dire de la dimension de cet espace vectoriel?

16. Même question pour quatre vecteurs linéairement dépendants.

17. L'ensemble $\{(x, y, z) \in \mathbb{R}^3 : x = y\}$ est-il un sous-espace vectoriel? de quel espace? Justifier.

18. Montrer que $\mathbb{R}$ est un sous-espace vectoriel de lui-même sur lui-même.

3.6   APPLICATIONS DES VECTEURS ALGÉBRIQUES DANS DIVERS DOMAINES

Au début de ce chapitre, nous avons abordé l'étude de l'algèbre des vecteurs de dimension n, et nous avons laissé entendre que l'usage des vecteurs déborde le cadre des mathématiques. En effet, l'ordinateur a adopté le langage vectoriel à cause de sa simplicité et de sa concision: c'est sous forme de vecteurs que les données sont entrées en mémoire et qu'elles sont traitées. Comme les applications de l'ordinateur s'étendent à peu près à tous les secteurs d'activité, il n'est presque pas de domaine où l'on n'utilise ce langage. Les sciences de l'administration en font un ample usage, ainsi que nous le verrons dans les exemples et les exercices qui suivent.

Exemple 1:   Le nombre d'accidents mortels dans chaque province au cours d'une année peut s'exprimer par une suite de 10 nombres; les provinces ayant été placées dans un ordre déterminé, chaque nombre représente le nombre d'accidents survenus dans une province donnée au cours d'une année. Cette suite de 10 nombres constitue un vecteur algébrique, et à chaque année correspond un vecteur différent.

Cette notation présente plusieurs avantages:

-   l'ordre des provinces étant connu, la signification de chaque composante devient évidente et un grand nombre de répétitions sont évitées;

-   les opérations sur les nombres regroupés de cette façon facilitent les calculs statistiques;

- la présentation de données sous cette forme convient particulièrement bien au traitement par ordinateur.

Exemple 2:   Une compagnie peut exprimer par une suite de 25 nombres le montant total des transactions réalisées à chacun de ses 25 postes de vente.

Exemple 3:   Le gérant d'une équipe de hockey peut résumer en une suite de 6 nombres, la fiche de chacun de ses joueurs, ces nombres représentant, par exemple, le nombre de parties gagnées, perdues et annulées, le nombre de buts, d'assistances et de pénalités au dossier de chaque joueur.

Comme nous n'avons pas encore développé tous les outils du calcul vectoriel, notamment les produits, les applications des vecteurs algébriques que nous pouvons faire sont encore limitées. Nous allons cependant en voir quelques-unes, sous forme d'exercices.

1.   Exprimer sous forme de vecteurs:

a)   l'âge des étudiants de votre classe;

b)   les notes que vous aimeriez obtenir aux différentes évaluations auxquelles vous serez soumis pendant ce cours;

c)   les notes que vous prévoyez obtenir effectivement;

d)   le poids des membres de votre famille;

e)   le nombre d'étudiants inscrits à chacun des cours que vous suivez à la présente session.

2.   Quelle est la dimension de chacun des vecteurs de l'exercice précédent?

3.   Un vendeur fait le point sur les ventes de la semaine. Le lundi, ses ventes se chiffrent à 150 $, et ainsi à chaque jour de la semaine, ses ventes sont respectivement de 300 $, 550 $, 275 $ et 425 $.

a)   Exprimer ses ventes de la semaine sous forme de vecteur.

b)   Ces ventes représentent une augmentation de 15% sur les ventes quotidiennes de la semaine précédente. Écrire le vecteur des ventes de la semaine précédente. Exprimer la relation entre les deux vecteurs.

c)   Par contre, il aimerait augmenter encore autant ses ventes quotidiennes de la semaine prochaine. Écrire le vecteur correspondant aux ventes espérées cette troisième semaine.

d)   Écrire le vecteur correspondant aux ventes de ces trois semaines.

e)   Une taxe de vente de 8% et une commission de 20% doivent être soustraites du montant brut des ventes pour les trois semaines. Exprimer le vecteur représentant ces montants quotidiens.

f)   Exprimer le vecteur représentant les montants quotidiens que le vendeur doit adresser à la compagnie au bout de ces trois semaines.

TABLEAU 3.1: Production et valeur du sucre et du sirop d'érable, par province, 1973-75, et moyenne quinquennale pour 1968-72

Province et année	Sucre d'érable		Sirop d'érable			
	Quantité lb	Valeur $	Quantité gal	Prix moyen au gal $	Valeur $	Valeur totale, sucre et sirop $
Nouvelle-Écosse						
Moy. 1968-72	13,000	12,000	5,000	7.40	37,000	49,000
1973	10,000	11,000	3,000	10.67	32,000	43,000
1974	9,000	12,000	4,000	11.25	45,000	57,000
1975	8,000	14,000	3,000	13.33	40,000	54,000
Nouveau-Brunswick						
Moy. 1968-72	23,000	23,000	9,000	7.89	71,000	94,000
1973	11,000	15,000	6,000	9.83	59,000	74,000
1974	19,000	29,000	6,000	11.67	70,000	99,000
1975	20,000	35,000	9,000	12.89	116,000	151,000
Québec						
Moy. 1968-72	307,000	217,000	1,687,000	5.05	8,514,000	8,731,000
1973	275,000	283,000	2,287,000	6.92	15,826,000	16,109,000
1974	258,000	299,000	1,599,000	6.90	11,028,000	11,327,000
1975	300,000	366,000	1,229,000	7.78	9,562,000	9,928,000
Ontario						
Moy. 1968-72	13,000	16,000	186,000	6.89	1,281,000	1,297,000
1973	12,000	21,000	124,000	8.90	1,103,000	1,124,000
1974	16,000	28,000	142,000	10.46	1,486,000	1,514,000
1975	9,000	20,000	120,000	11.98	1,437,000	1,457,000
Total						
Moy. 1968-72	356,000	268,000	1,887,000	5.25	9,903,000	10,171,000
1973	308,000	330,000	2,420,000	7.03	17,020,000	17,350,000
1974	302,000	368,000	1,751,000	7.21	12,629,000	12,997,000
1975	337,000	435,000	1,361,000	8.20	11,155,000	11,590,000

(Reproduit avec la permission du ministre des Approvisionnements et Services Canada)

4. Le tableau précité présente des données relatives à la production du sucre et du sirop d'érable, par province,

pour la période allant de 1968 à 1975.

A) Écrire les vecteurs représentant: i) les quantités, en livres, de sucre d'érable produit dans chaque province, en moyenne entre 1968 et 1972; ii) la valeur totale de la production, par province, pour la même période; iii) le prix, par livre de sucre d'érable, dans chaque province, pour la même période.

B) Reprendre les exercices i), ii) et iii) pour l'année 1975.

C) Écrire les vecteurs représentant: iv) la diminution de la production, en livres, par province, entre la moyenne de 1968-72 et l'année 1975; v) l'augmentation des coûts par livre, par province, pour la même période.

D) Dans quelle province la diminution de la production est-elle la plus élevée?

E) Dans quelle province l'augmentation du coût par livre est-elle la plus élevée?

TABLEAU 3.2:   Coût par journée d'hospitalisation dans les hôpitaux publics[1], 1961-74

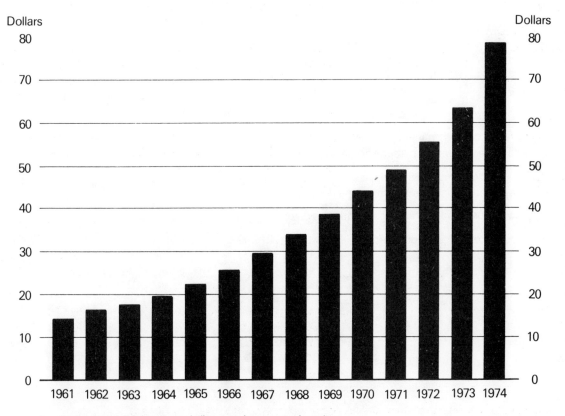

1.   Généraux, spécialisés, pour maladies mentales et pour tuberculeux.

(Reproduit avec la permission du ministre des Approvisionnements et Services Canada)

5. Le graphique ci-dessus représente les coûts par journée d'hospitalisation dans les hôpitaux publics du Canada, de 1961 à 1974:

a)   écrire les vecteurs représentant ces coûts de 1961 à 1967, et de 1968 à 1974;

b)   écrire le vecteur représentant l'augmentation des coûts en dollars de 7 ans en 7 ans (entre 1961 et 1968, 1962 et 1969, etc.);

c)   ces augmentations sont-elles constantes?

d)   écrire le vecteur représentant l'augmentation des coûts en pourcentage;

e)   les augmentations en pourcentage sont-elles constantes?

6. Construisons un modèle économique simple qui comprenne trois secteurs: celui des ressources minières, celui du pétrole et celui des ressources hydrauliques. Supposons ensuite qu'il y ait trois types de consommateurs: le public en général, le gouvernement du Québec et les multinationales. Les industries exploitant les diverses ressources, de même que les consommateurs, exercent certaines demandes dans chaque secteur d'industrie. Supposons, par exemple, que l'industrie des ressources minières ait besoin de 4 unités de pétrole et de 3 unités d'électricité pour son fonctionnement. Le vecteur de la demande pour l'industrie minière serait alors:

$$\vec{d_m} = (0, 4, 3).$$

a)   Déterminer 5 autres vecteurs de la demande, à votre choix, en les représentant par $\vec{d_p}$, $\vec{d_h}$, $\vec{d_{pub}}$, $\vec{d_g}$, $\vec{d_{mul}}$.

b)   Déterminer le vecteur $\vec{d_{tot}}$ exprimant la demande totale sur les industries.

c)   Si les prix par unité de minerai, de pétrole et d'électricité sont respectivement de 10, 25 et 15 millions de dollars, déterminer le vecteur $\vec{p}$ représentant ces prix.

d)   Si l'offre coïncide avec la demande, c'est-à-dire si chaque industrie produit les unités demandées, écrire le vecteur $\vec{r}$ représentant le revenu de chacune des industries.

e)   Écrire le vecteur $\vec{b}$ représentant les profits nets de chaque industrie.

g)   Selon vous, en quoi ce modèle pèche-t-il?

Chapitre 4
Matrices

4.1 VOCABULAIRE

Le calcul matriciel est très récent: son apparition date du XIXe siècle. Parmi les mathématiciens qui ont développé cette branche, nous retrouvons l'Anglais A. Cayley (1821-1895), l'Irlandais W. Hamilton (1805-1865) et un des compatriotes allemands de Gauss, Hermann Grassman (1809-1877). Le développement des matrices aidera à l'avènement de l'étude des applications linéaires, à l'avancement du calcul des probabilités et de la résolution des systèmes d'équations, à l'élaboration de la théorie des circuits, etc. Il est de plus impensable de ne pas utiliser les matrices lorsque nous travaillons avec les ordinateurs.

Nous découvrirons ensemble le vocabulaire et l'algèbre des matrices en utilisant un exemple.

Exemple 1: François, Paul, Julie et Claire suivent en même temps un cours de Mathématiques 105 et de Physique 201. À l'examen de la mi-session, ils ont respectivement obtenu 84, 60, 76 et 92 en Math 105, de même que 76, 56, 84 et 90 en Phys 201. Afin de mieux s'y retrouver, ils ont décidé de regrouper les résultats dans un tableau:

	Math 105	Phys 201
François	84	76
Paul	60	56
Julie	76	84
Claire	92	90

(Les notes sont sur 100.)

Le tableau indique, par exemple, que 84 est la note obtenue par Julie en Phys 201. Dans un tableau comme celui-ci, la position des nombres est évidemment très importante.

Établissons un vocabulaire qui nous permettra de travailler plus généralement avec un tel outil.

DÉFINITION: Une *matrice* est un tableau de la forme

$$A = \begin{pmatrix} a_{11} & a_{12} & \cdots & a_{1j} & \cdots & a_{1n} \\ a_{21} & a_{22} & \cdots & a_{2j} & \cdots & a_{2n} \\ \vdots & \vdots & & \vdots & & \vdots \\ a_{i1} & a_{i2} & \cdots & a_{ij} & \cdots & a_{in} \\ \vdots & \vdots & & \vdots & & \vdots \\ a_{m1} & a_{m2} & \cdots & a_{mj} & \cdots & a_{mn} \end{pmatrix}$$

où les a_{ij} (i = 1, 2, ..., m et j = 1, 2, ..., n) sont des scalaires. Ces scalaires sont les *éléments* de la matrice A. Ils sont tous notés a_{ij} où i et j sont appelés les *indices*. Ces derniers donnent la position de l'élément: le premier, i, indique la ligne, et le deuxième, j, la colonne. Comme cette matrice possède m lignes et n colonnes, elle est dite de *dimension* ou de *format* m × n (lire "m par n").

Autres notations: A, (a_{ij}), $A_{m \times n}$, $(a_{ij})_{m \times n}$.

Exemple 2:   Soit les matrices:

$$A = \begin{pmatrix} 84 & 76 \\ 60 & 56 \\ 76 & 84 \\ 92 & 90 \end{pmatrix} \qquad B = \begin{pmatrix} 2 & 4 & 6 \\ 3 & 5 & 7 \end{pmatrix}$$

Alors, $a_{21} = 60$, $a_{32} = 84$, a_{33} n'existe pas, $b_{13} = 6$, $b_{23} = 7$, b_{32} n'existe pas. A est de dimension 4 × 2, et B est de dimension 2 × 3.

Certaines matrices ont des caractéristiques particulières: elles portent un nom précis.

DÉFINITION: Une *matrice nulle* est une matrice dont tous les éléments sont nuls. Elle est toujours notée 0.

Exemple: La matrice $0_{2 \times 4}$ est

$$\begin{pmatrix} 0 & 0 & 0 & 0 \\ 0 & 0 & 0 & 0 \end{pmatrix}.$$

DÉFINITION: Une *matrice carrée* est une matrice dont le nombre de lignes est égal au nombre de colonnes, c.-à-d. m = n. La matrice est alors dite *d'ordre* n. Ses éléments d'indice 11, 22, 33, ..., nn forment sa *diagonale principale*, tandis que ses éléments d'indice n1, (n − 1)2, (n − 2)3, ..., 1n forment sa *deuxième diagonale*.

Exemple: La matrice suivante est carrée:

$$E_{3 \times 3} = \begin{pmatrix} 1 & 2 & 3 \\ 4 & 5 & 6 \\ 7 & 8 & 9 \end{pmatrix}.$$

Sa diagonale principale est composée des éléments 1, 5, 9, et sa deuxième diagonale, de 7, 5, 3.

DÉFINITION: Une *matrice triangulaire supérieure* (*inférieure*) est une matrice carrée dont tous les éléments au-dessous (au-dessus) de la diagonale principale sont nuls.

Exemple: La matrice $T_{3 \times 3}$ est triangulaire supérieure, tandis que $M_{3 \times 3}$ est triangulaire inférieure:

$$T_{3 \times 3} = \begin{pmatrix} 1 & 0 & 2 \\ 0 & 3 & 5 \\ 0 & 0 & 5 \end{pmatrix}, \qquad M_{3 \times 3} = \begin{pmatrix} 2 & 0 & 0 \\ 4 & 1 & 0 \\ 3 & 0 & -2 \end{pmatrix}.$$

DÉFINITION: Une *matrice diagonale* est une matrice à la fois triangulaire supérieure et triangulaire inférieure.

Exemple: La matrice suivante est une matrice diagonale:

$$D_{4 \times 4} = \begin{pmatrix} 1 & 0 & 0 & 0 \\ 0 & 2 & 0 & 0 \\ 0 & 0 & 0 & 0 \\ 0 & 0 & 0 & -3 \end{pmatrix}.$$

DÉFINITION: Est appelée *matrice identité* une matrice diagonale dont tous les éléments de la diagonale principale sont égaux à 1. Elle est notée I.

Exemple: La matrice $I_{2 \times 2}$ (ou simplement, I_2) sera la matrice

$$\begin{pmatrix} 1 & 0 \\ 0 & 1 \end{pmatrix}.$$

Revenons maintenant à la situation présentée dans l'exemple 1, au début du chapitre.

Exemple 1 (suite 1):   Les notes obtenues par nos quatre étudiants à la mi-session peuvent être regroupées dans la matrice

$$A = \begin{pmatrix} 84 & 76 \\ 60 & 56 \\ 76 & 84 \\ 92 & 90 \end{pmatrix}.$$

Rappelons que ces notes sont sur 100. Or, à la fin de la session, nos quatre étudiants obtiennent au deuxième examen, dans les deux matières, les notes suivantes (nous les avons regroupées dans une matrice B formée avec les mêmes principes que A):

$$B = \begin{pmatrix} 78 & 72 \\ 66 & 88 \\ 60 & 72 \\ 84 & 90 \end{pmatrix}.$$

Les notes sont aussi sur 100. Nos quatre étudiants aimeraient bien connaître leur note finale pour l'ensemble de la session. En sachant que le premier examen comptait pour 40% de la session, et le deuxième, pour 60%, il leur suffirait de connaître leur note réelle sur 40 et sur 60, et d'additionner le tout. Au lieu d'effectuer tout ce travail individuellement, ils aimeraient bien le faire collectivement en utilisant les matrices A et B. Voyons comment ils pourraient y arriver en définissant certaines opérations sur les matrices...

4.2 ALGÈBRE DES MATRICES

Soit $A = (a_{ij})_{m \times n}$ et $B = (b_{ij})_{m \times n}$, deux matrices, et soit k, un scalaire.

DÉFINITION: Deux matrices A et B sont dites *égales* (c.-à-d. A = B), si et seulement si, pour tout i et pour tout j, $a_{ij} = b_{ij}$: en d'autres mots, $(a_{ij})_{m \times n} = (b_{ij})_{m \times n} \Longleftrightarrow a_{ij} = b_{ij}$ pour tout i, pour tout j.

DÉFINITION: La *somme de deux matrices* A et B, notée A + B, est une matrice $C = (c_{ij})_{m \times n}$ où $c_{ij} = a_{ij} + b_{ij}$, pour tout i, pour tout j: c.-à-d. $(a_{ij})_{m \times n} + (b_{ij})_{m \times n} = (c_{ij})_{m \times n}$ où $c_{ij} = a_{ij} + b_{ij}$, pour tout i et pour tout j.

Remarquons tout de suite que deux matrices égales ont toujours même dimension, que la somme de deux matrices n'est définie que pour deux matrices ayant même dimension, et que la matrice somme résultante a aussi la même dimension que les deux autres.

DÉFINITION: Le *produit de la matrice A par le scalaire k*, noté kA, est une matrice $D = (d_{ij})_{m \times n}$ où $d_{ij} = ka_{ij}$, pour tout i et pour tout j, c.-à-d. $k(a_{ij})_{m \times n} = (d_{ij})_{m \times n}$ où $d_{ij} = ka_{ij}$ pour tout i, pour tout j.

Exemple: Soit les matrices E, F et G suivantes:

$$E = \begin{pmatrix} 2 & 3 & 4 \\ 1 & 1 & 2 \end{pmatrix} \quad G = \begin{pmatrix} 1 & 2 \\ 10 & 8 \\ 5 & 0 \end{pmatrix} \quad F = \begin{pmatrix} 0 & 0 & 1 \\ 5 & 6 & 7 \end{pmatrix}.$$

Alors:

$$E + F = \begin{pmatrix} 2+0 & 3+0 & 4+1 \\ 1+5 & 1+6 & 2+7 \end{pmatrix} = \begin{pmatrix} 2 & 3 & 5 \\ 6 & 7 & 9 \end{pmatrix}.$$

E + G n'existe pas. Par contre,

$$5G = \begin{pmatrix} 5 \times 1 & 5 \times 2 \\ 5 \times 10 & 5 \times 8 \\ 5 \times 5 & 5 \times 0 \end{pmatrix} = \begin{pmatrix} 5 & 10 \\ 50 & 40 \\ 25 & 0 \end{pmatrix}.$$

Revenons à nos quatre étudiants.

Exemple 1 (suite 2):   Pour ramener les notes de l'examen 1 sur 40, il suffit de les multiplier toutes par 0,4, c.-à-d. multiplier la matrice A par 0,4. Pour ramener les notes de l'examen 2 sur 60, il suffit de les multiplier toutes par 0,6, c.-à-d. multiplier la matrice B par 0,6. Si nous appelons F la matrice des notes finales, nous aurons:

$$F = 0,4 \, A + 0,6 \, B$$

$$= 0,4 \begin{pmatrix} 84 & 76 \\ 60 & 56 \\ 76 & 84 \\ 92 & 90 \end{pmatrix} + 0,6 \begin{pmatrix} 78 & 72 \\ 66 & 88 \\ 60 & 72 \\ 84 & 90 \end{pmatrix}$$

$$= \begin{pmatrix} 33,6 & 30,4 \\ 24,0 & 22,4 \\ 30,4 & 33,6 \\ 36,8 & 36,0 \end{pmatrix} + \begin{pmatrix} 46,8 & 43,2 \\ 39,6 & 52,8 \\ 36,0 & 43,2 \\ 50,4 & 54,0 \end{pmatrix}$$

$$= \begin{pmatrix} 80,4 & 73,6 \\ 63,6 & 75,2 \\ 66,4 & 76,8 \\ 87,2 & 90,0 \end{pmatrix}.$$

Ainsi, Claire a obtenu 90,0 en Phys 201, Paul a obtenu 63,6 en Math 105, etc.

4.3   PROPRIÉTÉS

Comme nous venons de définir certaines opérations sur les matrices, il serait bon d'établir les propriétés de ces dernières. Nous travaillerons avec des scalaires réels et avec des matrices réelles, c.-à-d. des matrices dont les éléments sont tous des réels.

THÉORÈME:

> Soit A, B, C, trois matrices réelles de dimensions mxn. Soit p et q, des scalaires réels. Alors:
>
> 1) $A + B = B + A$;   (commutativité de l'addition)
>
> 2) $A + (B + C) = (A + B) + C$;   (associativité de l'addition)
>
> 3) $A + 0 = 0 + A = A$;   (neutre pour l'addition, et dim $0 = m \times n$)
>
> 4) $A + (-A) = 0$;   (symétrique pour l'addition)
>
> 5) $1A = A$;
>
> 6) $p(A + B) = pA + pB$;
>
> 7) $(p + q)A = pA + qA$;
>
> 8) $(pq)A = p(qA)$.

Démonstration:

1) $A + B = (a_{ij})_{m \times n} + (b_{ij})_{m \times n}$ (définition des matrices)

$\quad\quad = (a_{ij} + b_{ij})_{m \times n}$ (définition de la somme de deux matrices)

$\quad\quad = (b_{ij} + a_{ij})_{m \times n}$ (commutativité de la somme dans $\mathbb{R}$)

$\quad\quad = (b_{ij})_{m \times n} + (a_{ij})_{m \times n}$ (définition de la somme de deux matrices)

$\quad\quad = B + A$.

2) $A + (B + C) = (a_{ij})_{m \times n} + ((b_{ij})_{m \times n} + (c_{ij})_{m \times n})$ (définition des matrices)

$\quad\quad = (a_{ij})_{m \times n} + (b_{ij} + c_{ij})_{m \times n}$ (définition somme pour B et C)

$\quad\quad = (a_{ij} + (b_{ij} + c_{ij}))_{m \times n}$ (déf. somme pour A et B + C)

$\quad\quad = ((a_{ij} + b_{ij}) + c_{ij})_{m \times n}$ (associativité dans $\mathbb{R}$)

$\quad\quad = (a_{ij} + b_{ij})_{m \times n} + (c_{ij})_{m \times n}$ (déf. somme pour A + B et C)

$$= ((a_{ij})_{m \times n} + (b_{ij})_{m \times n}) + (c_{ij})_{m \times n} \quad \text{(déf. somme pour A et B)}$$

$$= (A + B) + C. \qquad\qquad \text{(définition des matrices)}$$

7) $(p + q) A = (p + q) (a_{ij})_{m \times n}$ (définition matrices)

$$= ((p + q) a_{ij})_{m \times n} \qquad\qquad \text{(définition produit par un scalaire)}$$

$$= (pa_{ij} + qa_{ij})_{m \times n} \qquad\qquad \text{(distributivité dans } \mathbb{R} \text{)}$$

$$= (pa_{ij})_{m \times n} + (qa_{ij})_{m \times n} \qquad \text{(définition somme matrices)}$$

$$= p(a_{ij})_{m \times n} + q(a_{ij})_{m \times n} \qquad \text{(déf. produit par un scalaire)}$$

$$= pA + qA. \qquad\qquad\qquad \text{(définition matrices)}$$

Les démonstrations de 3), 4), 5), 6) et 8) sont laissées en exercices.

4.4   EXERCICES

Pour les numéros 1 à 3 inclusivement, nous considérerons les matrices suivantes:

$$A = \begin{pmatrix} 2 & 5 & 3 & 3 \\ 1 & 0 & -1 & 1 \\ 4 & 1 & 2 & 6 \end{pmatrix}, \quad B = \begin{pmatrix} 8 & 3 & 0 & -1 \\ -2 & 4 & 0 & 0 \\ 1 & 7 & 2 & -3 \end{pmatrix}, \quad C = \begin{pmatrix} 5 & 1 & -1 \\ 1 & 8 & 0 \\ 1 & 3 & 2 \end{pmatrix},$$

$$D = (8 \quad -1), \quad E = \begin{pmatrix} -1 & 0 & 2 \\ -4 & 5 & 3 \\ 1 & 1 & 0 \end{pmatrix}, \quad F = \begin{pmatrix} a & b & c \\ d & e & f \\ g & h & i \end{pmatrix}, \quad G = \begin{pmatrix} -1 \\ 0 \\ 2 \\ 4 \end{pmatrix},$$

$$H = (2 \quad 3 \quad -1 \quad 0).$$

1. Déterminer: a_{13}, a_{31}, b_{23}, c_{42}, d_{12}, e_{23}, d_{21}.

2. Calculer: a) 5D; b) A + B; c) C − 2E; d) C + 4 I (quel est l'ordre de I?); e) (C + E) + 4 I; f) A − 3E.

3. Déterminer la matrice F pour laquelle:

a) C − 2E + F = 0;   b) C + F = 5E;

c) E − 5I = F;   d) 3F + 2E = 4C.

4. Soit A = (a_{ij}), une matrice de dimension m x n. Nous savons que A sera dite nulle si tous ses éléments sont nuls. Ce fait pourrait s'énoncer comme suit:

A est dite nulle $\Longleftrightarrow a_{ij} = 0$ pour tout $i \in \{1, 2, ..., m\}$ et pour tout $j \in \{1, 2, ..., n\}$.

Énoncer de la même façon sous quelles conditions A sera dite:

i)   carrée;

ii) triangulaire supérieure;

iii) triangulaire inférieure;

iv) diagonale;

v) identité.

5. Démontrer les parties 3), 4), 5), 6) et 8) du théorème de la section 4.3.

6. Lors d'un premier contrôle, Lise, Pierre et Benoît ont obtenu les résultats suivants (la note est sur 100):

$$
\begin{array}{c}
\text{maths 203} \quad \text{chimie 201} \\
\begin{array}{c} \text{Lise} \\ \text{Pierre} \\ \text{Benoît} \end{array}
\begin{pmatrix} 70 & 75 \\ 60 & 80 \\ 75 & 65 \end{pmatrix} = C_1
\end{array}
$$

Les matrices suivantes indiquent les résultats obtenus aux trois contrôles subséquents:

$$
C_2 = \begin{pmatrix} 80 & 78 \\ 65 & 70 \\ 70 & 68 \end{pmatrix}
\quad C_3 = \begin{pmatrix} 85 & 80 \\ 80 & 75 \\ 60 & 70 \end{pmatrix}
\quad C_4 = \begin{pmatrix} 79 & 80 \\ 68 & 80 \\ 78 & 75 \end{pmatrix}.
$$

Si ces contrôles comptent respectivement pour 25%, 30%, 20% et 25%, quelles sont les notes finales pour nos trois étudiants dans ces deux matières?

7. Lors d'essais, nous avons noté dans les matrices A_1 et A_2 la consommation d'essence (en litres) de deux voitures au cours de trois randonnées:

$$
A_1 = \begin{pmatrix} 180 \\ 110 \\ 155 \end{pmatrix}, \quad
A_2 = \begin{pmatrix} 162 \\ 102 \\ 138 \end{pmatrix}.
$$

a) Si un gallon équivaut à 4,55 litres, décrire l'opération matricielle permettant d'obtenir les matrices B_1 et B_2 donnant la consommation en gallons, et donner ces matrices.

b) Si le prix du litre d'essence est de 0,45 $, décrire l'opération permettant d'obtenir les matrices C_1 et C_2 des coûts des randonnées à partir de A_1 et A_2 et donner ces matrices.

c) Reprendre la question b) mais en utilisant les matrices B_1 et B_2.

d) Décrire l'opération permettant d'obtenir la matrice C_T des coûts totaux pour chacune des randonnées si les conducteurs des voitures 1 et 2 ont obtenu, respectivement, des rabais de 15% et 10% sur leurs achats d'essence.

4.5 PRODUIT MATRICIEL

Nous avons déjà défini le produit d'une matrice par un scalaire. Nous établirons maintenant un nouveau produit, celui de deux matrices. Avant de le définir formellement, voyons sur un exemple concret à quoi il pourrait nous servir.

Exemple: Dans le but d'amasser des fonds pour une fin de semaine de plein air, Claude, Marc et Nathalie vendent des crayons à 0,50 $, des signets à 0,25 $ et des porte-clefs à 2,00 $, estampés du sigle de leur concentration. À la fin de la période de vente, nous regroupons dans une matrice N le nombre d'articles vendus par chacun:

$$
\begin{array}{c}
\qquad\quad \text{crayons} \qquad\quad \text{signets} \qquad\quad \text{porte-clefs} \\
\begin{array}{l}
\text{Claude} \\
\text{Marc} \\
\text{Nathalie}
\end{array}
\begin{pmatrix}
50 & 200 & 25 \\
100 & 325 & 75 \\
225 & 125 & 150
\end{pmatrix} = N.
\end{array}
$$

Or, nos trois étudiants aimeraient bien connaître le montant rapporté par chacun d'entre eux. Nous savons tous comment obtenir ces montants, à savoir:

Claude: $50\,(0,50) + 200\,(0,25) + 25\,(2,00) = 125,00;$

Marc: $100\,(0,50) + 325\,(0,25) + 75\,(2,00) = 281,25;$

Nathalie: $225\,(0,50) + 125\,(0,25) + 150\,(2,00) = 443,75.$

Classons ces montants dans une matrice T:

$$
T = \begin{pmatrix} 125,00 \\ 281,25 \\ 443,75 \end{pmatrix}
\begin{array}{l}
\text{(Claude)} \\
\text{(Marc)} \\
\text{(Nathalie).}
\end{array}
$$

Plaçons le prix des articles dans une matrice P:

$$
P = \begin{pmatrix} 0,50 \\ 0,25 \\ 2,00 \end{pmatrix}
\begin{array}{l}
\text{(crayons)} \\
\text{(signets)} \\
\text{(porte-clefs).}
\end{array}
$$

Nous constatons que:

· ce que Claude a rapporté (t_{11}) provient de la somme des produits terme à terme de la 1re ligne de N par la 1re colonne de P:

$$
\begin{array}{ccc}
N & P & T \\
\begin{pmatrix} 50 & 200 & 25 \\ 100 & 325 & 75 \\ 225 & 125 & 150 \end{pmatrix} &
\begin{pmatrix} 0,50 \\ 0,25 \\ 2,00 \end{pmatrix} = &
\begin{pmatrix} 125,00 \\ 281,25 \\ 443,75 \end{pmatrix}
\end{array}
$$

· ce que Marc a rapporté (t_{21}) provient de la somme des produits terme à terme de la 2e ligne de N par la 1re colonne de P:

$$
\begin{pmatrix} 50 & 200 & 25 \\ 100 & 325 & 75 \\ 225 & 125 & 150 \end{pmatrix}
\begin{pmatrix} 0,50 \\ 0,25 \\ 2,00 \end{pmatrix} =
\begin{pmatrix} 125,00 \\ 281,25 \\ 443,75 \end{pmatrix}
$$

· ce que Nathalie a rapporté (t_{31}) provient de la somme des produits terme à terme de la 3e ligne de N par la 1re colonne de P:

$$
\begin{pmatrix} 50 & 200 & 25 \\ 100 & 325 & 75 \\ 225 & 125 & 150 \end{pmatrix}
\begin{pmatrix} 0,50 \\ 0,25 \\ 2,00 \end{pmatrix} =
\begin{pmatrix} 125,00 \\ 281,25 \\ 443,75 \end{pmatrix}
$$

Dans les trois cas, l'élément t_{ij} a été obtenu en effectuant la somme des produits terme à terme de la i^e

ligne de N par la j^e colonne de P. Nous disons alors que la matrice T obtenue vient du produit de N par P, c.-à-d. $N \times P = T$.

Reprenons ce principe sur un autre exemple.

Exemple: Soit les matrices A et B:

$$A = \begin{pmatrix} 1 & 2 \\ 2 & 3 \\ 4 & 5 \end{pmatrix} \quad et \quad B = \begin{pmatrix} 3 & 1 & 2 & 4 \\ 4 & 1 & 5 & 1 \end{pmatrix}.$$

Formons une nouvelle matrice $C = (c_{ij})$ où chaque élément c_{ij} proviendra de la somme des produits terme à terme de la i^e ligne de A par la j^e colonne de B. Comme A possède 3 lignes et B, 4 colonnes, les éléments c_{ij} que nous pouvons former sont ceux pour lesquels $i \in \{1, 2, 3\}$ et $j \in \{1, 2, 3, 4\}$: C sera donc de dimension 3×4. Nous obtenons:

$$\underset{A}{\begin{pmatrix} 1 & 2 \\ 2 & 3 \\ 4 & 5 \end{pmatrix}} \underset{B}{\begin{pmatrix} 3 & 1 & 2 & 4 \\ 4 & 1 & 5 & 1 \end{pmatrix}} = \underset{C}{\begin{pmatrix} 1(3)+2(4) & 1(1)+2(1) & 1(2)+2(5) & 1(4)+2(1) \\ 2(3)+3(4) & 2(1)+3(1) & 2(2)+3(5) & 2(4)+3(1) \\ 4(3)+5(4) & 4(1)+5(1) & 4(2)+5(5) & 4(4)+5(1) \end{pmatrix}}$$

$$= \begin{pmatrix} 11 & 3 & 12 & 6 \\ 18 & 5 & 19 & 11 \\ 32 & 9 & 33 & 21 \end{pmatrix}.$$

Encore ici, nous disons que $A \times B = C$ (ou encore $AB = C$).

Est-ce que le produit de deux matrices peut s'effectuer avec n'importe quelle paire de matrices? Nous nous doutons bien que non! Comme les éléments de la matrice produit (disons C) proviennent d'une somme de produits terme à terme d'une ligne de la première matrice (disons A) par une colonne de la deuxième matrice (disons B), il doit y avoir égalité entre le nombre d'éléments dans cette ligne de A et le nombre d'éléments dans cette colonne de B. En d'autres mots, pour que $A \times B = C$ soit réalisable, il faut:

\# éléments dans une ligne de A = \# éléments dans une colonne de B.

Or, le nombre d'éléments dans une ligne de A égale le nombre de colonnes de A et le nombre d'éléments dans une colonne de B égale le nombre de lignes de B. Nous aurons donc la situation suivante: si A est de dimension $m \times n$ et B de dimension $p \times q$, le produit $A \times B$ sera possible si et seulement si $n = p$.

Parlons de la dimension de la matrice résultante $C = (c_{ij})$. Nous pourrons obtenir une valeur pour c_{ij} si nous travaillons avec la i^e ligne de A et la j^e colonne de B. Ainsi, si A est de dimension $m \times n$, et B, de dimension $n \times q$, c_{ij} existera pour $i \in \{1, 2, ..., m\}$ et $j \in \{1, 2, ..., q\}$. C sera donc de dimension $m \times q$.

Exemple: Examinons la possibilité d'effectuer certains produits, et la dimension de la matrice résultante si possible:

$$N_{3\times3} \times P_{3\times1} = M_{3\times1};$$
$$D_{3\times3} \times E_{3\times3} = F_{3\times3};$$
$$L_{5\times4} \times Q_{4\times10} = R_{5\times10};$$

$$A_{3\times2} \times B_{2\times4} = C_{3\times4};$$
$$A_{3\times2} \times B_{3\times2} \text{ est impossible};$$
$$S_{1\times4} \times T_{4\times1} = V_{1\times1}.$$

Formalisons maintenant le produit de deux matrices.

DÉFINITION: Soit $A_{m\times n}$ et $B_{n\times q}$, deux matrices. Le *produit de deux matrices A et B*, noté $A \times B$ (ou AB), est la matrice $C_{m\times q} = (c_{ij})$ où

$$c_{ij} = a_{i1}b_{1j} + a_{i2}b_{2j} + \ldots + a_{in}b_{nj}, \quad i \in \{1, 2, \ldots, m\}, j \in \{1, 2, \ldots, q\}.$$

c.-à-d.

$$\begin{pmatrix} a_{11} & a_{12} & \cdots & a_{1n} \\ a_{21} & a_{22} & \cdots & a_{2n} \\ \cdot & \cdot & & \cdot \\ \cdot & \cdot & & \cdot \\ \boxed{a_{i1} \quad a_{i2} \quad \cdots \quad a_{in}} \\ \cdot & \cdot & & \cdot \\ \cdot & \cdot & & \cdot \\ a_{m1} & a_{m2} & \cdots & a_{mn} \end{pmatrix} \times \begin{pmatrix} b_{11} & b_{12} & \cdots & b_{1j} & \cdots & b_{1q} \\ b_{21} & b_{22} & \cdots & b_{2j} & \cdots & b_{2q} \\ \cdot & \cdot & & \cdot & & \cdot \\ \cdot & \cdot & & \cdot & & \cdot \\ \cdot & \cdot & & \cdot & & \cdot \\ b_{n1} & b_{n2} & \cdots & b_{nj} & \cdots & b_{nq} \end{pmatrix} = \begin{pmatrix} c_{11} & c_{12} & \cdots & c_{1j} & \cdots & c_{1q} \\ c_{21} & c_{22} & \cdots & c_{2j} & \cdots & c_{2q} \\ \cdot & \cdot & & \cdot & & \cdot \\ c_{i1} & c_{i2} & \cdots & \boxed{c_{ij}} & \cdot & c_{iq} \\ \cdot & \cdot & & \cdot & & \cdot \\ c_{m1} & c_{m2} & \cdots & c_{mj} & \cdots & c_{mq} \end{pmatrix}$$

$$a_{i1}b_{1j} + a_{i2}b_{2j} + \ldots + a_{in}b_{nj}$$

Remarque: Il faudra toujours faire attention aux dimensions des matrices en ce qui concerne l'existence du produit et la dimension de la matrice résultante.

Il existe une autre notation pour exprimer la valeur de c_{ij}: c'est la notation sigma (Σ) qui indique la variation des indices dans le calcul:

$$c_{ij} = \sum_{k=1}^{n} a_{ik} b_{kj}.$$

Certaines matrices, lorsque multipliées par elles-mêmes, se comportent d'une façon spéciale. (Évidemment A × A n'existe que si A est une matrice carrée... Pourquoi?)

DÉFINITION: Soit $A_{n \times n}$, une matrice carrée.

Alors, A est dite *idempotente* si A × A = A (A × A est notée A^2). A sera dite *nilpotente* s'il existe $p \in \mathbb{N}$ tel que:

$$\underbrace{A \times A \times ... \times A}_{p \text{ fois}} = A^p = 0.$$

Le plus petit entier p pour lequel $A^p = 0$ est appelé *indice de nilpotence.*

Exemple: La matrice A est idempotente, tandis que B est nilpotente:

$$A = \begin{pmatrix} 1 & 0 \\ 4 & 0 \end{pmatrix} \qquad \text{(Il suffit de vérifier que } A^2 = A.\text{)}$$

$$B = \begin{pmatrix} 1 & -3 & -4 \\ -1 & 3 & 4 \\ 1 & -3 & -4 \end{pmatrix} \quad \text{(Il suffit de trouver un entier p tel que } B^p = 0.\text{)}$$

4.6   PROPRIÉTÉS DU PRODUIT MATRICIEL

Nous énonçons ici les principales propriétés du produit matriciel. Comme leurs démonstrations sont plus un défi d'écriture que de raisonnement, nous nous permettrons de les omettre.

THÉORÈME:

Soit A, B et C, trois matrices. Lorsque leurs dimensions sont compatibles:

1) A × I = I × A = A (ou AI = IA = A);
2) A × 0 = 0 × A = 0 (ou A0 = 0A = 0);
3) A × (B × C) = (A × B) × C (ou A(BC) = (AB)C);
4) A × (B + C) = (A × B) + (A × C) (ou A(B + C) = AB + AC);
5) (A + B) × C = (A × C) + (B × C) (ou (A + B)C = AC + BC).

Remarque: En général, $A \times B \neq B \times A$. Nous en verrons un cas en exercice.

4.7 EXERCICES

1. Considérons les matrices suivantes:

$$A = \begin{pmatrix} 3 & 2 \\ 4 & 1 \\ 0 & -2 \end{pmatrix}, \quad B = \begin{pmatrix} 3 & 7 & 0 \\ 1 & -2 & -6 \end{pmatrix}, \quad C = \begin{pmatrix} 1 & 5 & 3 \\ 0 & 8 & 2 \end{pmatrix}, \quad D = \begin{pmatrix} 2 & 5 & 3 \\ -1 & 1 & 0 \\ 2 & 1 & 1 \end{pmatrix},$$

$$E = \begin{pmatrix} 3 \\ 3 \\ 1 \end{pmatrix}, \quad F = \begin{pmatrix} a_1 & 0 \\ a_2 & 0 \end{pmatrix}, \quad G = \begin{pmatrix} 1 & 0 & 7 & 5 \\ -1 & 2 & 4 & 8 \\ 0 & 1 & -2 & 1 \end{pmatrix}.$$

Donner les dimensions des matrices résultant de:

a) $A \times B$;

b) $B \times D$;

c) $C \times E$;

d) AF ;

e) $B(DG)$;

f) $(B G) D$;

g) ABG ;

h) AF^2 ;

i) $(AC)^2$;

j) $A^2 C^2$;

k) $ACAC$;

l) $A(B + C)$;

m) $D^2 (2A)$;

n) $(B - 3C) G$;

o) F^3 ;

p) $(-4DE)^2$.

2. Effectuer les produits matriciels du numéro 1 lorsque c'est possible.

3. a) Montrer que la matrice $\begin{pmatrix} 5 & -1 \\ 20 & -4 \end{pmatrix}$ est idempotente.

b) Montrer qu'en général, si a et b sont deux nombres réels, alors la matrice suivante est idempotente:

$$\begin{pmatrix} 1 - ab & b \\ a(1 - ab) & ab \end{pmatrix}.$$

c) Construire deux nouvelles matrices de dimension 2×2 idempotentes.

4. Montrer que si A est une matrice idempotente, alors A^n ($n \in \mathbb{N}$) l'est aussi.

5. Soit les matrices

$$A = \begin{pmatrix} 1 & 0 & 0 \\ 2 & 2 & -1 \\ 1 & -1 & 1 \end{pmatrix}, \quad B = \begin{pmatrix} -2 & 0 & 0 \\ 6 & -2 & -2 \\ 8 & -2 & -4 \end{pmatrix}, \quad C = \begin{pmatrix} 1 & 2 & 3 \\ 3 & 2 & 0 \\ -1 & -1 & -1 \end{pmatrix}.$$

a) Calculer AB, BA.

b) Calculer BC, CB.

c) Calculer AC, CA.

d) En comparant ces paires de produits, que pouvons-nous conclure au sujet de la commutativité du produit de deux matrices?

6. a) La matrice $\begin{pmatrix} 1 & 1 & 3 \\ 5 & 2 & 6 \\ -2 & -1 & -3 \end{pmatrix}$ est nilpotente. Trouver son indice de nilpotence.

  b) Si A est une matrice nilpotente d'indice p, que vaut A^r pour $r \geqslant p$?

7. a) Écrire de façon générale deux matrices D et E diagonales d'ordre 3.

  b) Montrer que DE est aussi une matrice diagonale.

  c) Montrer que le produit de deux matrices diagonales d'ordre n est aussi une matrice diagonale d'ordre n.

8. Soit les matrices

$$A = \begin{pmatrix} 2 & 2 \\ 0 & 0 \end{pmatrix}, \qquad B = \begin{pmatrix} -1 & 0 \\ 1 & 0 \end{pmatrix}, \qquad 0 = \begin{pmatrix} 0 & 0 \\ 0 & 0 \end{pmatrix}.$$

a) Calculer AB, A0.

b) Que pouvons-nous conclure au sujet de la forme de deux matrices dont le produit est la matrice nulle?

9. Effectuer:

a) $\begin{pmatrix} c & 0 \\ 0 & 0 \end{pmatrix} \begin{pmatrix} a_1 & a_2 & a_3 \\ b_1 & b_2 & b_3 \end{pmatrix}$;

b) $\begin{pmatrix} 0 & 0 \\ 0 & d \end{pmatrix} \begin{pmatrix} a_1 & a_2 & a_3 \\ b_1 & b_2 & b_3 \end{pmatrix}$;

c) $\begin{pmatrix} c & 0 \\ 0 & 1 \end{pmatrix} \begin{pmatrix} a_1 & a_2 & a_3 \\ b_1 & b_2 & b_3 \end{pmatrix}$;

d) $\begin{pmatrix} 1 & 0 \\ 0 & d \end{pmatrix} \begin{pmatrix} a_1 & a_2 & a_3 \\ b_1 & b_2 & b_3 \end{pmatrix}$;

e) $\begin{pmatrix} a_1 & a_2 & a_3 \\ b_1 & b_2 & b_3 \end{pmatrix} \begin{pmatrix} c & 0 & 0 \\ 0 & 1 & 0 \\ 0 & 0 & 1 \end{pmatrix}$;

f) $\begin{pmatrix} a_1 & a_2 & a_3 \\ b_1 & b_2 & b_3 \end{pmatrix} \begin{pmatrix} 1 & 0 & 0 \\ 0 & 1 & 0 \\ 0 & 0 & d \end{pmatrix}$;

g) $\begin{pmatrix} a_1 & a_2 & a_3 \\ b_1 & b_2 & b_3 \end{pmatrix} \begin{pmatrix} c & 0 & 0 \\ 0 & 0 & 0 \\ 0 & 0 & 0 \end{pmatrix}$;

h) $\begin{pmatrix} a_1 & a_2 & a_3 \\ b_1 & b_2 & b_3 \end{pmatrix} \begin{pmatrix} 0 & 0 & 0 \\ 0 & c & 0 \\ 0 & 0 & 0 \end{pmatrix}$.

10. Soit A la matrice $\begin{pmatrix} a_1 & a_2 & a_3 \\ b_1 & b_2 & b_3 \end{pmatrix}$. Déterminer une matrice B tel que le produit BA ou AB (selon le cas) donne le résultat suivant:

a) $(a_1 \quad a_2 \quad a_3)$;
b) $(cb_1 \quad cb_2 \quad cb_3)$;

c) $\begin{pmatrix} a_1 \\ b_1 \end{pmatrix}$;
d) $\begin{pmatrix} ka_3 \\ kb_3 \end{pmatrix}$;
e) $\begin{pmatrix} a_1 & a_2 \\ b_1 & b_2 \end{pmatrix}$;
f) $\begin{pmatrix} ca_1 & da_2 \\ cb_1 & db_2 \end{pmatrix}$.

11. Considérons les matrices

$$A = \begin{pmatrix} 1 & -3 & 2 \\ 2 & 1 & -3 \\ 4 & -3 & -1 \end{pmatrix}, \quad B = \begin{pmatrix} 1 & 4 & 1 & 0 \\ 2 & 1 & 1 & 1 \\ 1 & -2 & 1 & 2 \end{pmatrix}, \quad C = \begin{pmatrix} 2 & 1 & -1 & -2 \\ 3 & -2 & -1 & -1 \\ 2 & -5 & -1 & 0 \end{pmatrix} .$$

a) Calculer AB, AC.

b) Si M, N et P sont des matrices pour lesquelles MP = NP, est-il nécessaire d'avoir M = N ? Pourquoi ?

12. a) Développer, en utilisant les propriétés du calcul matriciel, les expressions $(A + B)^2$ et $(A - B)(A + B)$.

b) Les développements obtenus sont respectivement différents de $A^2 + 2AB + B^2$ et $A^2 - B^2$. Pourquoi ?

13. Soit T l'ensemble de toutes les matrices réelles de la forme $\begin{pmatrix} a & b \\ b & a \end{pmatrix}$,

avec a, b ∈ ℝ, et soit C, D deux matrices de T. Considérons le produit matriciel entre éléments de T.

a) Montrer que CD appartient aussi à T.

b) Montrer que le produit matriciel dans T est commutatif, c'est-à-dire CD = DC.

14. Montrer que si AB = A et si BA = B, alors A et B sont idempotentes.

15. Soit A = $\begin{pmatrix} 2 & 1 \\ 4 & 3 \end{pmatrix}$, B = $\begin{pmatrix} 4 \\ 10 \end{pmatrix}$, C = $\begin{pmatrix} -1 \\ 1 \end{pmatrix}$, X = $\begin{pmatrix} x_1 \\ x_2 \end{pmatrix}$.

a) Calculer AX, BX.

b) Déterminer X de façon que AX = B.

c) Déterminer X de façon que AX = C.

4.8   TRANSPOSÉE D'UNE MATRICE ET PROPRIÉTÉS

Il arrive dans certains cas qu'il soit commode de disposer autrement les renseignements donnés sous forme de matrice. Par exemple (voir exemple 1, section 4.1) nous pourrions préférer la matrice:

	François	Paul	Julie	Claire
Math 105	84	60	76	92
Phys 201	76	56	84	90

à la matrice

	Math 105	Phys 201
François	84	76
Paul	60	56
Julie	76	84
Claire	92	90

déjà existante.

DÉFINITION: Soit A une matrice de dimension m × n. La *matrice transposée de A*, notée ^tA, est la matrice de dimension n × m obtenue en faisant de la i^e ligne de A la i^e colonne de ^tA et cela, pour tout i, c.-à-d.

$$\text{si } A = \begin{pmatrix} a_{11} & a_{12} & \cdots & a_{1n} \\ a_{21} & a_{22} & \cdots & a_{2n} \\ \cdot & \cdot & & \cdot \\ \cdot & \cdot & & \cdot \\ a_{i1} & a_{i2} & \cdots & a_{in} \\ \cdot & \cdot & & \cdot \\ \cdot & \cdot & & \cdot \\ a_{m1} & a_{m2} & \cdots & a_{mn} \end{pmatrix} \text{ alors } {}^tA = \begin{pmatrix} a_{11} & a_{21} & \cdots & a_{i1} & \cdots & a_{m1} \\ a_{12} & a_{22} & \cdots & a_{i2} & \cdots & a_{m2} \\ \cdot & \cdot & & \cdot & & \cdot \\ \cdot & \cdot & & \cdot & & \cdot \\ \cdot & \cdot & & \cdot & & \cdot \\ a_{1n} & a_{2n} & \cdots & a_{in} & \cdots & a_{mn} \end{pmatrix}$$

Exemple: Si

$$A = \begin{pmatrix} 5 & 4 & 2 & 1 \\ 8 & 2 & 3 & 4 \end{pmatrix}$$

alors, la matrice transposée de A, $^tA = \begin{pmatrix} 5 & 8 \\ 4 & 2 \\ 2 & 3 \\ 1 & 4 \end{pmatrix}$.

Énonçons, sans les démontrer, quelques propriétés de la transposée.

THÉORÈME:

Soit A et B, deux matrices de dimensions compatibles. Alors:

1) ${}^t(A + B) = {}^tA + {}^tB$;

2) ${}^t(pA) = p({}^tA)$; $(p \in \mathbb{R})$

3) ${}^t(AB) = {}^tB\,{}^tA$;

4) ${}^t({}^tA) = A$.

4.9   EXERCICES

1.   Soit $A = \begin{pmatrix} 2 & 5 & 6 \\ 1 & 3 & 2 \end{pmatrix}$, $B = \begin{pmatrix} -1 & 2 & 0 \\ 0 & 1 & 2 \end{pmatrix}$,

$C = \begin{pmatrix} 0 & 5 \\ 1 & 6 \\ 2 & 1 \end{pmatrix}$, $D = \begin{pmatrix} 1 & -1 & 3 \\ 0 & 4 & 1 \\ 2 & -1 & 0 \end{pmatrix}$.

Effectuer:

a) ${}^tA$

b) ${}^tB$

c) ${}^tC$

d) ${}^t(A + B)$

e) ${}^tA + {}^tB$

f) ${}^t(AC)$

g) ${}^tA\,{}^tC$

h) ${}^t(2A)$

i) $2\,{}^tA$

j) ${}^t({}^tA)$

k) ${}^t(D^2)$

l) $({}^tD)^2$

m) ${}^t(ACB)$

n) ${}^tB\,{}^tC\,{}^tA$.

2.   Parmi les expressions suivantes, lesquelles sont égales?

a) $(AC)^2 + {}^t(D\,{}^tA)$

b) $A(AC^2 + {}^tD)$

c) $A(CAC + {}^tD)$.

3.   Montrer que si E, F, G sont trois matrices de dimensions compatibles, alors ${}^t(EFG) = {}^tG\,{}^tF\,{}^tE$.

4.10 AUTRE NOTATION POUR LES MATRICES

Considérons la matrice A suivante:

$$
A = \begin{pmatrix} 2 & 5 & 3 & 7 & -5 \\ -1 & 1 & 4 & 8 & 2 \\ 3 & 2 & 1 & -3 & 4 \end{pmatrix} .
$$

Il est souvent commode de regarder les lignes et les colonnes de A comme des vecteurs. Cette interprétation de ''vecteurs-colonnes'' a une importance primordiale dans la théorie des homomorphismes. Or, comme elle peut faciliter aussi l'étude de la notion de ''déterminant d'une matrice'' et que cette notion est traitée au chapitre suivant, élaborons une notation qui utilisera les vecteurs-colonnes.

Posons:

$$
\vec{a_1} = \begin{pmatrix} 2 \\ -1 \\ 3 \end{pmatrix}, \quad \vec{a_2} = \begin{pmatrix} 5 \\ 1 \\ 2 \end{pmatrix}, \quad \vec{a_3} = \begin{pmatrix} 3 \\ 4 \\ 1 \end{pmatrix}, \quad \vec{a_4} = \begin{pmatrix} 7 \\ 8 \\ -3 \end{pmatrix}, \quad \vec{a_5} = \begin{pmatrix} -5 \\ 2 \\ 4 \end{pmatrix} .
$$

Ces vecteurs peuvent être vus comme vecteurs algébriques. Pour décrire A, nous dirons:

$$
A = (\vec{a_1}, \vec{a_2}, \vec{a_3}, \vec{a_4}, \vec{a_5}) = \left(\begin{pmatrix} 2 \\ -1 \\ 3 \end{pmatrix}, \begin{pmatrix} 5 \\ 1 \\ 2 \end{pmatrix}, \begin{pmatrix} 3 \\ 4 \\ 1 \end{pmatrix}, \begin{pmatrix} 7 \\ 8 \\ -3 \end{pmatrix}, \begin{pmatrix} -5 \\ 2 \\ 4 \end{pmatrix} \right) .
$$

Le lecteur devra porter une attention particulière à cette forme d'écriture: les $\vec{a_i}$ ne sont pas des composantes, mais bien des vecteurs-colonnes.

Pour nous familiariser avec cette notation, redéfinissons l'algèbre des matrices avec celle-ci.

Soit $A = (\vec{a_1}, \vec{a_2}, ..., \vec{a_n})$ et $B = (\vec{b_1}, \vec{b_2}, ..., \vec{b_n})$ deux matrices. Soit k un scalaire. Alors,

$$A + B = (\vec{a_1}, \vec{a_2}, ..., \vec{a_n}) + (\vec{b_1}, \vec{b_2}, ..., \vec{b_n})$$

$$= (\vec{a_1} + \vec{b_1}, \vec{a_2} + \vec{b_2}, ..., \vec{a_n} + \vec{b_n}),$$

$$k A = k (\vec{a_1}, \vec{a_2}, ..., \vec{a_n})$$

$$= (k\vec{a_1}, k\vec{a_2}, ..., k\vec{a_n}),$$

et, si les dimensions sont compatibles,

$$A \times B = A \times (\vec{b_1}, \vec{b_2}, ..., \vec{b_n})$$

$$= (A \times \vec{b_1}, A \times \vec{b_2}, ..., A \times \vec{b_n}).$$

4.11   EXERCICES

1. Considérons les vecteurs $\vec{v_1} = \binom{1}{3}$, $\vec{v_2} = \binom{2}{4}$, $\vec{v_3} = \binom{1}{0}$ et $\vec{v_4} = \binom{-1}{-2}$. Construire les matrices $A = (\vec{v_1}, 3\vec{v_3}, -2\vec{v_2}, \vec{v_1})$ et $B = (\vec{v_4}, 7\vec{v_1}, \vec{v_3})$

2. Posons $\vec{e_1} = \binom{1}{0}$, $\vec{e_2} = \binom{0}{1}$.

a) Écrire $A = \binom{2}{5}$ comme combinaison linéaire de $\vec{e_1}$ et de $\vec{e_2}$;

b) Écrire $B = \binom{a}{b}$ comme combinaison linéaire de $\vec{e_1}$ et de $\vec{e_2}$;

c) Montrer que $\vec{e_1}$ et $\vec{e_2}$ sont linéairement indépendants (voir la section 2.2.1).

d) Posons $M_{2 \times 1} = \left\{ \binom{a}{b} : a, b \in \mathbb{R} \right\}$, l'ensemble de toutes les matrices réelles de dimension 2×1. En tenant compte de b) et de c),

comment pouvons-nous appeler $\{\vec{e_1}, \vec{e_2}\}$ par rapport à $M_{2 \times 1}$?

3. Posons $\vec{e_1} = \binom{1}{0}$ et $\vec{e_2} = \binom{0}{1}$. Soit $E_{11} = (\vec{e_1}, \vec{0})$, $E_{12} = (\vec{0}, \vec{e_1})$, $E_{21} = (\vec{e_2}, \vec{0})$ et $E_{22} = (\vec{0}, \vec{e_2})$, où $\vec{0} = \binom{0}{0}$.

a) Expliciter E_{11}, E_{12}, E_{21} et E_{22}.

b) Écrire $A = \begin{pmatrix} 2 & 4 \\ 1 & 5 \end{pmatrix}$ comme combinaison linéaire de E_{11}, E_{12}, E_{21} et E_{22}.

c) Écrire $B = \begin{pmatrix} a & b \\ c & d \end{pmatrix}$.

d) Montrer que E_{11}, E_{12}, E_{21}, E_{22} sont linéairement indépendants (voir la section 2.2.1).

e) Que pouvons-nous dire de $\{E_{11}, E_{12}, E_{21}, E_{22}\}$ par rapport à $M_{2 \times 2} = \left\{ \begin{pmatrix} a & b \\ c & d \end{pmatrix} : a, b, c, d \in \mathbb{R} \right\}$, l'ensemble de toutes les matrices réelles de dimension 2×2?

f) Quelle est la dimension de $M_{2 \times 2}$?

Chapitre 5
Déterminants

Au chapitre précédent, nous avons défini des opérations sur des matrices de dimension m × n. Ici, nous ne nous intéresserons qu'aux matrices carrées. Nous définirons sur ces dernières un nouvel opérateur: le déterminant. Contrairement aux opérations déjà vues dont le résultat était une nouvelle matrice, le déterminant donnera un scalaire comme résultat. La recherche des déterminants nous servira lors de la résolution des systèmes d'équations linéaires et de l'inversion des matrices.

5.1 EXEMPLES DE CALCUL DE DÉTERMINANTS

Avant d'aborder la théorie des déterminants, voyons à quoi peut ressembler le déterminant d'une matrice A. Notons premièrement que ce dernier sera noté det A ou $|A|$.

Matrice 2 × 2:   Le déterminant d'une matrice $A_{2 \times 2}$ résulte du calcul suivant:

$$|A| = \begin{vmatrix} a_1 & b_1 \\ a_2 & b_2 \end{vmatrix} = a_1 b_2 - a_2 b_1.$$

Exemple: $\begin{vmatrix} 4 & 2 \\ 1 & 5 \end{vmatrix} = 4\,(5) - 1\,(2) = 20 - 2 = 18.$

Matrice 3 × 3:   Le déterminant d'une matrice $A_{3 \times 3}$ résulte du calcul suivant:

$$|A| = \begin{vmatrix} a_1 & b_1 & c_1 \\ a_2 & b_2 & c_2 \\ a_3 & b_3 & c_3 \end{vmatrix} = a_1b_2c_3 + a_2b_3c_1 + a_3b_1c_2 - a_1b_3c_2 - a_2b_1c_3 - a_3b_2c_1.$$

Le développement est formé de 6 termes. Chacun est formé du produit d'un terme de chaque colonne et de chaque ligne. Pour retenir cette formule, nous pouvons avoir recours au schéma suivant:

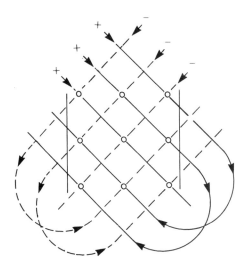

Il est cependant à noter que ce moyen mnémotechnique de calculer le déterminant d'une matrice d'ordre 3 ne s'applique pas aux matrices d'ordre supérieur à 3.

Exemple:
$$\begin{vmatrix} 20 & 53 & 13 \\ 10 & 35 & 15 \\ 5 & 26 & 16 \end{vmatrix} = 20(35)16 + 10(26)13 + 5(53)15$$
$$- 20(26)15 - 10(53)16 - 5(35)13$$
$$= 11200 + 3380 + 3975 - 7800 - 8480 - 2275$$
$$= 0.$$

Ouf! Tout ce calcul pour obtenir zéro! Nous voyons bien que cette méthode est ardue. Or, une personne avertie aurait pu prévoir le résultat au premier coup d'oeil (peut-être bien au deuxième, mais sûrement en déployant moins d'efforts!). En effet, certaines propriétés des déterminants nous permettent d'en simplifier le calcul. Afin d'établir ces propriétés, définissons formellement cette notion de déterminant.

Afin de faciliter l'écriture, nous emploierons la notation ''vectorielle'' pour les matrices, telle que vue dans la section 4.10, à savoir:

$$A = (\vec{a_1}, \vec{a_2}, ..., \vec{a_n}) \text{ où } \vec{a_i} = \begin{pmatrix} a_{1i} \\ a_{2i} \\ \cdot \\ \cdot \\ \cdot \\ a_{ni} \end{pmatrix}.$$

5.2 DÉFINITION DU DÉTERMINANT

Comme nous l'avons déjà mentionné, le déterminant est une application de l'ensemble des matrices carrées sur le corps des scalaires. Si nous travaillons avec les réels comme scalaires et si nous symbolisons l'application déterminant par det, et l'ensemble des matrices carrées réelles d'ordre n par M_n ($\mathbb{R}$), nous pouvons décrire la fonction det comme suit:

det: M_n ($\mathbb{R}$) $\rightarrow$ $\mathbb{R}$

A $\mapsto$ det (A).

DÉFINITION: Le *déterminant de la matrice A*, noté det A ou $|A|$, est l'image par la fonction ''det'' de la matrice A: cette image est un réel.

La fonction det satisfait quatre propriétés de base. Avant de formaliser ces propriétés, examinons-les sur un exemple en utilisant la notation vectorielle pour les matrices.

$$\text{Soit A} = (\vec{a_1}, \vec{a_2}, \vec{a_3}) = \left(\begin{pmatrix} 2 \\ 1 \\ 4 \end{pmatrix}, \begin{pmatrix} 3 \\ 4 \\ 5 \end{pmatrix}, \begin{pmatrix} 4 \\ 1 \\ 2 \end{pmatrix} \right).$$

(i) Multiplier une colonne de A par un scalaire k revient à multiplier son déterminant par k:

$$\det (\vec{a_1}, 2\vec{a_2}, \vec{a_3}) = \det \left(\begin{pmatrix} 2 \\ 1 \\ 4 \end{pmatrix}, \begin{pmatrix} 6 \\ 8 \\ 10 \end{pmatrix}, \begin{pmatrix} 4 \\ 1 \\ 2 \end{pmatrix} \right) = \det \left(\begin{pmatrix} 2 \\ 1 \\ 4 \end{pmatrix}, 2\begin{pmatrix} 3 \\ 4 \\ 5 \end{pmatrix}, \begin{pmatrix} 4 \\ 1 \\ 2 \end{pmatrix} \right)$$

$$= 2 \det \left(\begin{pmatrix} 2 \\ 1 \\ 4 \end{pmatrix}, \begin{pmatrix} 3 \\ 4 \\ 5 \end{pmatrix}, \begin{pmatrix} 4 \\ 1 \\ 2 \end{pmatrix} \right) = 2 \det(\vec{a}_1, \vec{a}_2, \vec{a}_3).$$

(ii)   Si nous formons deux matrices A_1 et A_2 ne différant de A que par leur i^e colonne et que la somme des i^e colonnes de A_1 et A_2 donne la i^e colonne de A, alors la somme des déterminants de A_1 et A_2 est égale au déterminant de A:

$$\det(\vec{a}_1, \vec{a}_2, \vec{a}_3') + \det(\vec{a}_1, \vec{a}_2, \vec{a}_3'') = \det \left(\begin{pmatrix} 2 \\ 1 \\ 4 \end{pmatrix}, \begin{pmatrix} 3 \\ 4 \\ 5 \end{pmatrix}, \begin{pmatrix} 3 \\ 0 \\ 1 \end{pmatrix} \right) + \det \left(\begin{pmatrix} 2 \\ 1 \\ 4 \end{pmatrix}, \begin{pmatrix} 3 \\ 4 \\ 5 \end{pmatrix}, \begin{pmatrix} 1 \\ 1 \\ 1 \end{pmatrix} \right)$$

$$= \det \left(\begin{pmatrix} 2 \\ 1 \\ 4 \end{pmatrix}, \begin{pmatrix} 3 \\ 4 \\ 5 \end{pmatrix}, \begin{pmatrix} 3 \\ 0 \\ 1 \end{pmatrix} + \begin{pmatrix} 1 \\ 1 \\ 1 \end{pmatrix} \right)$$

$$= \det \left(\begin{pmatrix} 2 \\ 1 \\ 4 \end{pmatrix}, \begin{pmatrix} 3 \\ 4 \\ 5 \end{pmatrix}, \begin{pmatrix} 4 \\ 1 \\ 2 \end{pmatrix} \right)$$

$$= \det(\vec{a}_1, \vec{a}_2, \vec{a}_3) \quad \text{où } \vec{a}_3 = \vec{a}_3' + \vec{a}_3''.$$

(iii)   Permuter deux colonnes adjacentes de A revient à multiplier son déterminant par -1:

$$\det(\vec{a}_1, \vec{a}_3, \vec{a}_2) = \det \left(\begin{pmatrix} 2 \\ 1 \\ 4 \end{pmatrix}, \begin{pmatrix} 4 \\ 1 \\ 2 \end{pmatrix}, \begin{pmatrix} 3 \\ 4 \\ 5 \end{pmatrix} \right)$$

$$= -\det \left(\begin{pmatrix} 2 \\ 1 \\ 4 \end{pmatrix}, \begin{pmatrix} 3 \\ 4 \\ 5 \end{pmatrix}, \begin{pmatrix} 4 \\ 1 \\ 2 \end{pmatrix} \right) = -\det(\vec{a}_1, \vec{a}_2, \vec{a}_3).$$

(iv)   Le déterminant d'une matrice identité est égal à 1:

$$\det\ (\vec{e}_1, \vec{e}_2, \vec{e}_3)\ =\ \det\ \left(\begin{pmatrix} 1 \\ 0 \\ 0 \end{pmatrix},\ \begin{pmatrix} 0 \\ 1 \\ 0 \end{pmatrix},\ \begin{pmatrix} 0 \\ 0 \\ 1 \end{pmatrix} \right)\ =\ 1.$$

Récrivons de façon générale ces propriétés.

DÉFINITION: Soit $A = (\vec{a}_1, \vec{a}_2, ..., \vec{a}_n)$ une matrice carrée d'ordre n. Soit $k \in \mathbb{R}$.

La fonction *"déterminant"* allant de $M_n(\mathbb{R})$ vers $\mathbb{R}$ est une fonction vérifiant les propriétés suivantes:

P1: $\det (\vec{a}_1, \vec{a}_2, ..., k\,\vec{a}_i, ..., \vec{a}_n) = k \det (\vec{a}_1, \vec{a}_2, ..., \vec{a}_i, ..., \vec{a}_n).$

P2: $\det (\vec{a}_1, \vec{a}_2, ..., \vec{a}_i{}' + \vec{a}_i{}'', ..., \vec{a}_n)$

$\qquad = \det (\vec{a}_1, \vec{a}_2, ..., \vec{a}_i{}', ..., \vec{a}_n) + \det (\vec{a}_1, \vec{a}_2, ..., \vec{a}_i{}'', ..., \vec{a}_n).$

P3: $\det (\vec{a}_1, \vec{a}_2, ..., \vec{a}_i, \vec{a}_{i+1}, ..., \vec{a}_n) = - \det (\vec{a}_1, \vec{a}_2, ..., \vec{a}_{i+1}, \vec{a}_i, ..., \vec{a}_n).$

P4: $\det (I_n) = \det (\vec{e}_1, \vec{e}_2, ..., \vec{e}_n) = 1.$

Maintenant que nous connaissons les propriétés de définition de

$$\det (\vec{a}_1, \vec{a}_2, ..., \vec{a}_n)$$

nous pouvons aisément en déduire d'autres qui nous serviront à la simplification du calcul des déterminants.

5.3 AUTRES PROPRIÉTÉS

Comme nous l'avons fait précédemment, illustrons les propriétés qui découlent de la définition de déterminant d'une matrice avant de les exprimer formellement.

(v)   Le déterminant d'une matrice qui possède une colonne nulle est nul:

$$\det (\vec{a}_1, \vec{a}_2, \vec{0})\ =\ \det\ \left(\begin{pmatrix} 8 \\ -1 \\ 2 \end{pmatrix},\ \begin{pmatrix} 4 \\ 1 \\ 5 \end{pmatrix},\ \begin{pmatrix} 0 \\ 0 \\ 0 \end{pmatrix} \right)\ =\ 0.$$

(vi)   Permuter deux colonnes quelconques d'une matrice revient à multiplier son déterminant par -1:

$$\det(\overrightarrow{a_1}, \overrightarrow{a_2}, \overrightarrow{a_3}) = \det\left(\begin{pmatrix} 8 \\ -1 \\ 2 \end{pmatrix}, \begin{pmatrix} 4 \\ 1 \\ 5 \end{pmatrix}, \begin{pmatrix} 1 \\ 2 \\ 3 \end{pmatrix}\right)$$

$$= -\det\left(\begin{pmatrix} 1 \\ 2 \\ 3 \end{pmatrix}, \begin{pmatrix} 4 \\ 1 \\ 5 \end{pmatrix}, \begin{pmatrix} 8 \\ -1 \\ 2 \end{pmatrix}\right) = -\det(\overrightarrow{a_3}, \overrightarrow{a_2}, \overrightarrow{a_1}).$$

(vii)   Le déterminant d'une matrice possédant deux colonnes identiques est nul:

$$\det(\overrightarrow{a_1}, \overrightarrow{a_2}, \overrightarrow{a_1}) = \det\left(\begin{pmatrix} 8 \\ -1 \\ 2 \end{pmatrix}, \begin{pmatrix} 4 \\ 1 \\ 5 \end{pmatrix}, \begin{pmatrix} 8 \\ -1 \\ 2 \end{pmatrix}\right) = 0.$$

(viii)   Ajouter à une colonne un multiple d'une autre colonne ne modifie pas la valeur du déterminant: .

$$\det(\overrightarrow{a_1}, \overrightarrow{a_2}, \overrightarrow{a_3}) = \det\left(\begin{pmatrix} 8 \\ -1 \\ 2 \end{pmatrix}, \begin{pmatrix} 4 \\ 1 \\ 5 \end{pmatrix}, \begin{pmatrix} 1 \\ 2 \\ 3 \end{pmatrix}\right)$$

$$= \det\left(\begin{pmatrix} 8 \\ -1 \\ 2 \end{pmatrix} + 2\begin{pmatrix} 1 \\ 2 \\ 3 \end{pmatrix}, \begin{pmatrix} 4 \\ 1 \\ 5 \end{pmatrix}, \begin{pmatrix} 1 \\ 2 \\ 3 \end{pmatrix}\right)$$

$$= \det\left(\begin{pmatrix} 10 \\ 3 \\ 8 \end{pmatrix}, \begin{pmatrix} 4 \\ 1 \\ 5 \end{pmatrix}, \begin{pmatrix} 1 \\ 2 \\ 3 \end{pmatrix}\right) = \det(\overrightarrow{a_1} + 2\overrightarrow{a_3}, \overrightarrow{a_2}, \overrightarrow{a_3}).$$

De façon générale, nous avons:

THÉORÈME: La fonction déterminant satisfait aux propriétés suivantes:

P5: $\det(\vec{a_1}, \vec{a_2}, ..., \vec{0}, ..., \vec{a_n}) = 0$ où $\vec{0}$ est le vecteur-colonne nul.

P6: $\det(\vec{a_1}, \vec{a_2}, ..., \vec{a_i}, ..., \vec{a_j}, ..., \vec{a_n}) = -\det(\vec{a_1}, \vec{a_2}, ..., \vec{a_j}, ..., \vec{a_i}, ..., \vec{a_n})$.

P7: $\det(\vec{a_1}, \vec{a_2}, ..., \vec{a_i}, ..., \vec{a_i}, ..., \vec{a_n}) = 0$.

P8: $\det(\vec{a_1}, \vec{a_2}, ..., \vec{a_i}, ..., \vec{a_j}, ..., \vec{a_n})$
$$= \det(\vec{a_1}, \vec{a_2}, ..., \vec{a_i} + k\vec{a_j}, ..., \vec{a_j}, ..., \vec{a_n}) \text{ où } k \in \mathbb{R}.$$

Démonstration:

P5: Soit $\vec{a_i} = \vec{0}$ ($i \in \{1, 2, ..., n\}$). Mais, alors, $\vec{a_i} = \vec{0} = 0\,\vec{v}$ où $\vec{v}$ est un vecteur-colonne quelconque. Nous avons donc:

$$\det(\vec{a_1}, \vec{a_2}, ..., \vec{0}, ..., \vec{a_n}) = \det(\vec{a_1}, \vec{a_2}, ..., 0\vec{v}, ..., \vec{a_n})$$
$$= 0\det(\vec{a_1}, \vec{a_2}, ..., \vec{v}, ..., \vec{a_n}) \text{ (en vertu de P1)}$$
$$= 0.$$

P6: $\det(\vec{a_1}, \vec{a_2}, ..., \vec{a_{i-1}}, \vec{a_i}, \vec{a_{i+1}}, ..., \vec{a_{j-1}}, \vec{a_j}, \vec{a_{j+1}}, ..., \vec{a_n})$
$$= -\det(\vec{a_1}, \vec{a_2}, ..., \vec{a_{i-1}}, \vec{a_{i+1}}, \vec{a_i}, ..., \vec{a_{j-1}}, \vec{a_j}, \vec{a_{j+1}}, ..., \vec{a_n}) \text{ (en vertu de P3)}$$

.
.
.

$$= (-1)^{j-i} \det(\vec{a_1}, \vec{a_2}, ..., \vec{a_{i-1}}, \vec{a_{i+1}}, ..., \vec{a_{j-1}}, \vec{a_j}, \vec{a_i}, \vec{a_{j+1}}, ..., \vec{a_n})$$

(en utilisant P3 $(j-i)$ fois pour déplacer $\vec{a_i}$ vers la droite de la i^e position à la j^e position)

.
.
.

$$= (-1)^{j-i+j-1-i} \det(\vec{a_1}, \vec{a_2}, ..., \vec{a_{i-1}}, \vec{a_j}, \vec{a_{i+1}}, ..., \vec{a_{j-1}}, \vec{a_i}, \vec{a_{j+1}}, ..., \vec{a_n})$$

(en utilisant P3 $(j-1-i)$ fois pour déplacer $\vec{a_j}$ vers la gauche de la $(j-1)^e$ position à la i^e position)

$$= (-1)^{2j-2i-1} \det(\vec{a_1}, \vec{a_2}, ..., \vec{a_j}, ..., \vec{a_i}, ..., \vec{a_n})$$
$$= -\det(\vec{a_1}, \vec{a_2}, ..., \vec{a_j}, ..., \vec{a_i}, ..., \vec{a_n}) \text{ car } 2j-2i-1 \text{ est impair.}$$

P7:   Supposons que la i^e colonne et la j^e colonne sont égales, c.-à-d. $\vec{a_i} = \vec{a_j}$ où $i \neq j$. D'une part, d'après P6, nous avons:

$$\det(\vec{a_1}, ..., \vec{a_i}, ..., \vec{a_j}, ..., \vec{a_n}) = -\det(\vec{a_1}, ..., \vec{a_j}, ..., \vec{a_i}, ..., \vec{a_n}). \cdot$$

D'autre part, puisque $\vec{a_i} = \vec{a_j}$, nous avons:

$$\det(\vec{a_1}, ..., \vec{a_i}, ..., \vec{a_j}, ..., \vec{a_n}) = \det(\vec{a_1}, ..., \vec{a_j}, ..., \vec{a_i}, ..., \vec{a_n}).$$

Ainsi, $\det A = -\det A$, c.-à-d. $2 \det A = 0$, d'où $\det A = 0$.

P8: $\det(\vec{a_1}, ..., \vec{a_i} + k\vec{a_j}, ..., \vec{a_j}, ..., \vec{a_n})$

$= \det(\vec{a_1}, ..., \vec{a_i}, ..., \vec{a_j}, ..., \vec{a_n}) + \det(\vec{a_1}, ..., k\vec{a_j}, ..., \vec{a_j}, ..., \vec{a_n})$ (en vertu de P2)

$= \det(\vec{a_1}, ..., \vec{a_i}, ..., \vec{a_j}, ..., \vec{a_n}) + k\det(\vec{a_1}, ..., \vec{a_j}, ..., \vec{a_j}, ..., \vec{a_n})$ (en vertu de P1)

$= \det(\vec{a_1}, ..., \vec{a_i}, ..., \vec{a_j}, ..., \vec{a_n}) + k0$ (en vertu de P7)

$= \det(\vec{a_1}, ..., \vec{a_i}, ..., \vec{a_j}, ..., \vec{a_n}).$

□

5.4 EXERCICES

1. Considérons la matrice $A = (\vec{a_1}, \vec{a_2}, \vec{a_3}, \vec{a_4})$. En utilisant la notation vectorielle pour les matrices, réécrire les déterminants suivants en fonction de $\det(\vec{a_1}, \vec{a_2}, \vec{a_3}, \vec{a_4})$ et nommer les propriétés utilisées.

a) $\det(4\vec{a_2}, \vec{a_1}, \frac{1}{2}\vec{a_3}, 2\vec{a_4})$;

b) $\det(\vec{a_4}, 3\vec{a_1}, -\vec{a_2}, \vec{a_3})$;

c) $\det(\vec{a_1} + \vec{a_2}, -5\vec{a_4}, \vec{a_3}, \vec{a_2})$.

2. Montrer que les déterminants suivants sont égaux et nommer les propriétés utilisées.

a) $\begin{vmatrix} 2 & 8 & 3 \\ 5 & 1 & 6 \\ 3 & 7 & 18 \end{vmatrix} = 3 \begin{vmatrix} 8 & 1 & 2 \\ 1 & 2 & 5 \\ 7 & 6 & 3 \end{vmatrix}$;   b) $\begin{vmatrix} 0 & 0 & 1 \\ 1 & 0 & 0 \\ 0 & -1 & 0 \end{vmatrix} = -1$;

c) $\begin{vmatrix} 2 & 3 & 1 & 1 \\ 3 & 9 & 2 & 1 \\ 4 & -6 & -1 & 1 \\ 5 & 12 & 4 & 1 \end{vmatrix} = 3 \begin{vmatrix} 1 & 3 & 1 & 2 \\ 3 & 4 & 2 & 3 \\ -2 & 5 & -1 & 4 \\ 4 & 6 & 4 & 5 \end{vmatrix}$

3. Soit $\vec{e_1} = \begin{pmatrix} 1 \\ 0 \\ 0 \end{pmatrix}$, $\vec{e_2} = \begin{pmatrix} 0 \\ 1 \\ 0 \end{pmatrix}$, $\vec{e_3} = \begin{pmatrix} 0 \\ 0 \\ 1 \end{pmatrix}$. Écrire en fonction de det ($\vec{e_1}, \vec{e_2}, \vec{e_3}$) les déterminants suivants et nommer les propriétés

utilisées.

a) $\det \begin{pmatrix} \begin{pmatrix} 0 \\ -2 \\ 0 \end{pmatrix}, & \begin{pmatrix} -1 \\ 5 \\ 0 \end{pmatrix}, & \begin{pmatrix} 0 \\ 0 \\ 3 \end{pmatrix} \end{pmatrix}$;   b) $\det \begin{pmatrix} \begin{pmatrix} 0 \\ 4 \\ 3 \end{pmatrix}, & \begin{pmatrix} 5 \\ 2 \\ 1 \end{pmatrix}, & \begin{pmatrix} 7 \\ 0 \\ 0 \end{pmatrix} \end{pmatrix}$;

c) $\det \begin{pmatrix} -5 & 2 & -1 \\ 3 & 0 & -2 \\ 1 & 4 & 0 \end{pmatrix}$;   d) $\begin{vmatrix} 1 & 3 & 4 \\ -1 & 2 & 1 \\ 3 & 4 & 0 \end{vmatrix}$.

Comme det ($\vec{e_1}, \vec{e_2}, \vec{e_3}$) = -----, les déterminants en a), b), c) et d) valent respectivement ---, ---, --- et --- .

5.5   CALCUL DES DÉTERMINANTS D'ORDRE 1, 2, 3

5.5.1   Déterminants d'ordre 1

Soit A = (a) une matrice carrée d'ordre 1. Considérons I_1 = (1), la matrice identité d'ordre 1. Nous avons:

$$\det A = \det (a) = a \quad \det (1) \qquad \text{(en vertu de P1)}$$
$$= a \quad \det (I_1)$$
$$= a \quad (1) \qquad \text{(en vertu de P4)}$$
$$= a.$$

Comme $|A|$ est une autre notation pour det A, il faudra faire attention à $|a|$ pour ne pas le confondre avec la valeur absolue.

En résumé,

$$|a| = a.$$

5.5.2   Déterminants d'ordre 2

Soit A = $\begin{pmatrix} a_1 & b_1 \\ a_2 & b_2 \end{pmatrix}$ = ($\vec{a}, \vec{b}$) une matrice carrée d'ordre 2. Nous avons

$$\vec{a} = \begin{pmatrix} a_1 \\ a_2 \end{pmatrix} = a_1 \begin{pmatrix} 1 \\ 0 \end{pmatrix} + a_2 \begin{pmatrix} 0 \\ 1 \end{pmatrix} = a_1 \vec{e_1} + a_2 \vec{e_2} \text{ et}$$

$$\vec{b} = \begin{pmatrix} b_1 \\ b_2 \end{pmatrix} = b_1 \begin{pmatrix} 1 \\ 0 \end{pmatrix} + b_2 \begin{pmatrix} 0 \\ 1 \end{pmatrix} = b_1 \vec{e_1} + b_2 \vec{e_2}.$$

Développons det A:

$$\begin{aligned}
\det A &= \det (\vec{a}, \vec{b}) \\
&= \det (a_1 \vec{e_1} + a_2 \vec{e_2}, b_1 \vec{e_1} + b_2 \vec{e_2}) \\
&= \det (a_1 \vec{e_1}, b_1 \vec{e_1} + b_2 \vec{e_2}) + \det (a_2 \vec{e_2}, b_1 \vec{e_1} + b_2 \vec{e_2}) && \text{(en vertu de P2)} \\
&= \det (a_1 \vec{e_1}, b_1 \vec{e_1}) + \det (a_1 \vec{e_1}, b_2 \vec{e_2}) + \det (a_2 \vec{e_2}, b_1 \vec{e_1}) + \det (a_2 \vec{e_2}, b_2 \vec{e_2}) && \text{(en vertu de P2)} \\
&= a_1 b_1 \det (\vec{e_1}, \vec{e_1}) + a_1 b_2 \det (\vec{e_1}, \vec{e_2}) + a_2 b_1 \det (\vec{e_2}, \vec{e_1}) \, a_2 b_2 \det (\vec{e_2}, \vec{e_2}) && \text{(en vertu de P1)} \\
&= a_1 b_1 (0) + a_1 b_2 \det (\vec{e_1}, \vec{e_2}) - a_2 b_1 \det (\vec{e_1}, \vec{e_2}) + a_2 b_2 (0) && \text{(par P7 et P3)} \\
&= a_1 b_2 - a_2 b_1.
\end{aligned}$$

En résumé,

$$\begin{vmatrix} a_1 & b_1 \\ a_2 & b_2 \end{vmatrix} = a_1 b_2 - a_2 b_1.$$

(Voilà d'où vient la formule utilisée à la section 5.1!)

5.5.3   Déterminants d'ordre 3

$$\text{Soit } A = \begin{pmatrix} a_1 & b_1 & c_1 \\ a_2 & b_2 & c_2 \\ a_3 & b_3 & c_3 \end{pmatrix} = (\vec{a}, \vec{b}, \vec{c}) \text{ une matrice carrée d'ordre 3.}$$

Nous avons

$$\vec{a} = \begin{pmatrix} a_1 \\ a_2 \\ a_3 \end{pmatrix} = a_1 \begin{pmatrix} 1 \\ 0 \\ 0 \end{pmatrix} + a_2 \begin{pmatrix} 0 \\ 1 \\ 0 \end{pmatrix} + a_3 \begin{pmatrix} 0 \\ 0 \\ 1 \end{pmatrix} = a_1 \vec{e_1} + a_2 \vec{e_2} + a_3 \vec{e_3},$$

$$\vec{b} = \begin{pmatrix} b_1 \\ b_2 \\ b_3 \end{pmatrix} = b_1 \begin{pmatrix} 1 \\ 0 \\ 0 \end{pmatrix} + b_2 \begin{pmatrix} 0 \\ 1 \\ 0 \end{pmatrix} + b_3 \begin{pmatrix} 0 \\ 0 \\ 1 \end{pmatrix} = b_1 \vec{e_1} + b_2 \vec{e_2} + b_3 \vec{e_3}, \text{ ainsi que}$$

$$\vec{c} = \begin{pmatrix} c_1 \\ c_2 \\ c_3 \end{pmatrix} = c_1 \begin{pmatrix} 1 \\ 0 \\ 0 \end{pmatrix} + c_2 \begin{pmatrix} 0 \\ 1 \\ 0 \end{pmatrix} + c_3 \begin{pmatrix} 0 \\ 0 \\ 1 \end{pmatrix} = c_1 \vec{e_1} + c_2 \vec{e_2} + c_3 \vec{e_3}.$$

En procédant de la même façon que pour les déterminants d'ordre 2, nous obtenons: $\det A = a_1 b_2 c_3 + a_2 b_3 c_1 + a_3 b_1 c_2 - a_1 b_3 c_2 - a_2 b_1 c_3 - a_3 b_2 c_1$. (Nous demanderons au lecteur de vérifier ce fait en exercice.)

En regroupant différemment les six termes de l'expression de $\det A$, nous pouvons réécrire ce développement de façon intéressante:

$$\det A = a_1 b_2 c_3 - a_1 b_3 c_2 - a_2 b_1 c_3 + a_2 b_3 c_1 + a_3 b_1 c_2 - a_3 b_2 c_1$$
$$= a_1(b_2 c_3 - b_3 c_2) - a_2(b_1 c_3 - b_3 c_1) + a_3(b_1 c_2 - b_2 c_1)$$
$$= a_1 \begin{vmatrix} b_2 & c_2 \\ b_3 & c_3 \end{vmatrix} - a_2 \begin{vmatrix} b_1 & c_1 \\ b_3 & c_3 \end{vmatrix} + a_3 \begin{vmatrix} b_1 & c_1 \\ b_2 & c_2 \end{vmatrix}.$$

Remarquez la formation des déterminants d'ordre 2: ils sont le déterminant de la matrice restante lorsque nous enlevons la ligne et la colonne auxquelles appartiennent les a_i. Remarquez aussi l'alternance des signes précédant les a_i. Dans ce cas, nous disons avoir développé $\det A$ suivant la première colonne:

En résumé,

$$\begin{vmatrix} a_1 & b_1 & c_1 \\ a_2 & b_2 & c_2 \\ a_3 & b_3 & c_3 \end{vmatrix} = a_1 \begin{vmatrix} b_2 & c_2 \\ b_3 & c_3 \end{vmatrix} - a_2 \begin{vmatrix} b_1 & c_1 \\ b_3 & c_3 \end{vmatrix} + a_3 \begin{vmatrix} b_1 & c_1 \\ b_2 & c_2 \end{vmatrix}.$$

Exemple:

$$|-24| = -24$$

$$\begin{vmatrix} 5 & 2 \\ 3 & 4 \end{vmatrix} = 5(4) - 3(2) = 14$$

$$\begin{vmatrix} 1 & 5 & 3 \\ 2 & 1 & 4 \\ 4 & 2 & 1 \end{vmatrix} = 1 \begin{vmatrix} 1 & 4 \\ 2 & 1 \end{vmatrix} - 2 \begin{vmatrix} 5 & 3 \\ 2 & 1 \end{vmatrix} + 4 \begin{vmatrix} 5 & 3 \\ 1 & 4 \end{vmatrix}$$

$$= 1\,(1(1)-2(4)) - 2\,(5(1)-2(3)) + 4\,(5(4)-3(1))$$

$$= 1\,(-7) - 2\,(-1) + 4\,(17)$$

$$= -7 + 2 + 68$$

$$= 63.$$

Maintenant que nous savons d'où viennent les formules qui servent au calcul des déterminants d'ordre 1, 2 et 3, et que nous connaissons les propriétés de ces derniers, pourquoi ne pas combiner le tout?...

Exemple: Reprenons la matrice d'ordre 3 de la section 5.1:

$$\begin{vmatrix} 20 & 53 & 13 \\ 10 & 35 & 15 \\ 5 & 26 & 16 \end{vmatrix} = \begin{vmatrix} 20 & 53-13 & 13 \\ 10 & 35-15 & 15 \\ 5 & 26-16 & 16 \end{vmatrix} \qquad \text{(par P8)}$$

$$= \begin{vmatrix} 20 & 40 & 13 \\ 10 & 20 & 15 \\ 5 & 10 & 16 \end{vmatrix}$$

$$= 2\begin{vmatrix} 20 & 20 & 13 \\ 10 & 10 & 15 \\ 5 & 5 & 16 \end{vmatrix} \qquad \text{(par P1)}$$

$$= 2(0) \qquad \text{(par P7)}$$

$$= 0. \qquad \text{(comme prévu!)}$$

Exemple:

$$\begin{vmatrix} 1 & -1 & 8 \\ -2 & 1 & 2 \\ -3 & 3 & 2 \end{vmatrix} = \begin{vmatrix} 1 & 0 & 9 \\ -2 & -1 & 0 \\ -3 & 0 & -1 \end{vmatrix}$$

($\vec{a}_2$ devient $\vec{a}_2 + \vec{a}_1$ et
$\vec{a}_3$ devient $\vec{a}_3 + \vec{a}_1$)

$$= - \begin{vmatrix} 0 & 1 & 9 \\ -1 & -2 & 0 \\ 0 & -3 & -1 \end{vmatrix} \qquad \text{(par P3)}$$

$$= \begin{vmatrix} 0 & 1 & 9 \\ 1 & -2 & 0 \\ 0 & -3 & -1 \end{vmatrix} \qquad \text{(par P1)}$$

$$= 0 \begin{vmatrix} -2 & 0 \\ -3 & -1 \end{vmatrix} - 1 \begin{vmatrix} 1 & 9 \\ -3 & -1 \end{vmatrix} + 0 \begin{vmatrix} 1 & 9 \\ -2 & 0 \end{vmatrix}$$

$$= 0 - 1\,(1(-1)-(9)(-3)) + 0$$

$$= -1\,(-1 + 27) = -26.$$

Les exemples précédents illustrent qu'il est avantageux de simplifier d'abord les déterminants à l'aide des propriétés et puis d'utiliser les développements connus.

5.6   EXERCICES

1. Calculer le déterminant des matrices suivantes:

$$A = \begin{pmatrix} -1 & 0 & 5 \\ 3 & 4 & -1 \\ 6 & 1 & 0 \end{pmatrix}; \quad B = \begin{pmatrix} 100 & 50 \\ 75 & 25 \end{pmatrix}; \quad C = \begin{pmatrix} 1 & 2 & 0 \\ 1 & 0 & 1 \\ 2 & 0 & -1 \end{pmatrix};$$

$$D = \begin{pmatrix} 4 & 3 & -3 \\ 6 & 5 & -4 \\ 0 & 7 & -2 \end{pmatrix}; \quad E = \begin{pmatrix} \frac{9}{17} & \frac{1}{4} & -2 \\ \frac{6}{34} & \frac{1}{8} & \frac{-1}{3} \\ \frac{3}{17} & \frac{1}{2} & \frac{-2}{3} \end{pmatrix}.$$

(Avez-vous pensé à simplifier avant d'effectuer les calculs?)

2. À l'aide des matrices de l'exercice précédent, formons les matrices suivantes: $F = 4C$, $G = A + C$, $H = A - D$, $K = AC$.

a) Calculer det F et comparer avec 4det C, 4^3 det C. Pourquoi 4^3?

b) Calculer det G et comparer avec det A + det C. Commenter.

c) Calculer det H et comparer avec det A − det D. Commenter.

d) Calculer det K et comparer avec (det A) (det C). Commenter.

3. Soit

$$A = \begin{pmatrix} x_1 & y_1 & z_1 \\ x_2 & y_2 & z_2 \\ x_3 & y_3 & z_3 \end{pmatrix} = (\vec{x}, \vec{y}, \vec{z}).$$

a) Écrire $\vec{x}$, $\vec{y}$ et $\vec{z}$ en fonction de $\vec{e}_1$, $\vec{e}_2$ et $\vec{e}_3$.

b) Développer det $(\vec{x}, \vec{y}, \vec{z})$ en fonction de det $(\vec{e}_1, \vec{y}, \vec{z})$, det $(\vec{e}_2, \vec{y}, \vec{z})$ et det $(\vec{e}_3, \vec{y}, \vec{z})$.

c) Développer det $(\vec{e}_1, \vec{y}, \vec{z})$, det $(\vec{e}_2, \vec{y}, \vec{z})$, det $(\vec{e}_3, \vec{y}, \vec{z})$ en remplaçant $\vec{y}$ et $\vec{z}$ par leur combinaison en $\vec{e}_1$, $\vec{e}_2$ et $\vec{e}_3$.

d) En combinant b) et c), retrouver l'expression:

det $A = x_1 y_2 z_3 + x_2 y_3 z_1 + x_3 y_1 z_2 - x_1 y_3 z_2 - x_2 y_1 z_3 - x_3 y_2 z_1$.

4. Considérons le développement de det A de l'exercice 3 d).

a) Regrouper ces termes deux à deux de façon à pouvoir mettre en évidence y_1, y_2 et y_3 respectivement (au lieu de x_1, x_2, x_3, comme dans la section 5.5.3).

b) Une fois y_1, y_2 et y_3 mis en évidence, examiner les facteurs restants. Pouvez-vous les considérer comme déterminants de matrices 2×2?

c) Réécrire det A comme étant:

det $A = -y_1 \begin{vmatrix} ? \end{vmatrix} + y_2 \begin{vmatrix} ? \end{vmatrix} - y_3 \begin{vmatrix} ? \end{vmatrix}$.

(Nous verrons plus tard qu'effectivement, det A pourrait se calculer de cette façon, c'est-à-dire suivant la 2e colonne.)

5.7   MINEUR - COFACTEUR

Jusqu'à maintenant, nous avons vu que plus les ''zéros'' sont nombreux dans la première colonne, plus le calcul du déterminant de cette matrice est simple. Nous disons ''première colonne'', car nous n'avons appris à développer les déterminants que suivant cette colonne.

Pourrions-nous les développer suivant une autre colonne? Et pourquoi pas suivant les lignes? Et comment calculerions-nous le déterminant d'une matrice d'ordre supérieur à 3?

Pour répondre à ces questions, nous avons besoin d'une autre notion.

DÉFINITION: Soit $A = (a_{ij})$, une matrice carrée d'ordre n. Le *mineur de l'élément* a_{ij}, noté M_{ij}, est le déterminant d'ordre n−1 de la matrice obtenue de A en lui supprimant sa i^e ligne et sa j^e colonne:

$$M_{ij} = \begin{vmatrix} a_{11} & \cdots & a_{1j} & \cdots & a_{1n} \\ a_{21} & \cdots & a_{2j} & \cdots & a_{2n} \\ \cdot & & \cdot & & \cdot \\ \cdot & & \cdot & & \cdot \\ \cdot & & \cdot & & \cdot \\ a_{i1} & \cdots & a_{ij} & \cdots & a_{in} \\ \cdot & & \cdot & & \cdot \\ \cdot & & \cdot & & \cdot \\ \cdot & & \cdot & & \cdot \\ a_{n1} & \cdots & a_{nj} & \cdots & a_{nn} \end{vmatrix}$$

Par exemple, si A est d'ordre 4, M_{32} sera:

$$\begin{vmatrix} a_{11} & a_{13} & a_{14} \\ a_{21} & a_{23} & a_{24} \\ a_{41} & a_{43} & a_{44} \end{vmatrix}$$

DÉFINITION: Soit $A = (a_{ij})$, une matrice carrée d'ordre n. Le *cofacteur de l'élément a_{ij}, noté A_{ij}*, est le mineur de a_{ij} multiplié par $(-1)^{i+j}$, c.-à-d. $A_{ij} = (-1)^{i+j}M_{ij}$.

Nous remarquerons que si $i+j$ est pair, $A_{ij} = M_{ij}$ et que si $i+j$ est impair, $A_{ij} = -M_{ij}$. Indiquons une façon rapide de retracer le signe utilisé avec le mineur pour former le cofacteur:

$$\begin{pmatrix} a_{11}^+ & a_{12}^- & a_{13}^+ & a_{14}^- & a_{15}^+ & \cdots \\ a_{21}^- & a_{22}^+ & a_{23}^- & a_{24}^+ & a_{25}^- & \cdots \\ a_{31}^+ & a_{32}^- & a_{33}^+ & a_{34}^- & a_{35}^+ & \cdots \\ a_{41}^- & a_{42}^+ & a_{43}^- & a_{44}^+ & a_{45}^- & \cdots \\ a_{51}^+ & a_{52}^- & a_{53}^+ & a_{54}^- & a_{55}^+ & \cdots \\ \cdot & \cdot & \cdot & \cdot & \cdot \\ \cdot & \cdot & \cdot & \cdot & \cdot \\ \cdot & \cdot & \cdot & \cdot & \cdot \\ \cdot & \cdot & \cdot & \cdot & \cdot \end{pmatrix}$$

(Ces signes sont indiqués en indice supérieur droit pour chaque élément). Ainsi, $A_{31} = M_{31}$, $A_{54} = -M_{54}$ et $A_{12} = -M_{12}$.

(Notez que A_{ij} est différent de $A_{i \times j}$: le premier est un scalaire, et l'autre, une matrice de dimension $i \times j$...)

Le déterminant d'une matrice peut être calculé en terme de cofacteurs. Nous donnons ici cette propriété, mais nous ne la démontrerons pas formellement. Nous laisserons cependant au lecteur le soin de vérifier sa véracité dans le cas des matrices d'ordre 2 et 3. Fait important à noter, cette propriété est la première qui nous indique comment calculer des déterminants d'ordre supérieur à 3.

THÉORÈME: Soit $A = (a_{ij})$, une matrice carrée d'ordre n. Le *déterminant* de A peut être calculé par:

$$P9: \quad |A| = a_{1j} A_{1j} + a_{2j} A_{2j} + ... + a_{nj} A_{nj}$$

$$= \sum_{i=1}^{n} a_{ij} A_{ij} \text{ pour un quelconque } j \in \{1, 2, ..., n\}.$$

Nous dirons alors que le déterminant de A est développé selon la colonne j.

Avec la première définition de det A lorsqu'appliquée aux cas où A est d'ordre 2 ou 3, nous avions remarqué que det A était développé suivant la 1ère colonne. Ici, nous affirmons qu'il peut se développer suivant n'importe quelle colonne. Il était possible de prévoir ce résultat puisqu'à un signe près, n'importe quelle colonne peut, en changeant de place avec sa voisine de gauche, se retrouver ''nouvelle première colonne''.

Évidemment, si le choix de la colonne nous est laissé, nous prendrons celle qui possède le plus d'éléments nuls!

Exemple 1:   Calculons $\begin{vmatrix} 3 & 5 & 0 \\ 1 & 3 & 2 \\ 2 & 1 & 0 \end{vmatrix}$:

$$\begin{vmatrix} 3 & 5 & 0 \\ 1 & 3 & 2 \\ 2 & 1 & 0 \end{vmatrix} = 2 \begin{vmatrix} 3^+ & 5^- & 0^+ \\ 1 & 3 & 1^- \\ 2 & 1 & 0^+ \end{vmatrix} \qquad \text{(par P1)}$$

$$= 2 \left[0 \begin{vmatrix} 1 & 3 \\ 2 & 1 \end{vmatrix} - 1 \begin{vmatrix} 3 & 5 \\ 2 & 1 \end{vmatrix} + 0 \begin{vmatrix} 3 & 5 \\ 1 & 3 \end{vmatrix} \right] \qquad \text{(en développant suivant la 3}^\text{e} \text{ colonne)}$$

$$= (2)(-1)(3(1) - 2(5))$$

$$= -2(3 - 10)$$

$$= 14.$$

Exemple 2: Calculons
$$\begin{vmatrix} 2 & 0 & 0 & 1 \\ 0 & 3 & 2 & -1 \\ 0 & -1 & 6 & 0 \\ 4 & 0 & 0 & 1 \end{vmatrix} :$$

$$\begin{vmatrix} 2 & 0 & 0 & 1 \\ 0 & 3 & 2 & -1 \\ 0 & -1 & 6 & 0 \\ 4 & 0 & 0 & 1 \end{vmatrix} = 4 \begin{vmatrix} 1^+ & 0 & 0 & 1 \\ 0^- & 3 & 1 & -1 \\ 0^+ & -1 & 3 & 0 \\ 2^- & 0 & 0 & 1 \end{vmatrix}$$

$$= 4 \left(1 \begin{vmatrix} 3 & 1 & -1 \\ -1 & 3 & 0 \\ 0 & 0 & 1 \end{vmatrix} - 0 \begin{vmatrix} 0 & 0 & 1 \\ -1 & 3 & 0 \\ 0 & 0 & 1 \end{vmatrix} + 0 \begin{vmatrix} 0 & 0 & 1 \\ 3 & 1 & -1 \\ 0 & 0 & 1 \end{vmatrix} - 2 \begin{vmatrix} 0 & 0 & 1 \\ 3 & 1 & -1 \\ -1 & 3 & 0 \end{vmatrix} \right)$$

(en développant suivant la 1re colonne)

$$= 4 \left(\begin{vmatrix} 3^+ & 1^- & -1^+ \\ -1 & 3 & 0^- \\ 0 & 0 & 1^+ \end{vmatrix} - 2 \begin{vmatrix} 0^+ & 0^- & 1 \\ 3 & 1^+ & -1 \\ -1 & 3^- & 0 \end{vmatrix} \right)$$

$$= 4 \left(-1 \begin{vmatrix} -1 & 3 \\ 0 & 0 \end{vmatrix} + 1 \begin{vmatrix} 3 & 1 \\ -1 & 3 \end{vmatrix} - 2 \left(1 \begin{vmatrix} 0 & 1 \\ -1 & 0 \end{vmatrix} - 3 \begin{vmatrix} 0 & 1 \\ 3 & -1 \end{vmatrix} \right) \right)$$

(en développant respectivement suivant la 3e et la 2e colonne)

$$= 4 ((-1)(0) + (1)(9 + 1) - 2((1)(0 + 1) - (3)(0 - 3)))$$

$$= 4 (0 + 10 - 2(1 + 9))$$

$$= -40.$$

5.8   MATRICE TRANSPOSÉE ET DÉTERMINANTS

Voici un résultat intéressant pour le calcul des déterminants.

THÉORÈME: Soit A, une matrice carrée d'ordre n. Alors:

P10: $\det(^tA) = \det A$.

Nous accepterons ce théorème sans le démontrer.

Cette propriété a une conséquence très grande: comme les colonnes de A sont les lignes de ^tA, elle nous permet d'appliquer aux vecteurs-lignes d'un déterminant toutes les propriétés concernant les vecteurs-colonnes. Entre autres, le déterminant peut se développer suivant une ligne autant que suivant une colonne!

Exemple: Si nous appelons $\vec{s_i}$ les différents vecteurs-lignes, nous aurons:

$$\begin{vmatrix} 3 & 5 & 7 & 2 \\ 2 & 4 & 1 & 1 \\ 2 & 8 & 2 & 2 \\ 1 & 1 & 3 & 4 \end{vmatrix} = \begin{vmatrix} 3^+ & 5 & 7 & 2 \\ 2^- & 4 & 1 & 1 \\ -2^+ & 0^- & 0^+ & 0^- \\ 1 & 1 & 3 & 4 \end{vmatrix} \qquad (\vec{s_3} \text{ devient } \vec{s_3} - 2\vec{s_2})$$

$$= -2 \begin{vmatrix} 5 & 7 & 2 \\ 4 & 1 & 1 \\ 1 & 3 & 4 \end{vmatrix} - 0 \begin{vmatrix} 3 & 7 & 2 \\ 2 & 1 & 1 \\ 1 & 3 & 4 \end{vmatrix}$$

$$+ 0 \begin{vmatrix} 3 & 5 & 2 \\ 2 & 4 & 1 \\ 1 & 1 & 4 \end{vmatrix} - 0 \begin{vmatrix} 3 & 5 & 7 \\ 2 & 4 & 1 \\ 1 & 1 & 3 \end{vmatrix}$$

(en développant suivant la 3e ligne)

$$= -2 \begin{vmatrix} -23^+ & 7 & -5 \\ 0^- & 1^+ & 0^- \\ -11 & 3 & 1 \end{vmatrix} \qquad (\vec{a_1} \text{ devient } \vec{a_1} - 4\vec{a_2} \text{ et } \vec{a_3} \text{ devient } \vec{a_3} - \vec{a_2})$$

$$= -2 \left[-0 \begin{vmatrix} 7 & -5 \\ 3 & 1 \end{vmatrix} + 1 \begin{vmatrix} -23 & -5 \\ -11 & 1 \end{vmatrix} - 0 \begin{vmatrix} -23 & 7 \\ -11 & 3 \end{vmatrix} \right]$$

(en développant suivant la 2e ligne)

$$= -2 \left(1 \left((-23)(1) - (-5)(-11) \right) \right)$$

$$= (-2)(-23 - 55)$$

$$= (-2)(-78)$$

$$= 156.$$

5.9   ENCORE DES PROPRIÉTÉS

Il ne nous reste plus qu'à mentionner quelques propriétés...

THÉORÈME: Soit A et B, deux matrices carrées d'ordre n. Soit $k \in \mathbb{R}$.

P11: $\det (AB) = (\det A)(\det B)$.

P12: $\det (kA) = k^n \det A$.

La démonstration formelle de P11 demanderait des développements que nous nous abstiendrons de faire ici. Nous demanderons au lecteur de la vérifier sur un cas concret en exercice. Celle de P12 sera demandée en exercice.

5.10   EXERCICES

1. Évaluer: a) a_{23}, b) M_{23}, c) A_{23}, d) a_{41}, e) M_{41}, f) A_{41}, g) A_{32}, si la matrice considérée est:

$$\begin{pmatrix} 1 & 3 & 2 & 0 \\ 5 & 1 & 0 & -1 \\ 1 & 1 & 2 & 0 \\ 3 & 1 & 0 & 1 \end{pmatrix}$$

2. Soit $A = \begin{pmatrix} 1 & 4 & 8 \\ -2 & 1 & 5 \\ -3 & 2 & 4 \end{pmatrix}$.

a)   Écrire le développement de det A suivant la 2e colonne.

b)   Écrire le développement de det A suivant la 1re ligne.

c)   Écrire le développement de det A suivant la 3e ligne.

d)   Évaluer ce déterminant en utilisant les développements a), b), c).

3. Calculer:

a) $\begin{vmatrix} 2 & 3 & 5 \\ -1 & -3 & 2 \\ 3 & 4 & -1 \end{vmatrix}$
b) $\begin{vmatrix} -10 & 15 & -5 \\ 3 & 2 & 6 \\ 7 & 0 & 7 \end{vmatrix}$
c) $\begin{vmatrix} \dfrac{1}{2} & 3 & 5 \\ \dfrac{1}{2} & 2 & -1 \\ 0 & 3 & 5 \end{vmatrix}$

d) $\begin{vmatrix} 2 & 3 & 1 & 0 \\ -1 & 2 & 1 & 0 \\ 4 & 5 & 6 & 8 \\ 4 & 6 & -1 & 2 \end{vmatrix}$
e) $\begin{vmatrix} \dfrac{9}{7} & -1 & 7 & 8 \\ \dfrac{5}{7} & 0 & 3 & -2 \\ \dfrac{3}{14} & 2 & 3 & 6 \\ \dfrac{5}{21} & 1 & 3 & 4 \end{vmatrix}$
f) $\begin{vmatrix} 3 & 2 & 1 & -1 \\ 0 & 2 & 3 & 3 \\ 1 & -5 & 2 & 1 \\ 3 & 6 & 3 & 1 \end{vmatrix}$

g) $\begin{vmatrix} 1 & 0 & 2 & 1 & 4 \\ -1 & 2 & 4 & 1 & 4 \\ 3 & -4 & 0 & 0 & 2 \\ 5 & 1 & 8 & 2 & 4 \\ -2 & -1 & 6 & 1 & 3 \end{vmatrix}$

4. Soit les matrices:

$$A = \begin{pmatrix} 3 & -1 & 3 \\ 4 & 2 & 2 \\ 1 & 0 & 0 \end{pmatrix}, \qquad B = \begin{pmatrix} 4 & -1 & 5 \\ 3 & -1 & -10 \\ -1 & 0 & 2 \end{pmatrix}.$$

Évaluer: a) det A; b) det B; c) det (^tA); d) det (AB); e) det (5B); f) det ($^t(AB)$); g) det ((^tA) B).

Comparer $|AB|$ avec $|A|$ et $|B|$.

5. Calculer:

a) $\begin{vmatrix} 3 & 4 & 5 & 6 \\ 4 & 5 & 6 & 3 \\ 5 & 6 & 3 & 4 \\ 6 & 3 & 4 & 5 \end{vmatrix}$;
b) $\begin{vmatrix} 1 & 1 & 2 & 1 \\ 3 & 4 & 1 & 2 \\ -1 & -1 & 3 & 7 \\ 2 & 5 & 1 & 1 \end{vmatrix}$;
c) $\begin{vmatrix} 1 & 4 & -2 & 5 \\ 0 & 3 & 1 & 1 \\ 0 & 0 & 8 & 3 \\ 0 & 0 & 0 & 4 \end{vmatrix}$;
d) $\begin{vmatrix} 1 & a & a^2 \\ 1 & b & b^2 \\ 1 & c & c^2 \end{vmatrix}$;

e) $\begin{vmatrix} 1 & a & b+c \\ 1 & b & c+a \\ 1 & c & a+b \end{vmatrix}$;
f) $\begin{vmatrix} a & a & a & a \\ a & b & b & b \\ a & b & c & c \\ a & b & c & d \end{vmatrix}$;
g) $\begin{vmatrix} -4 & 1 & 1 & 1 & 1 \\ 1 & -4 & 1 & 1 & 1 \\ 1 & 1 & -4 & 1 & 1 \\ 1 & 1 & 1 & -4 & 1 \\ 1 & 1 & 1 & 1 & -4 \end{vmatrix}$.

6. Soit A = $(\vec{a_1}, \vec{a_2}, ..., \vec{a_n})$ et k, un scalaire réel. Démontrer que det $(kA) = k^n \det A$.

7. Soit A = $\begin{pmatrix} 1 & 2 \\ 3 & 4 \end{pmatrix}$ et B = $\begin{pmatrix} 5 & 6 \\ 7 & 8 \end{pmatrix}$.

a) Calculer les produits suivants: AB, BA, $^t(AB)$, A^tB, $^tA\,^tB$, ^tAB.

b) Comparer ces matrices entre elles: sont-elles égales ?

c) Calculer le déterminant de chacune des matrices de a).

d) Comparer ces déterminants.

8. Considérons l'ensemble de vecteurs $\{\vec{v_1}, \vec{v_2}, ..., \vec{v_n}\}$. Montrer que si ces vecteurs sont linéairement dépendants, alors det $(\vec{v_1}, \vec{v_2}, ..., \vec{v_n}) = 0$. (Suggestion: écrire $\vec{v_n}$ comme combinaison linéaire de $(n - 1)$ autres...). Quelle est la contraposée de cette proposition? En fait, nous pourrions démontrer que:

$\vec{v_1}, \vec{v_2}, ..., \vec{v_n}$ sont linéairement indépendants $\iff$ det $(\vec{v_1}, \vec{v_2}, ..., \vec{v_n}) \neq 0$.

Des vecteurs linéairement indépendants forment un système dit *libre*.

9. Les ensembles suivants forment-ils des systèmes libres ?

a) $\{(2, 5), (1, 3)\}$

b) $\{(4, 6, 2), (-1, 2, 5), (-1, 9, 16)\}$

c) $\{(1, 0, 6, 4), (2, 3, 1, 2), (1, 1, 0, 1)\}$

d) $\{(1, 2, 3), (2, 7, 1)\}$

10. Soit A, une matrice triangulaire de dimension 3 × 3.

a) Écrire A = (a_{ij}).

b) Calculer $|A|$.

c) Que remarquez-vous ?

d) Cette remarque sera-t-elle valide pour une matrice triangulaire de dimension n × n ?

5.11 RANG D'UNE MATRICE

Pour définir la notion de rang, nous aurons besoin de la notion de sous-matrice.

DÉFINITION: Soit A = (a_{ij}) une matrice de dimension m × n. B sera appelée *sous-matrice de A* si elle peut s'obtenir de A en lui supprimant un nombre quelconque de lignes ou de colonnes.

Exemple: Soit A = $\begin{pmatrix} 1 & 2 & 3 & 4 \\ 5 & 6 & 7 & 8 \\ 9 & 10 & 11 & 12 \end{pmatrix}$.

$$B = \begin{pmatrix} 1 & 2 & 3 & 4 \\ 5 & 6 & 7 & 8 \end{pmatrix}, \quad C = \begin{pmatrix} 1 & 3 \\ 5 & 7 \\ 9 & 11 \end{pmatrix} \quad \text{et } D = \begin{pmatrix} 2 & 3 \\ 10 & 11 \end{pmatrix} \text{ sont des}$$

sous-matrices de A, tandis que $E = \begin{pmatrix} 1 & 2 & 3 \\ 6 & 7 & 8 \end{pmatrix}$ n'en est pas une.

DÉFINITION: Soit A, une matrice de dimension m × n. Le *rang de A*, noté r(A), est l'ordre de la plus grande sous-matrice carrée contenue dans A dont le déterminant est non nul.

Exemple: Soit $A = \begin{pmatrix} 2 & -1 & 1 \\ 1 & 4 & 5 \\ 3 & 2 & 5 \end{pmatrix}$

Comme det A = 0, r(A) ≠ 3. Examinons les sous-matrices d'ordre 2 et leur déterminant:

$$\begin{vmatrix} 2 & -1 \\ 1 & 4 \end{vmatrix} = 8 + 1 = 9$$

$$\begin{vmatrix} 4 & 5 \\ 2 & 5 \end{vmatrix} = 20 - 10 = 10$$

Comme au moins une de ces sous-matrices a un déterminant non nul, r(A) = 2.

Exemple: Soit $A = \begin{pmatrix} 2 & 1 & 3 & 0 \\ 0 & 0 & 0 & 2 \\ 1 & 0 & 0 & 0 \end{pmatrix}$

A possède 4 sous-matrices d'ordre 3. Si nous en trouvons une avec un déterminant non nul, A sera de rang 3. Sinon, nous examinerons les sous-matrices d'ordre 2. Or, la sous-matrice formée des 1re, 2e et 4e colonnes a un déterminant non nul. En effet:

$$\begin{vmatrix} 2 & 1 & 0 \\ 0 & 0 & 2 \\ 1 & 0 & 0 \end{vmatrix} = -1 \begin{vmatrix} 0 & 2 \\ 1 & 0 \end{vmatrix} + 0 \begin{vmatrix} 2 & 0 \\ 1 & 0 \end{vmatrix} - 0 \begin{vmatrix} 2 & 0 \\ 0 & 2 \end{vmatrix} \qquad \text{(suivant 2}^e \text{ colonne)}$$

$$= -1\,(-2)$$

$$= 2 \neq 0.$$

Donc, $r(A) = 3$.

Naturellement, toute matrice nulle 0 possède un rang égal à zéro. Le rang d'une matrice A est une notion qui peut servir lors de la résolution des systèmes d'équations linéaires: il nous renseigne sur l'existence de solutions et, le cas échéant, sur la dimension de l'espace solution.

5.12   EXERCICES

1. Répondre par vrai ou faux:

a) Soit A une matrice de dimension 4×5. Si $r(A) = 3$, alors le déterminant de toute sous-matrice carrée d'ordre 4 de A est 0.

b) Soit A une matrice de dimension 4×5. Si le déterminant de toutes les sous-matrices carrées d'ordre 4 de A est nul, alors $r(A) = 3$.

c) $r(A) = r(^tA)$ pour toute matrice A.

2. Déterminer le rang des matrices suivantes:

a) $\begin{pmatrix} 1 & 2 & -1 \\ 4 & 1 & 5 \\ 3 & -1 & 6 \end{pmatrix}$;   b) $\begin{pmatrix} 3 & 1 & 4 & 4 \\ 2 & 1 & 3 & 1 \\ 0 & 2 & 2 & 0 \end{pmatrix}$;

c) $\begin{pmatrix} 2 & 4 \\ -4 & 8 \\ 1 & 2 \end{pmatrix}$;   d) $\begin{pmatrix} 0 & 0 & 0 \\ 0 & 0 & 0 \end{pmatrix}$;   e) $\begin{pmatrix} 0 & 0 & 2 \\ 0 & 0 & 0 \end{pmatrix}$.

3. Écrire une matrice d'ordre 4 dont le rang est 2.

4. Si la 2e colonne d'une matrice $A_{4 \times 3}$ est nulle, que direz-vous au sujet de $r(A)$?

5. Soit A une matrice d'ordre 4.

a) Si $\det A = 0$, que direz-vous au sujet de $r(A)$?

b) Si $\det A \neq 0$, que direz-vous au sujet de $r(A)$?

Chapitre **6**

Inversion

des matrices

Réfléchissons un instant à l'ensemble des nombres réels, $\mathbb{R}$, et au produit défini dans cet ensemble. $\mathbb{R}$ possède un élément neutre pour le produit, 1, $(x \cdot 1 = 1 \cdot x = x)$, et tout élément non nul x possède un inverse multiplicatif, $\dfrac{1}{x}$, $(x \cdot \dfrac{1}{x} = \dfrac{1}{x} \cdot x = 1)$.

Examinons maintenant l'ensemble des matrices carrées d'ordre n, $M_{n \times n}$ (ou plus simplement, M_n), et le produit matriciel. M_n possède un élément neutre pour le produit matriciel, I, $(AI = IA = A)$. Nous pourrions nous demander si toute matrice non nulle A possède une matrice inverse B pour laquelle $AB = BA = I$... Si ce n'est pas le cas, sous quelles conditions une telle matrice B existe-t-elle? Et, si elle existe, comment la trouver?

Voilà plusieurs questions auxquelles nous tenterons de répondre. Pour ce faire, nous aurons besoin de certaines définitions.

6.1 DÉFINITIONS

Toute matrice carrée possède un déterminant. Or, lors du calcul de ce dernier, il peut arriver que nous obtenions zéro. Pour différencier les matrices à déterminant nul des autres, nous leur avons donné un nom.

DÉFINITION: Soit A une matrice d'ordre n. A est dite *singulière* si det A = 0. A est dite *régulière* (ou *non singulière*) si det A ≠ 0.

Au chapitre précédent, nous avons vu que tout élément a_{ij} d'une matrice $A_{n\times n}$ possède un cofacteur A_{ij}. Il serait donc aisé de former une nouvelle matrice, celle des cofacteurs.

DÉFINITION: Soit $A = (a_{ij})$, une matrice carrée d'ordre n. La *matrice des cofacteurs de A*, notée *cof A*, est la matrice (b_{ij}) où b_{ij} est le cofacteur de a_{ij}, à savoir A_{ij}, c.-à-d.

$$\text{cof } A = \begin{pmatrix} A_{11} & A_{12} & \cdots & A_{1n} \\ A_{21} & A_{22} & \cdots & A_{2n} \\ \cdot & \cdot & \cdot & \\ \cdot & \cdot & \cdot & \\ \cdot & \cdot & \cdot & \\ A_{n1} & A_{n2} & \cdots & A_{nn} \end{pmatrix}$$

Avec cof A, nous pouvons former une nouvelle matrice qui nous sera largement utile par la suite.

DÉFINITION: Soit A une matrice d'ordre n. La *matrice adjointe de A*, notée *adj A*, est la transposée de la matrice des cofacteurs de A, c.-à-d.

$$\text{adj } A = {}^{t}(\text{cof } A) = \begin{pmatrix} A_{11} & A_{21} & \cdots & A_{n1} \\ A_{12} & A_{22} & \cdots & A_{n2} \\ \cdot & \cdot & \cdot & \\ \cdot & \cdot & \cdot & \\ \cdot & \cdot & \cdot & \\ A_{1n} & A_{2n} & \cdots & A_{nn} \end{pmatrix}$$

Exemple: Soit $A = \begin{pmatrix} 2 & 1 & 0 \\ 0 & 2 & 1 \\ 3 & 0 & 2 \end{pmatrix}$.

$$\text{cof } A = \begin{pmatrix} +\begin{vmatrix} 2 & 1 \\ 0 & 2 \end{vmatrix} & -\begin{vmatrix} 0 & 1 \\ 3 & 2 \end{vmatrix} & +\begin{vmatrix} 0 & 2 \\ 3 & 0 \end{vmatrix} \\ -\begin{vmatrix} 1 & 0 \\ 0 & 2 \end{vmatrix} & +\begin{vmatrix} 2 & 0 \\ 3 & 2 \end{vmatrix} & -\begin{vmatrix} 2 & 1 \\ 3 & 0 \end{vmatrix} \\ +\begin{vmatrix} 1 & 0 \\ 2 & 1 \end{vmatrix} & -\begin{vmatrix} 2 & 0 \\ 0 & 1 \end{vmatrix} & +\begin{vmatrix} 2 & 1 \\ 0 & 2 \end{vmatrix} \end{pmatrix} = \begin{pmatrix} 4 & 3 & -6 \\ -2 & 4 & 3 \\ 1 & -2 & 4 \end{pmatrix}$$

$$\text{adj } A = {}^t(\text{cof } A) = \begin{pmatrix} 4 & -2 & 1 \\ 3 & 4 & -2 \\ -6 & 3 & 4 \end{pmatrix}.$$

De plus, comme $|A| = 2\,(4) + 0\,(-2) + 3\,(1) = 11 \neq 0$, A est une matrice régulière.

6.2   EXERCICES

Pour les numéros 1 et 2, considérons les matrices suivantes:

$$A = \begin{pmatrix} 2 & 3 \\ -4 & 1 \end{pmatrix}, \quad B = \begin{pmatrix} 0 & 1 & -1 \\ 0 & -2 & 2 \\ -1 & -1 & 0 \end{pmatrix}, \quad C = \begin{pmatrix} 1 & 3 & 0 \\ 2 & 1 & 0 \\ 0 & 1 & -1 \end{pmatrix}, \quad D = \begin{pmatrix} 1 & 0 & 0 & 1 \\ 0 & 0 & 1 & 0 \\ 0 & 2 & 0 & 0 \\ 0 & 0 & 0 & 2 \end{pmatrix}.$$

1.   Déterminer les matrices des cofacteurs et les matrices adjointes de A, B, C et D.

2.   Déterminer si A, B, C et D sont singulières ou régulières.

3.   Montrer que, si deux matrices A et B sont régulières, alors AB l'est aussi.

4.   a)   Que pouvez-vous dire au sujet du rang de A si A est singulière?

   b)   Que pouvez-vous dire au sujet du rang de A si A est régulière?

   (Voir section 5.11.)

6.3   MATRICE INVERSE

Donnons formellement la définition d'une matrice inverse.

DÉFINITION: Soit A, une matrice d'ordre n. A est dite *inversible* s'il existe une matrice B telle que AB = BA = I (B est dite *"matrice inverse de A"*).

Évidemment, si B est inverse de A, A est aussi inverse de B. Mais, pour une matrice B donnée, existe-t-il plusieurs matrices inverses?

THÉORÈME: Soit A, une matrice d'ordre n. Si A possède une matrice inverse B, alors B est unique et est notée A^{-1}.

Démonstration:

Supposons que A possède deux matrices inverses B et C. Nous avons donc

$$AB = BA = I$$

de même que

$$AC = CA = I.$$

Mais alors,

$$AB = AC \Rightarrow B(AB) = B(AC)$$

$$\Rightarrow (BA)B = (BA)C$$

$$\Rightarrow IB = IC$$

$$\Rightarrow B = C, \text{ d'où l'unicité.} \qquad \Box$$

Nous savons maintenant que A^{-1} est unique lorsqu'elle existe. Mais sous quelles conditions existe-t-elle?... et comment la trouver?

6.4   EXISTENCE DE A^{-1} — MÉTHODE DE LA MATRICE ADJOINTE

Les réponses à toutes nos questions de la section précédente se trouveront dans le prochain théorème. Mais avant de l'énoncer, entamons une discussion sur le calcul de certains déterminants à l'aide de cofacteurs.

Soit $A = (a_{ij})$ une matrice de dimension $n \times n$:

$$A = \begin{pmatrix} a_{11} & a_{12} & \cdots & a_{1n} \\ a_{21} & a_{22} & \cdots & a_{2n} \\ \vdots & \vdots & & \vdots \\ a_{i1} & a_{i2} & \cdots & a_{in} \\ \vdots & \vdots & & \vdots \\ a_{j1} & a_{j2} & \cdots & a_{jn} \\ \vdots & \vdots & & \vdots \\ a_{n1} & a_{n2} & \cdots & a_{nn} \end{pmatrix}.$$

Puisque les cofacteurs des éléments de la j^e ligne sont A_{j1}, A_{j2}, ..., A_{jn}, nous avons

$$|A| = a_{j1} A_{j1} + a_{j2} A_{j2} + ... + a_{jn} A_{jn}.$$

Or, comme nous le savons, ces cofacteurs ne dépendent aucunement de la valeur des éléments a_{j1}, a_{j2}, ..., a_{jn} puisque ces éléments font partie de la ligne que nous supprimons lors de la recherche des mineurs. Ainsi, si nous changeons les valeurs de ces éléments a_{j1}, a_{j2}, ..., a_{jn}, les cofacteurs A_{j1}, A_{j2}, ..., A_{jn} demeureront les mêmes. Certains changements possibles nous amènent à un résultat intéressant: remplaçons cette j^e ligne par une réplique d'une autre ligne, disons la i^e ligne. Nous obtenons la matrice suivante:

$$B = \begin{pmatrix} a_{11} & a_{12} & \cdots & a_{1n} \\ a_{21} & a_{22} & \cdots & a_{2n} \\ \vdots & \vdots & & \vdots \\ a_{i1} & a_{i2} & \cdots & a_{in} \\ \vdots & \vdots & & \vdots \\ a_{i1} & a_{i2} & \cdots & a_{in} \\ \vdots & \vdots & & \vdots \\ a_{n1} & a_{n2} & \cdots & a_{nn} \end{pmatrix}.$$

Il est clair que $|B| = 0$. Cependant, en tenant compte de ce que nous avons dit plus haut, il s'avère que

$$|B| = a_{i1} B_{j1} + a_{i2} B_{j2} + ... + a_{in} B_{jn}$$
$$= a_{i1} A_{j1} + a_{i2} A_{j2} + ... + a_{in} A_{jn} = 0.$$

Résumons ce que nous venons de trouver:

$$a_{i1} A_{j1} + a_{i2} A_{j2} + ... + a_{in} A_{jn} = \begin{cases} |A| & \text{si } i = j, \\ 0 & \text{si } i \neq j. \end{cases}$$

Ce résultat nous servira dans la démonstration du théorème suivant.

THÉORÈME: Soit A une matrice d'ordre n. Alors A est inversible si et seulement si A est régulière. De plus, si A^{-1} existe,

$$A^{-1} = \frac{\text{adj } A}{|A|}.$$

Démonstration:

($\Rightarrow$)   Supposons que A est inversible. Nous pouvons donc trouver une matrice A^{-1} pour laquelle $AA^{-1} = A^{-1} A = I$. Mais alors, $|AA^{-1}| = |I|$, c.-à-d. $|A| \, |A^{-1}| = 1$. Si $|A| = 0$, nous aurons $0 \cdot |A^{-1}| = 0 = 1$, ce qui est impossible. Il est donc évident que $|A| \neq 0$, c.-à-d. que A est régulière.

($\Leftarrow$)   Supposons que A est régulière. Pour montrer que A est inversible, il faut trouver une matrice C pour laquelle $AC = CA = I$. Essayons $C = \dfrac{\text{adj } A}{|A|}.$ Si cette matrice convient, nous aurons prouvé que A est inversible, et, comme l'inverse est unique, que $A^{-1} = \dfrac{\text{adj } A}{|A|}.$

Examinons le produit suivant:

$$A \, (\text{adj } A) = \begin{pmatrix} a_{11} & a_{12} & \cdots & a_{1n} \\ a_{21} & a_{22} & \cdots & a_{2n} \\ \cdot & \cdot & & \cdot \\ \cdot & \cdot & & \cdot \\ \cdot & \cdot & & \cdot \\ a_{i1} & a_{i2} & \cdots & a_{in} \\ \cdot & \cdot & & \cdot \\ \cdot & \cdot & & \cdot \\ \cdot & \cdot & & \cdot \\ a_{n1} & a_{n2} & \cdots & a_{nn} \end{pmatrix} \begin{pmatrix} A_{11} & A_{21} & \cdots & A_{j1} & \cdots & A_{n1} \\ A_{12} & A_{22} & \cdots & A_{j2} & \cdots & A_{n2} \\ \cdot & \cdot & & \cdot & & \cdot \\ \cdot & \cdot & & \cdot & & \cdot \\ \cdot & \cdot & & \cdot & & \cdot \\ A_{1n} & A_{2n} & \cdots & A_{jn} & \cdots & A_{nn} \end{pmatrix}$$

$$= \begin{pmatrix} |A| & 0 & 0 & \cdots & 0 \\ 0 & |A| & 0 & \cdots & 0 \\ 0 & 0 & |A| & \cdots & 0 \\ \cdot & \cdot & \cdot & & \cdot \\ \cdot & \cdot & \cdot & & \cdot \\ \cdot & \cdot & \cdot & & \cdot \\ 0 & 0 & 0 & \cdots & |A| \end{pmatrix}$$

$$= \quad |A| \, I,$$

et comme $|A| \neq 0$, nous avons

$A\left(\dfrac{\text{adj } A}{|A|}\right) = I$. Par le même procédé, nous obtenons $\left(\dfrac{(\text{adj } A)}{|A|}\right) A = I$.

Ainsi, $A^{-1} = \dfrac{\text{adj } A}{|A|}$, et A est inversible.

☐

Exemple: Reprenons la matrice A de l'exemple de la section 6.1. Nous aurons:

$$A^{-1} = \frac{1}{|A|} \text{ adj } A = \frac{1}{11} \ {}^t\!\begin{pmatrix} 4 & 3 & -6 \\ -2 & 4 & 3 \\ 1 & -2 & 4 \end{pmatrix} = \begin{pmatrix} 4/11 & -2/11 & 1/11 \\ 3/11 & 4/11 & -2/11 \\ -6/11 & 3/11 & 4/11 \end{pmatrix}.$$

Le lecteur pourra vérifier qu'effectivement $AA^{-1} = A^{-1}A = I$.

Remarque: De la même façon que $A^p = \underbrace{AA \cdots AAA}_{p \text{ fois}}$, nous pouvons considérer

A^{-p} comme étant $(A^{-1})^p = \underbrace{A^{-1}A^{-1} \cdots A^{-1}}_{p \text{ fois}}$;

en fait, ils serait possible de montrer que $(A^p)^{-1} = A^{-p}$.

6.5   EXERCICES

1.   Considérons les matrices A, B, C et D de la section 6.2. Calculer leurs matrices inverses si possible. (Si impossible, dire pourquoi…)

2.   Calculer, si possible, les inverses de:

a) $\begin{pmatrix} 2 & -1 \\ 4 & 3 \end{pmatrix}$ b) $\begin{pmatrix} 2 & 1 \\ 4 & 0 \end{pmatrix}$ c) $\begin{pmatrix} 2 & 0 & 3 \\ -1 & 0 & 2 \\ 0 & 1 & 1 \end{pmatrix}.$

3.   Si $A = \begin{pmatrix} 3 & 2 \\ 0 & 1 \end{pmatrix}$, calculer: a) A^{-2}; b) A^{-3}.

④ Calculer l'inverse de $\begin{pmatrix} \cos\theta & -\sin\theta \\ \sin\theta & \cos\theta \end{pmatrix}$.

5. Soit $A = \begin{pmatrix} x+1 & x \\ x & x-1 \end{pmatrix}$, et $B = \begin{pmatrix} x^2+1 & x^2 \\ x+1 & x \end{pmatrix}$ $(x \in \mathbb{R})$.

a)   Pour quelles valeurs de x les matrices A et B seront-elles inversibles ?

b)   Compte tenu des restrictions trouvées en a), déterminer A^{-1}, B^{-1}.

⑥ Soit T une matrice nilpotente d'indice p, et soit $A = I - T$ une matrice pour laquelle $|A| \neq 0$. Montrer que:

a)   si $p = 2$, la matrice $B = I + T$ est bel et bien l'inverse de A, à savoir $AB = BA = I$;

b)   si $p = 3$, $B = I + T + T^2$ est l'inverse de A.

7. Soit A et B, deux matrices régulières d'ordre n. Montrer que:

a) $|A^{-1}| = 1/|A|$;

b) $|adj\ A| = |A|^{n-1}$;

ⓒ $(AB)^{-1} = B^{-1}A^{-1}$;

ⓓ $({}^t A)^{-1} = {}^t(A^{-1})$

8. Soit $A = \begin{pmatrix} 6 & -11 & 6 \\ 1 & 0 & 0 \\ 0 & 1 & 0 \end{pmatrix}$, $P = \begin{pmatrix} 1 & 2 & 3 \\ 1 & 1 & 1 \\ 1 & 1/2 & 1/3 \end{pmatrix}$.

a)   Écrire la matrice $B = A - xI$.

b)   Calculer le déterminant de B.

c)   Vérifier que si $x = 1$, B est singulière.

d)   Quelles sont toutes les valeurs de x pour lesquelles B est singulière?

e)   La matrice P est-elle inversible?

f)   Calculer P^{-1}.

ⓖ   Calculer $P^{-1}AP$. (A est dite *diagonalisable* puisqu'il existe une matrice P pour laquelle $P^{-1}AP$ est diagonale.)

9. Répondre aux mêmes questions qu'au numéro 8 avec les matrices

$$A = \begin{pmatrix} 2 & -2 & 1 \\ 2 & -3 & 2 \\ -1 & 2 & 0 \end{pmatrix}, \quad P = \begin{pmatrix} -1 & 1 & 0 \\ -2 & 0 & 1 \\ 1 & -1 & 2 \end{pmatrix}.$$

6.6   VERS LA MÉTHODE D'ÉLIMINATION DE GAUSS

Soit A une matrice régulière (inversible). Nous avons vu comment déterminer A^{-1} en utilisant la méthode de la matrice adjointe. Or, il existe une autre façon de trouver A^{-1}. Examinons cela d'abord sur un exemple.

Soit A la matrice $\begin{pmatrix} 2 & 4 & 1 \\ 3 & 2 & -1 \\ 1 & 5 & 3 \end{pmatrix}$, inversible. Comme nous le savons,

$A^{-1} = \begin{pmatrix} x_1 & x_2 & x_3 \\ y_1 & y_2 & y_3 \\ z_1 & z_2 & z_3 \end{pmatrix}$ est une matrice pour laquelle $AA^{-1} = A^{-1}A = I$.

Examinons de plus près l'égalité $AA^{-1} = I$:

$$\begin{pmatrix} 2 & 4 & 1 \\ 3 & 2 & -1 \\ 1 & 5 & 3 \end{pmatrix} \begin{pmatrix} x_1 & x_2 & x_3 \\ y_1 & y_2 & y_3 \\ z_1 & z_2 & z_3 \end{pmatrix} = \begin{pmatrix} 1 & 0 & 0 \\ 0 & 1 & 0 \\ 0 & 0 & 1 \end{pmatrix}.$$

En effectuant le produit dans le membre de gauche, nous obtenons:

$$\begin{pmatrix} 2x_1 + 4y_1 + z_1 & 2x_2 + 4y_2 + z_2 & 2x_3 + 4y_3 + z_3 \\ 3x_1 + 2y_1 - z_1 & 3x_2 + 2y_2 - z_2 & 3x_3 + 2y_3 - z_3 \\ x_1 + 5y_1 + 3z_1 & x_2 + 5y_2 + 3z_2 & x_3 + 5y_3 + 3z_3 \end{pmatrix} = \begin{pmatrix} 1 & 0 & 0 \\ 0 & 1 & 0 \\ 0 & 0 & 1 \end{pmatrix}.$$

Trouver A^{-1} correspond donc à trouver les valeurs des neuf inconnues satisfaisant cette égalité matricielle. Or, comme l'égalité de deux matrices ne se réalise que si tous les éléments de même position sont égaux, il s'agit de déterminer les neuf inconnues x_1, x_2, x_3, y_1, y_2, y_3, z_1, z_2, z_3 pour lesquelles:

$$\begin{cases} 2x_1 + 4y_1 + z_1 & = 1 \\ 3x_1 + 2y_1 - z_1 & = 0 \\ x_1 + 5y_1 + 3z_1 & = 0 \\ \quad 2x_2 + 4y_2 + z_2 & = 0 \\ \quad 3x_2 + 2y_2 - z_2 & = 1 \\ \quad x_2 + 5y_2 + 3z_2 & = 0 \\ \qquad 2x_3 + 4y_3 + z_3 & = 0 \\ \qquad 3x_3 + 2y_3 - z_3 & = 0 \\ \qquad x_3 + 5y_3 + 3z_3 & = 1 \end{cases} ,$$

ou encore:

$$\begin{cases} 2x_1 + 4y_1 + z_1 = 1 \\ 3x_1 + 2y_1 - z_1 = 0 \\ x_1 + 5y_1 + 3z_1 = 0 \end{cases} \text{et} \begin{cases} 2x_2 + 4y_2 + z_2 = 0 \\ 3x_2 + 2y_2 - z_2 = 1 \\ x_2 + 5y_2 + 3z_2 = 0 \end{cases} \text{et} \begin{cases} 2x_3 + 4y_3 + z_3 = 0 \\ 3x_3 + 2y_3 - z_3 = 0 \\ x_3 + 5y_3 + 3z_3 = 1 \end{cases}.$$

Comme nous le constatons, le problème de déterminer A^{-1} peut se poser en terme de résolution de systèmes d'équations. Il y a donc lieu d'apprendre à résoudre de tels systèmes, ce que nous ferons au chapitre suivant.

Chapitre **7**

Systèmes

linéaires

7.1 DÉFINITIONS

DÉFINITION: On appelle *système de m équations linéaires à n inconnues,* x_1, x_2, x_3, ..., x_n tout ensemble de m équations de la forme:

$$S \begin{cases} a_{11}x_1 + a_{12}x_2 + a_{13}x_3 + ... + a_{1n}x_n = b_1 \\ a_{21}x_1 + a_{22}x_2 + a_{23}x_3 + ... + a_{2n}x_n = b_2 \\ a_{31}x_1 + a_{32}x_2 + a_{33}x_3 + ... + a_{3n}x_n = b_3 \\ \qquad\qquad\qquad \vdots \\ a_{m1}x_1 + a_{m2}x_2 + a_{m3}x_3 + ... + a_{mn}x_n = b_m \end{cases}$$

où les coefficients des termes x_i et les termes b_i sont des scalaires réels. Chacune des équations précédentes est appelée *équation linéaire*. Si tous les termes b_i du système sont nuls, nous dirons que le système est *homogène*; dans le cas contraire, nous dirons que le système est *non homogène*.

Donnons quelques exemples de systèmes d'équations linéaires.

Exemple 1   Soit
$$\begin{cases} 6a - 2b - 18c - d = 0 \\ -5a + 2b + 16c + d = 0 \\ -4a + b + c = 0. \end{cases}$$

Il s'agit d'un système homogène de 3 équations à 4 inconnues, a, b, c et d.

Exemple 2   Soit les deux équations linéaires $\begin{cases} 4x + y = 4 \\ y + t = 0. \end{cases}$

Nous pouvons réécrire les équations sous la même 'orme que celle de la définition:
$$\begin{cases} 4x + y + 0t = 4 \\ 0x + y + t = 0 \end{cases}$$

Il s'agit d'un système de 2 équations à 3 inconnues, x, y et t. Ce système n'est pas homogène.

Exemple 3   Soit le système suivant:
$$\begin{cases} 4x_1 + x_3 = 0 \\ 2x_1 + 4x_2 + 6x_3 = 0 \\ 6x_1 - 3x_2 - 5x_3 = 0 \\ 2x_1 - 4x_3 - 3x_3 = 0 \end{cases}$$

Il s'agit d'un système de 4 équations à 3 inconnues, x_1, x_2 et x_3. Ce système est homogène.

DÉFINITION: Soit un système S de m équations linéaires à n inconnues, $x_1, x_2, x_3, ..., x_n$:

$$S \begin{cases} a_{11}x_1 + a_{12}x_2 + a_{13}x_3 + ... + a_{1n}x_n = b_1 \\ a_{21}x_1 + a_{22}x_2 + a_{23}x_3 + ... + a_{2n}x_n = b_2 \\ a_{31}x_1 + a_{32}x_2 + a_{33}x_3 + ... + a_{3n}x_n = b_3 \\ \quad\quad\quad \vdots \\ a_{m1}x_1 + a_{m2}x_2 + a_{m3}x_3 + ... + a_{mn}x_n = b_m \end{cases}$$

Le système S admet la solution $(\overline{x_1}, \overline{x_2}, \overline{x_3}, ..., \overline{x_n})$ si toutes les équations de S sont vérifiées par les valeurs $x_1 = \overline{x_1}$, $x_2 = \overline{x_2}$, $x_3 = \overline{x_3}$, ..., $x_n = \overline{x_n}$. Une *solution* du système S est donc un n-uplet $(\overline{x_1}, \overline{x_2}, \overline{x_3}, ..., \overline{x_n})$ tel que:

$$a_{11}\overline{x_1} + a_{12}\overline{x_2} + a_{13}\overline{x_3} + ... + a_{1n}\overline{x_n} = b_1,$$

$$a_{21}\overline{x_1} + a_{22}\overline{x_2} + a_{23}\overline{x_3} + ... + a_{2n}\overline{x_n} = b_2,$$

$$a_{31}\overline{x_1} + a_{32}\overline{x_2} + a_{33}\overline{x_3} + ... + a_{3n}\overline{x_n} = b_3,$$

$$\quad\quad\quad \vdots$$

$$a_{m1}\overline{x_1} + a_{m2}\overline{x_2} + a_{m3}\overline{x_3} + ... + a_{mn}\overline{x_n} = b_m.$$

L'ensemble de tous les n-uplets qui sont solutions d'un système est appelé *ensemble-solution*. E.S.

DÉFINITION: Deux systèmes de m équations linéaires à n inconnues, x_1, x_2, x_3, ..., x_n, sont dits *équivalents* s'ils ont le même ensemble-solution.

À l'aide d'exemples, familiarisons-nous avec les notions de solution, d'ensemble-solution d'un système et d'équivalence de systèmes.

Exemple 1   Soit le système

$$\begin{cases} 2x_1 & + \ x_3 + 5x_4 = 0 \\ x_1 + \ x_2 & + 2x_4 = 0 \\ 2x_1 + 4x_2 - 2x_3 & = 0 \end{cases}$$

Il s'agit d'un système de 3 équations linéaires à 4 inconnues, x_1, x_2, x_3 et x_4. Ce système est homogène. Le 4-uplet $(0, 0, 0, 0)$ est évidemment une solution du système. Y a-t-il d'autres solutions? Bien que la recherche de l'ensemble - solution ne sera abordée que plus loin, nous pouvons facilement admettre que $(-1, -1, -3, 1)$ est une autre solution, puisque:

$$2(-1) + 0(-1) + \ (-3) + 5(1) = 0,$$
$$(-1) + \ (-1) + 0(-3) + 2(1) = 0,$$
$$2(-1) + 4(-1) - 2(-3) - 0(1) = 0.$$

Exemple 2   Soit le système $\begin{cases} 2x + y = 4 \\ x - y = 2. \end{cases}$

Il s'agit d'un système de 2 équations linéaires à 2 inconnues, x et y. Ce système est non homogène. Traitons les équations: le système nous conduit, en additionnant les deux équations, à écrire que $3x = 6$, c.-à-d. $x = 2$, ce qui amène à conclure que $y = 0$. Ainsi donc, le couple $(2, 0)$ est solution du système. Contrairement au système de l'exemple précédent, cette solution est unique: nous verrons plus loin pourquoi.

Exemple 3   Soit le système S_1 suivant:

$$S_1 \begin{cases} 4x + 2y + z + \ t = 2 \\ x - \ y \quad + t = 0 \\ y + z - \ t = 1 \end{cases}$$

Il s'agit d'un système de 3 équations linéaires à 4 inconnues, x, y, z et t. Pouvons-nous trouver un système équivalent? Très facilement... Le système S_2 suivant ressemble au précédent, sauf que les *équations n'y sont pas dans le même ordre*:

$$S_2 \begin{cases} 4x + 2y + z + t = 2 \\ y + z - t = 1 \\ x - y + t = 0 \end{cases}$$

C'est un système équivalent à S_1. En effet, $(\overline{x}, \overline{y}, \overline{z}, \overline{t})$ sera solution de S_1 si et seulement si $(\overline{x}, \overline{y}, \overline{z}, \overline{t})$ est solution de S_2. Le système S_3 suivant est aussi équivalent à S_2 ou à S_1:

$$S_3 \begin{cases} 4x + 2y + z + t = 2 \\ - y - z + t = -1 \\ x - y + t = 0 \end{cases}$$

En effet, si nous modifions une équation d'un système en la *multipliant par une constante non nulle* (dans l'exemple, -1), nous obtenons un système équivalent. Pourquoi? $(\overline{x}, \overline{y}, \overline{z}, \overline{t})$ est solution du système S_2, nous avons, en particulier,

$$\overline{y} + \overline{z} - \overline{t} = 1,$$

ce qui équivaut à:

$$-\overline{y} - \overline{z} + \overline{t} = -1.$$

Le système S_3 est bel et bien équivalent au système S_2. Est-il possible de faire un autre type de modification pour obtenir un autre système équivalent? Nous pouvons *ajouter à une équation k fois une autre*. Par exemple, le système S_3 est équivalent à:

$$S_4 \begin{cases} 4x + 2y + z + t = 2 \\ x - 2y - z + 2t = -1 \\ x - y + t = 0 \end{cases}$$

Pour obtenir S_4, la 2e équation de S_3 a été remplacée par la somme de la 2e et de la 3e équation de S_3:

$$\left. \begin{array}{c} -y - z + t = -1 \\ + \\ x - y + t = 0 \end{array} \right\} \implies x - 2y - z + 2t = -1$$

La modification que nous avons apportée à S_3 pour obtenir S_4 est-elle permise? Il suffirait de montrer que S_3 et S_4 ont le même ensemble-solution. Montrons que, si $(\overline{x}, \overline{y}, \overline{z}, \overline{t})$ est solution de S_3, il l'est aussi de S_4 et que, d'autre part, si $(\overline{x}, \overline{y}, \overline{z}, \overline{t})$ est solution de S_4, il l'est aussi de S_3.

$1°$ Si $(\overline{x}, \overline{y}, \overline{z}, \overline{t})$ est solution de S_3, alors

$$4\overline{x} + 2\overline{y} + \overline{z} + \overline{t} = 2,$$
$$- \overline{y} - \overline{z} + \overline{t} = -1,$$
$$\overline{x} - \overline{y} + \overline{t} = 0.$$

Les égalités précédentes ne font apparaître que des nombres réels. Nous pouvons évidemment écrire que:

$$4\overline{x} + 2\overline{y} + \overline{z} + \overline{t} = 2,$$
$$-\overline{y} - \overline{z} + \overline{t} + (\overline{x} - \overline{y} + \overline{t}) = -1 + (0),$$
$$\overline{x} - \overline{y} + \overline{t} = 0,$$

c.-à-d.

$$4\overline{x} + 2\overline{y} + \overline{z} + \overline{t} = 2,$$
$$\overline{x} - 2\overline{y} - \overline{z} + 2\overline{t} = -1,$$
$$\overline{x} - \overline{y} + \overline{t} = 0.$$

Donc, $(\overline{x}, \overline{y}, \overline{z}, \overline{t})$ est solution de S_4.

2°   Si $(\overline{x}, \overline{y}, \overline{z}, \overline{t})$ est solution de S_4, alors

$$4\overline{x} + 2\overline{y} + \overline{z} + \overline{t} = 2,$$
$$\overline{x} - 2\overline{y} - \overline{z} + 2\overline{t} = -1,$$
$$\overline{x} - \overline{y} + \overline{t} = 0.$$

Alors,

$$4\overline{x} + 2\overline{y} + \overline{z} + \overline{t} = 2,$$
$$\overline{x} - 2\overline{y} - \overline{z} + 2\overline{t} - (\overline{x} - \overline{y} + \overline{t}) = -1 - (0),$$
$$\overline{x} - \overline{y} + \overline{t} = 0,$$

c.-à-d.

$$4\overline{x} + 2\overline{y} + \overline{z} + \overline{t} = 2,$$
$$-\overline{y} - \overline{z} + \overline{t} = -1,$$
$$\overline{x} - \overline{y} + \overline{t} = 0.$$

Donc, $(\overline{x}, \overline{y}, \overline{z}, \overline{t})$ est aussi solution de S_3.

En fait, ce qui permet d'ajouter à une équation k fois une autre, ce sont les propriétés usuelles des nombres réels.

Remarque: Dotons-nous d'une notation pour décrire les changements effectués à un système d'équations linéaires. Soit S un système. Désignons par P_{ij} l'opération consistant à permuter la i^e ligne et la j^e ligne du système. Le nouveau système S' est donc le fruit de l'opération P_{ij}. Nous pouvons écrire S' = P_{ij}(S). Si, dans le système S, nous multiplions la i^e équation par une constante k non nulle, nous obtiendrons un système S'' par l'opération notée:

$$M_i^k. \qquad (k \neq 0)$$

Nous pouvons alors écrire:

$$S'' = M_i^k(S).$$

Enfin, ajouter à la i^e équation c fois la j^e équation ($j \neq i$) sera noté

$$A_{ij}^c. \qquad (j \neq i)$$

Le système obtenu est noté par $S''' = A_{ij}^c(S)$. Qu'avons-nous fait dans l'exemple 3?

1) $S_2 = P_{23}(S_1)$

2) $S_3 = M_2^{-1}(S_2)$

3) $S_4 = A_{23}^1(S_3)$

Si nous notons l'un à la suite de l'autre les changements effectués:

$$S_4 = A_{23}^1(M_2^{-1}(P_{23}(S_1))). \qquad \text{(aussi noté } S_4 = A_{23}^1 \circ M_2^{-1} \circ P_{23}(S_1))$$

L'exemple 3 nous amène à l'énoncé du théorème suivant.

THÉORÈME: Soit S_1 et S_2, deux systèmes de m équations linéaires à n inconnues, $x_1, x_2, x_3, ..., x_n$. S_2 est équivalent à S_1 si et seulement si S_2 peut s'obtenir de S_1 au moyen de l'une ou l'autre des opérations suivantes:
- permutation de deux équations de S_1;
- multiplication d'une équation de S_1 par une constante non nulle;
- addition à une équation de S_1 d'un multiple d'une autre équation de S_1.

Ces opérations sur les équations d'un système sont appelées *transformations élémentaires* d'un système d'équations linéaires.

Démonstration:

Notons $L_1 = 0$, $L_2 = 0$, $L_3 = 0$, ..., $L_m = 0$, chacune des m équations linéaires à n inconnues du système S_1, c.-à-d.

$$L_i = a_{i1}x_1 + a_{i2}x_2 + a_{i3}x_3 + ... + a_{in}x_n - b_i = 0.$$

Alors le système S_1 pourra s'écrire:

$$S_1 \begin{cases} L_1 = 0 \\ L_2 = 0 \\ L_3 = 0 \\ \quad \vdots \\ L_i = 0 \\ \quad \vdots \\ L_m = 0 \end{cases}$$

Évidemment, si S_2 est obtenu de S_1 par permutation de deux équations, ou encore, par multiplication d'une équation par une constante non nulle, S_2 est équivalent à S_1: toute solution de S_1 est solution de S_2 et réciproquement. Supposons que S_2 est obtenu de S_1 par l'addition à une équation de S_1 d'un multiple d'une autre équation de S_1. Pour montrer que S_1 est équivalent à S_2, il s'agit de montrer que toute solution de S_1 est solution de S_2, et vice-versa. Écrivons les systèmes S_1 et S_2:

$$S_1 \begin{cases} L_1 = 0 \\ L_2 = 0 \\ L_3 = 0 \\ \quad \cdot \\ \quad \cdot \\ \quad \cdot \\ L_j = 0 \\ \quad \cdot \\ \quad \cdot \\ \quad \cdot \\ L_{i-1} = 0 \\ L_i = 0 \\ L_{i+1} = 0 \\ \quad \cdot \\ \quad \cdot \\ \quad \cdot \\ L_m = 0 \end{cases} \qquad S_2 \begin{cases} L_1 = 0 \\ L_2 = 0 \\ L_3 = 0 \\ \quad \cdot \\ \quad \cdot \\ \quad \cdot \\ L_j = 0 \\ \quad \cdot \\ \quad \cdot \\ \quad \cdot \\ L_{i-1} = 0 \\ L_i + kL_j = 0 \qquad (j \neq i) \\ L_{i+1} = 0 \\ \quad \cdot \\ \quad \cdot \\ \quad \cdot \\ L_m = 0 \end{cases}$$

i)   Soit $(\overline{x_1}, \overline{x_2}, ..., \overline{x_n})$, une solution de S_1. Chaque équation de S_2 est satisfaite, y compris l'équation $L_i + kL_j = 0$. En effet, $L_i = 0$ et $L_j = 0$ sont satisfaites, puisque faisant partie du système S_1, et, comme

$$L_i + kL_j = 0 + k(0) = 0,$$

l'équation $L_i + kL_j = 0$ est satisfaite.

ii)   Soit $(\overline{x_1}, \overline{x_2}, ..., \overline{x_n})$, une solution de S_2. Toutes les équations de S_1 sont satisfaites, sauf peut-être l'équation $L_i = 0$. Mais, puisque l'équation $L_j = 0$ de S_2 est satisfaite, $-kL_j = 0$, et alors

$$L_i + kL_j - kL_j = 0 - 0,$$

c.-à-d. $L_i = 0$. Donc, $L_i = 0$ est aussi satisfaite.   □

Remarque: Pour signifier qu'un système S_1 est équivalent à un système S_2, nous utilisons le symbole espagnol tilde ($\sim$):
$$S_1 \sim S_2.$$
La notion d'équivalence définie sur des systèmes de m équations à n inconnues, x_1, x_2, ..., x_n,

est telle que:

i) $S_1 \sim S_1$ (réflexivité);
ii)   si $S_1 \sim S_2$, alors $S_2 \sim S_1$ (symétrie);
iii) si $S_1 \sim S_2$ et si $S_2 \sim S_3$, alors $S_1 \sim S_3$ (transitivité).

Il est facile d'établir ces trois propriétés à l'aide de la définition d'équivalence entre deux systèmes et du théorème précédent. Une relation, à la fois réflexive, symétrique et transitive, est appelée *relation d'équivalence*. La relation ''équivalence'' définie sur l'ensemble des systèmes de m équations à n inconnues est bel et bien une relation d'équivalence.

7.2   EXERCICES

1. Pour chacun des systèmes suivants de m équations linéaires à n inconnues, déterminer la valeur de m et de n, dire si le système est homogène ou non homogène:

a) $\begin{cases} x_1 - 2x_2 + x_3 = 0 \\ x_1 \quad + \frac{1}{2}x_3 = 0 \\ x_1 + x_2 + x_3 = 0 \end{cases}$ b) $\begin{cases} 4x_2 - x_3 = 4 \\ 2x_1 - x_2 + x_3 = 1 \\ x_1 - x_2 + x_3 = 5 \end{cases}$

c) $\begin{cases} 2x_1 - 2x_2 + x_3 + x_4 = 1 \\ x_2 + x_3 + x_4 = 0 \\ 2x_1 - x_2 = 6 \end{cases}$ d) $\begin{cases} 2x + y + z = 4 \\ x - y + z = 0 \end{cases}$

e) $\begin{cases} 3x + 4t = 9 \\ x - t = 9 \end{cases}$ f) $\begin{cases} 2x_1 + 6x_2 + 7x_3 - 7x_4 = 5 \\ x_1 - x_2 + x_3 - x_4 = 0 \\ x_1 + 4x_2 + 2x_3 - x_4 = -1 \\ 2x_1 - x_2 + 2x_3 - 4x_4 = 6 \\ 8x_1 + x_2 - 5x_3 + x_4 = 9. \end{cases}$

g) $\begin{cases} 3x_1 - 2x_2 + x_3 - x_4 = 0 \\ x_1 \quad - x_3 + x_4 = 0 \\ x_1 + 2x_2 - 5x_3 - 3x_4 = 0 \end{cases}$

2. L'ensemble-solution du système

$$\begin{cases} x_1 + x_2 + x_3 = 0 \\ -x_1 + 3x_2 + 2x_3 = -3 \\ 2x_1 + 2x_2 - x_3 = 2 \end{cases}$$

comporte-t-il l'élément $(1/2, -3/2, 1)$?

3. Donner l'exemple d'un système:

a) de 2 équations à 2 inconnues dont l'ensemble-solution est vide;
b) de 2 équations à 2 inconnues dont l'ensemble-solution est un singleton;
c) de 2 équations à 2 inconnues dont l'ensemble-solution est infini;
d) de 3 équations à 2 inconnues dont l'ensemble-solution est réduit à $\{(-1,2)\}$.

4. Soit le système suivant:

$$S_1 \begin{cases} 3x_1 - 2x_2 + x_3 - x_4 = 0 \\ x_1 \quad - x_3 + x_4 = -1 \\ x_1 + 2x_2 - x_3 + 3x_4 = 8 \end{cases}$$

Déterminer les systèmes suivants: a) $S_2 \sim P_{13}(S_1)$;   b) $S_3 \sim M_2^2(S_1)$;
c) $S_4 = A_{23}^{-1}(S_1)$;   d) $S_5 = A_{23}^{1}(S_1)$;   e) $S_6 = M_3^2 \circ A_{23}^{-1}(S_1)$.

5. a) Montrer, à l'aide d'un exemple, que l'opération M_i^0 n'engendre pas un système équivalent.   b) Expliquer pourquoi, pour l'opération A_{ij}^c, nous ajoutons $i \neq j$.   c) Est-il possible, à l'aide des opérations A_{ij}^c et M_i^c, d'obtenir l'opération P_{ij}?

6. Les systèmes S et T suivants sont équivalents. Retrouver les transformations élémentaires subies par S qui permettent d'aboutir à T:

a) $S \begin{cases} 2x + y + z = 1 \\ x - y + z = 2 \\ 3x + y + z = -2 \end{cases}$ $T \begin{cases} 2x + y + z = 1 \\ 4x + 2z = 0 \\ x - y + z = 2 \end{cases}$

b) $S \begin{cases} 2a_1 + a_2 + 3a_3 = 4 \\ 2a_1 - a_2 + 2a_3 = 1 \\ 3a_1 - a_2 + 6a_3 = 0 \end{cases}$ $T \begin{cases} 2a_1 - 4a_2 + 6a_3 = -8 \\ 3a_1 - a_2 + 6a_3 = 0 \\ 2a_1 - a_2 + 2a_3 = 1 \end{cases}$

La solution n'est pas unique.

7.3   FORME ÉCHELON D'UN SYSTÈME; SOLUTIONS D'UN SYSTÈME

THÉORÈME: Tout système d'équations linéaires est équivalent à un système de m équations à n inconnues, x_1, x_2, x_3, ..., x_n, de la forme:

$$\begin{cases} x_1 + c_{12}x_2 + c_{13}x_3 + ... + c_{1r}x_r + ... + c_{1n}x_n = d_1 \\ x_2 + c_{23}x_3 + ... + c_{2r}x_r + ... + c_{2n}x_n = d_2 \\ x_3 + ... + c_{3r}x_r + ... + c_{3n}x_n = d_3 \\ \quad \cdot \\ \quad \cdot \\ \quad \cdot \\ x_r + ... + c_{rn}x_n = d_r \\ 0 = d_{r+1} \\ 0 = d_{r+2} \\ \quad \cdot \\ \quad \cdot \\ \quad \cdot \\ 0 = d_m \end{cases}$$

où $r \leq m$. Cette forme est appelée *forme échelon* d'un système.

La démonstration de ce dernier théorème ne pose aucune difficulté théorique, bien que son écriture soit particulièrement fastidieuse. Il suffit de remarquer que ce théorème est une conséquence directe du théorème précédent: par une suite de transformations élémentaires et par une possible modification de l'ordre d'apparition des inconnues (voir remarque plus loin), l'écriture du système est modifiée de façon à obtenir un système équivalent. $\square$

Exemple 1   Soit le système S_1 suivant:

$$S_1 \begin{cases} 2x + 6y - z = 4 \\ \\ x - y + z = 2. \end{cases}$$

Ce système est équivalent à S_2 où:

$$S_2 \begin{cases} 2x + 6y - z = 4 \\ \\ -4y + \dfrac{3}{2} z = 0. \end{cases}$$

S_2 est obtenu en ajoutant à la 2e équation $-1/2$ fois la première: $S_2 = A_{21}^{-1/2} (S_1)$. En multipliant la 1re équation par $1/2$ et la deuxième par $-1/4$, nous obtiendrons le système S_3:

$$S_3 \begin{cases} x + 3y - \dfrac{1}{2} z = 2 \\ \\ y - \dfrac{3}{8} z = 0. \end{cases}$$

Ainsi, $S_3 = M_2^{-1/4}(M_1^{1/2}(S_2))$. Donc, $S_1 \sim S_2 \sim S_3$. Si nous utilisons les mêmes symboles que dans les théorèmes, il s'agit d'un système de m = 2 équations à n = 3 inconnues, x, y et z. Dans ce cas, r = 2. Comme r = m, il n'y a pas d'équation de la forme $0 = d_{r+1}, 0 = d_{r+2}, ..., 0 = d_m$.

Exemple 2   Soit le système S_1 suivant:

$$S_1 \begin{cases} x + 2y - 3z = 4 \\ y + 2z = 5 \\ 3x - y + z = 2 \\ x + z = 1. \end{cases}$$

En faisant $A_{31}^{-3} \circ A_{41}^{-1}$, $S_1 \sim S_2$ où:

$$S_2 \begin{cases} x + 2y - 3z = 4 \\ y + 2z = 5 \\ -7y + 10z = -10 \\ -2y + 4z = -3. \end{cases}$$

En faisant $A_{32}^7 \circ A_{42}^2$, $S_2 \sim S_3$ où:

$$S_3 \quad \begin{cases} x + 2y - 3z = 4 \\ \quad\;\; y + 2z = 5 \\ \quad\qquad 24z = 25 \\ \quad\qquad\;\; 8z = 7. \end{cases}$$

En faisant $M_3^{1/24}$, $S_3 \sim S_4$ où:

$$S_4 \quad \begin{cases} x + 2y - 3z = 4 \\ \quad\;\; y + 2z = 5 \\ \quad\qquad z = \dfrac{25}{24} \\ \quad\qquad 8z = 7 \,. \end{cases}$$

Si nous faisons maintenant A_{43}^{-8}, $S_4 \sim S_5$ où

$$S_5 \quad \begin{cases} x + 2y - 3z = 4 \\ \quad\;\; y + 2z = 5 \\ \quad\qquad z = \dfrac{25}{24} \\ \quad\qquad 0 = -\dfrac{4}{3} \,. \end{cases}$$

Dans ce cas, m = 4, n = 3, r = 3. Il y a donc une équation ''sans'' inconnue de la forme $0 = d_{r+1}$, c.-à-d. $0 = d_4$. Évidemment, comme $0 = -4/3$ est impossible, nous devons conclure, comme nous le verrons plus loin, que l'ensemble-solution du système est vide.

Remarque: Il faut parfois, pour ramener un système sous la forme échelon, modifier l'ordre des inconnues. Soit, par exemple, le système S de 3 équations à 5 inconnues, x, y, z, w et t:

$$S \quad \begin{cases} x \qquad\qquad\qquad = 2 \\ \quad y + 3z + w \qquad = 4 \\ \qquad\qquad\quad\; t = 6 \end{cases}$$

Il paraît difficile de faire apparaître, comme troisième équation, une équation de la forme

$$z + k_1 w + k_2 t = k_3$$

ou

$$0 = k_4$$

$(k_1, k_2, k_3, k_4$ étant des scalaires), de façon à obtenir la forme échelon. Le théorème dit bien que le système S est équivalent à un système sous forme échelon. Comment y arriver? Puisque l'ordre des inconnues n'a aucune incidence sur la solution du système, il suffit de considérer S comme système de 3 équations à 5 inconnues, x, y, t, z et w (au lieu de x, y, z, w et t):

$$S \begin{cases} x & = 2 \\ y + 3z + w & = 4 \\ t & = 6 \end{cases}$$

THÉORÈME

Soit un système de m équations à n inconnues, $x_1, x_2, ..., x_n$, ramené sous la forme échelon:

$$\begin{cases} x_1 + c_{12}x_2 + c_{13}x_3 + ... + c_{1r}x_r + ... + c_{1n}x_n = d_1 \\ x_2 + c_{23}x_3 + ... + c_{2r}x_r + ... + c_{2n}x_n = d_2 \\ x_3 + ... + c_{3r}x_r + ... + c_{3n}x_n = d_3 \\ \quad \cdot \\ \quad \cdot \\ \quad \cdot \\ x_r + ... + c_{rn}x_n = d_r \\ 0 = d_{r+1} \\ \quad \cdot \\ \quad \cdot \\ \quad \cdot \\ 0 = d_m \end{cases}$$

où $r \leqslant m$.

i)   Si $d_{r+1}, d_{r+2}, ..., d_m$ ne sont pas tous nuls, le système n'a pas de solution (le système est alors dit *inconsistant*).

ii) Si tous les termes $d_{r+1}, d_{r+2}, ..., d_m$ sont nuls, le système possède au moins une solution (le système est alors dit *consistant*).

Démonstration:

i)   Comme le système initial est équivalent au système sous forme échelon et comme il n'existe pas, dans ce cas, de termes $\overline{x_1}, \overline{x_2}, ..., \overline{x_n}$ tels que $0\overline{x_1} + 0\overline{x_2} + ... + 0\overline{x_r} + ... + 0\overline{x_n} = d_{r+i}$, où $d_{r+i} \neq 0$, le système n'admet pas de solution.

ii) Soit un système écrit sous forme échelon tel que d_{r+1}, d_{r+2}, ..., d_m sont tous nuls. Si nous donnons une valeur à x_{r+1}, x_{r+2}, ..., x_n, nous déterminons une valeur pour x_r à l'aide de la r^e équation. Ayant déterminé une valeur pour x_r, x_{r+1}, x_{r+2}, ..., x_n, nous pouvons déterminer une valeur pour x_{r-1} à l'aide de la $r-1^e$ équation. Nous procédons ainsi jusqu'à l'obtention d'une valeur pour x_1. Le système possèdera donc au moins une solution .

□

COROLLAIRE:

Dans le cas d'un système consistant, si $r = n$, la solution est unique. Si $r < n$, le système possède une infinité de solutions.

Démonstration:

A) Dans le cas où $r = n$, le système est de la forme:

$$\begin{cases} x_1 + c_{12}x_2 + c_{13}x_3 + ... + c_{1r}x_r = d_1 \\ \quad x_2 + c_{23}x_3 + ... + c_{2r}x_r = d_2 \\ \qquad x_3 + ... + c_{3r}x_r = d_3 \\ \qquad\qquad \vdots \\ \qquad\qquad\qquad x_r = d_r \\ \left.\begin{array}{c} 0 = 0 \\ 0 = 0 \\ \vdots \\ 0 = 0 \end{array}\right\} (m-r) \text{ fois} \end{cases}$$

La r^e équation permet de déterminer la valeur de x_r. Alors, la $r - 1^e$ équation permet de déterminer la valeur de x_{r-1}. La $r - 2^e$ équation permet de déterminer la valeur de x_{r-2} ... Nous obtenons ainsi une et une seule solution.

B)   Dans le cas où $r < n$, le système est de la forme suivante:

$$\begin{cases} x_1 + c_{12}x_2 + c_{13}x_3 + \ldots + c_{1r}x_r + \ldots + c_{1n}x_n = d_1 \\[2mm] \qquad x_2 + c_{23}x_3 + \ldots + c_{2r}x_r + \ldots + c_{2n}x_n = d_2 \\[2mm] \qquad\qquad x_3 + \ldots + c_{3r}x_r + \ldots + c_{3n}x_n = d_3 \\[2mm] \qquad\qquad\qquad \cdot \\ \qquad\qquad\qquad \cdot \\ \qquad\qquad\qquad \cdot \\[2mm] \qquad\qquad\qquad\qquad x_r + \ldots + c_{rn}x_n = d_r \\[2mm] \qquad\qquad\qquad\qquad\qquad\qquad \left.\begin{array}{c} 0 = 0 \\[2mm] 0 = 0 \\ \cdot \\ \cdot \\ \cdot \\ 0 = 0 \end{array}\right\} (m-r) \text{ fois} \end{cases}$$

Il suffit d'assigner arbitrairement des valeurs à x_{r+1}, x_{r+2}, ..., x_n pour déterminer la valeur de x_r. À partir de la valeur de x_r, nous pouvons déterminer la valeur de x_{r-1}, puis de x_{r-2}, ..., jusqu'à obtenir la valeur de x_1. Il existe donc une infinité de solutions. $\square$

Exemple 1   Soit le système

$$\begin{cases} x_1 + 2x_2 - 3x_3 = 4 \\[2mm] \qquad x_2 + 2x_3 = 5 \\[2mm] \qquad\qquad 2x_3 = 2 \\[2mm] x_1 + \quad x_2 + \quad x_3 = 5. \end{cases}$$

Transformons le système jusqu'à obtenir la forme échelon:

$1°$
$$\begin{cases} x_1 + 2x_2 - 3x_3 = 4 \\[2mm] \qquad x_2 + 2x_3 = 5 \\[2mm] \qquad\qquad 2x_3 = 2 \\[2mm] \qquad - x_2 + 4x_3 = 1 \end{cases} \quad (\text{par } A_{41}^{-1})$$

2°
$$
\begin{cases}
x_1 + 2x_2 - 3x_3 = 4 \\
x_2 + 2x_3 = 5 \\
2x_3 = 2 \qquad \text{(par } A_{42}^1) \\
6x_3 = 6
\end{cases}
$$

3°
$$
\begin{cases}
x_1 + 2x_2 - 3x_3 = 4 \\
x_2 + 2x_3 = 5 \\
x_3 = 1 \qquad \text{(par } M_3^{1/2} \circ A_{43}^{-3}) \\
0 = 0.
\end{cases}
$$

Le système est donc consistant. La valeur de r est 3, de même que celle de n. Il y a donc une et une seule solution. La valeur de x_3 sera 1; ceci permettra de trouver la valeur de x_2:

$$x_2 + 2(1) = 5$$

c.-à-d. $x_2 = 3$. Comme $x_3 = 1$ et $x_2 = 3$, alors la 1re équation permet de déterminer la valeur de x_1:

$$x_1 + 2(3) - 3(1) = 4.$$

Alors $x_1 = 1$. Le système admet donc comme solution unique $(1, 3, 1)$, c.-à-d. l'ensemble-solution est $\{(1, 3, 1)\}$.

Exemple 2   Soit le système

$$
\begin{cases}
8x + 6y + z = 0 \\
x + y + z = 1.
\end{cases}
$$

Ce système est équivalent au système suivant:

$$
\begin{cases}
x + y + z = 1 \\
y + \dfrac{7}{2} z = 4 \qquad \text{(par } M_2^{-1/2} \circ A_{21}^{-8} \circ P_{21}).
\end{cases}
$$

Si nous utilisons les symboles du théorème, m = 2, n = 3 et r = 2. Le système admet donc une infinité de solutions. Nous pourrions choisir, par exemple, z = 2. Alors y = −3, en utilisant la 2e équation. Et, en remplaçant dans la 1re équation,

$$x + (-3) + 2 = 1$$

amènerait à trouver 2 comme valeur pour x. Donc, le triplet (2, −3, 2) est solution du système. Si nous cherchions l'ensemble-solution, nous pourrions, au lieu de donner à z la valeur 2, lui donner une valeur quelconque, disons $\bar{z}$. Alors

$$y = 4 - \frac{7}{2}\bar{z}$$

et

$$x = 1 - (4 - \frac{7}{2}\bar{z}) - \bar{z}.$$

La solution serait donc donnée par:

$$x = -3 + \frac{5}{2}\bar{z},$$

$$y = 4 - \frac{7}{2}\bar{z},$$

$$z = \bar{z}.$$

Une solution quelconque serait de la forme $(-3 + \frac{5}{2}\bar{z}, 4 - \frac{7}{2}\bar{z}, \bar{z})$, c.-à-d.

$$(-3, 4, 0) + \bar{z}(\frac{5}{2}, -\frac{7}{2}, 1).$$

En faisant $\bar{z}$ = 2, nous trouvons la solution particulière précédente:

$$(-3, 4, 0) + 2(\frac{5}{2}, -\frac{7}{2}, 1) = (2, -3, 2).$$

L'ensemble-solution peut s'écrire

$$\left\{ (-3, 4, 0) + \bar{z}(\frac{5}{2}, -\frac{7}{2}, 1) : \bar{z} \in \mathbb{R} \right\}.$$

L'ensemble-solution est unique, mais son écriture ne l'est pas. En effet, au lieu de trouver la solution en fonction de $\bar{z}$, nous pourrions la trouver en fonction de $\bar{x}$ ou $\bar{y}$. Par exemple, fixons $x = \bar{x}$. Alors

$$\bar{x} = -3 + \frac{5}{2}\, z,$$

c.-à-d.

$$z = \frac{6}{5} + \frac{2}{5}\, \bar{x},$$

et

$$y = 4 - \frac{7}{2}\, z = 4 - \frac{7}{2}\, (\frac{6}{5} + \frac{2}{5}\, \bar{x}),$$

c.-à-d.

$$y = -\frac{1}{5} - \frac{7}{5}\, \bar{x}\,.$$

D'où l'ensemble-solution

$$\left\{ (0, -\frac{1}{5}, \frac{6}{5}) + \bar{x}\,(1, -\frac{7}{5}, \frac{2}{5}) : \bar{x} \in \mathbb{R} \right\}.$$

Pour trouver la solution $(2, -3, 2)$, il faut donner à $\bar{x}$ la valeur 2. Il est facile de vérifier que l'ensemble-solution, en fonction de $\bar{y}$, s'écrit:

$$\left\{ (-\frac{1}{7}, 0, \frac{8}{7}) + \bar{y}\,(-\frac{5}{7}, 1, -\frac{2}{7}) : \bar{y} \in \mathbb{R} \right\}.$$

Pour retrouver la solution $(2, -3, 2)$, il faudra, dans ce dernier cas, attribuer à $\bar{y}$ la valeur -3.

Exemple 3   Le système

$$\begin{cases} 2x + y + z = 1 \\ 2x + y + z = 2 \end{cases}$$

ne devrait pas avoir de solution! En mettant sous forme échelon, nous aurons:

$$\begin{cases} x + \frac{1}{2}y + \frac{1}{2}z = \frac{1}{2} \\ \qquad\qquad\quad 0 = 1 \end{cases}$$

par $M_1^{1/2} \circ A_{21}^{-1}$. Si nous utilisons les symboles du théorème, $m = 2$, $n = 3$, $r = 1$, $d_2 = 1$. Comme $d_2 \neq 0$, le système est bel et bien inconsistant.

Résumons les différents cas.

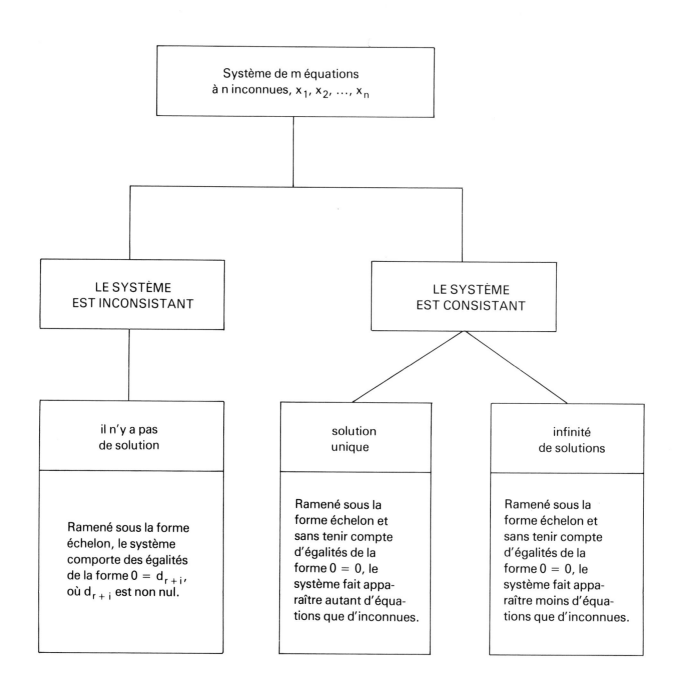

7.4   EXERCICES

1.   Ramener les systèmes suivants sous forme échelon, en indiquant bien les transformations élémentaires utilisées. Déterminer si le système est consistant ou inconsistant, s'il admet une ou une infinité de solutions:

a) $\begin{cases} 2x + y = 3 \\ x - y = 4 \end{cases}$

b) $\begin{cases} 2x + y + z = 8 \\ y + z = 5 \end{cases}$

c) $\begin{cases} 3x - y + z = 2 \\ x - y = 8 \\ y + z = 9 \\ x + y = 12 \end{cases}$

d) $\begin{cases} 3x + 4y + 2z + w = 3 \\ x - y + z + w = 1 \\ x + y + z = 2 \end{cases}$

e) $\begin{cases} 3x + y + z = 1 \\ x - y + z = 2 \end{cases}$

f) $\begin{cases} x + y + z = 2 \\ y = 4 \end{cases}$

g) $\begin{cases} x + 3y + z = 0 \\ x - y + z = 2 \\ -x + y = 4 \end{cases}$

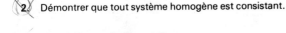

2.   Démontrer que tout système homogène est consistant.

3.   Donner l'exemple d'un système:

a)   homogène, possédant une infinité de solutions;

b)   homogène, possédant une et une seule solution;

c)   ayant plus d'équations que d'inconnues, tout en étant consistant.

4. Ramener sous forme échelon, puis trouver l'ensemble-solution:

a) $\begin{cases} 2x + 5y = 8 \\ 6x - 4y = -14 \end{cases}$

b) $\begin{cases} 3x - 6y = 10 \\ x - 2y = 5 \end{cases}$

c) $\begin{cases} 5x - 2y = 8 \\ 3x + 4y = 12 \end{cases}$

d) $\begin{cases} x + 2y - 3z - 4w = 5 \\ y = 1 \end{cases}$

e) $\begin{cases} 4x - y = 8 \\ x - y = 2 \\ x + y = 0 \end{cases}$

5. L'ensemble-solution d'un système S de trois équations à quatre inconnues, x_1, x_2, x_3 et x_4, est $\{ (3, 1, -4, 0) + \overline{x_4} (-13, -5, 17, 1) : \overline{x_4} \in \rm{I\!R} \}$. Récrire l'ensemble-solution en fonction de $\overline{x_1}$, de $\overline{x_2}$, de $\overline{x_3}$.

6. L'ensemble-solution d'un système S de trois équations à trois inconnues, x, y et z, est $\{ (2, 0, 0) + \overline{y} (1, 1, 0) + \overline{z} (3, 0, 1) : \overline{y}$ et $\overline{z} \in \rm{I\!R} \}$. Écrire différemment l'ensemble-solution.

7.5   EXPRESSIONS D'UN SYSTÈME D'ÉQUATIONS LINÉAIRES

Nous avons déjà étudié les vecteurs et les matrices. Pourquoi ne pas en tirer profit en abordant les systèmes d'équations linéaires?

Le système

$$\begin{cases} a_{11}x_1 + a_{12}x_2 + a_{13}x_3 + \dots + a_{1n}x_n = b_1 \\ a_{21}x_1 + a_{22}x_2 + a_{23}x_3 + \dots + a_{2n}x_n = b_2 \\ a_{31}x_1 + a_{32}x_2 + a_{33}x_3 + \dots + a_{3n}x_n = b_3 \\ \quad\quad\quad\quad \cdot \\ \quad\quad\quad\quad \cdot \\ \quad\quad\quad\quad \cdot \\ a_{m1}x_1 + a_{m2}x_2 + a_{m3}x_3 + \dots + a_{mn}x_n = b_m \end{cases}$$

peut s'écrire sous forme matricielle:

$$\begin{pmatrix} a_{11} & a_{12} & a_{13} & \cdots & a_{1n} \\ a_{21} & a_{22} & a_{23} & \cdots & a_{2n} \\ a_{31} & a_{32} & a_{33} & \cdots & a_{3n} \\ \cdot & \cdot & \cdot & & \cdot \\ \cdot & \cdot & \cdot & & \cdot \\ \cdot & \cdot & \cdot & & \cdot \\ a_{m1} & a_{m2} & a_{m3} & \cdots & a_{mn} \end{pmatrix} \begin{pmatrix} x_1 \\ x_2 \\ x_3 \\ \cdot \\ \cdot \\ \cdot \\ x_n \end{pmatrix} = \begin{pmatrix} b_1 \\ b_2 \\ b_3 \\ \cdot \\ \cdot \\ \cdot \\ b_m \end{pmatrix}$$

c.-à-d. AX = B. C'est l'expression matricielle du système: A est appelée *matrice des coefficients* du système, X, *matrice-colonne des inconnues*, x_1, x_2, x_3, ..., x_n, et B, *matrice-colonne des constantes*.

Exemple 1   Soit le système

$$\begin{cases} 3x + 6y + 9z = 8 \\ 2x - y + z = 2. \end{cases}$$

Il peut s'écrire sous forme matricielle:

$$\begin{pmatrix} 3 & 6 & 9 \\ 2 & -1 & 1 \end{pmatrix} \begin{pmatrix} x \\ y \\ z \end{pmatrix} = \begin{pmatrix} 8 \\ 2 \end{pmatrix}.$$

Exemple 2   Soit le système

$$\begin{cases} x + 2y - 3z + 4w = 2 \\ x - y + z + w = -2 \\ z + w = 1 \end{cases}$$

Ce système, sous forme matricielle, s'écrit:

$$\begin{pmatrix} 1 & 2 & -3 & 4 \\ 1 & -1 & 1 & 1 \\ 0 & 0 & 1 & 1 \end{pmatrix} \begin{pmatrix} x \\ y \\ z \\ w \end{pmatrix} = \begin{pmatrix} 2 \\ -2 \\ 1 \end{pmatrix}.$$

Soit le système d'équations $AX = B$. En écrivant A sous la forme vectorielle

$$A = (\vec{v}_1, \vec{v}_2, \vec{v}_3, ..., \vec{v}_n)$$

le système $AX = B$ s'écrirait:

$$x_1 \vec{v}_1 + x_2 \vec{v}_2 + x_3 \vec{v}_3 + ... + x_n \vec{v}_n = B$$

c.-à-d.

$$x_1 \begin{pmatrix} a_{11} \\ a_{21} \\ a_{31} \\ \vdots \\ a_{m1} \end{pmatrix} + x_2 \begin{pmatrix} a_{12} \\ a_{22} \\ a_{32} \\ \vdots \\ a_{m2} \end{pmatrix} + x_3 \begin{pmatrix} a_{13} \\ a_{23} \\ a_{33} \\ \vdots \\ a_{m3} \end{pmatrix} + ... + x_n \begin{pmatrix} a_{1n} \\ a_{2n} \\ a_{3n} \\ \vdots \\ a_{mn} \end{pmatrix} = \begin{pmatrix} b_1 \\ b_2 \\ b_3 \\ \vdots \\ b_m \end{pmatrix}$$

Cette écriture est dite écriture *vectorielle*. Par opposition à l'écriture matricielle et vectorielle d'un système, la forme usuelle est appelée expression *algébrique* du système.

Exemple: Soit le système

$$\begin{cases} x + 2y - 4z = 4 \\ 5x - y - 7z = 6 \\ x + y + 2z = 4. \end{cases}$$

Ce système est écrit sous forme algébrique. Alors, sous forme matricielle, il s'écrirait.

$$\begin{pmatrix} 1 & 2 & -4 \\ 5 & -1 & -7 \\ 1 & 1 & 2 \end{pmatrix} \begin{pmatrix} x \\ y \\ z \end{pmatrix} = \begin{pmatrix} 4 \\ 6 \\ 4 \end{pmatrix},$$

tandis que, sous forme vectorielle, le système s'écrit:

$$x \begin{pmatrix} 1 \\ 5 \\ 1 \end{pmatrix} + y \begin{pmatrix} 2 \\ -1 \\ 1 \end{pmatrix} + z \begin{pmatrix} -4 \\ -7 \\ 2 \end{pmatrix} = \begin{pmatrix} 4 \\ 6 \\ 4 \end{pmatrix}.$$

7.6   EXERCICES

1.   Écrire sous forme matricielle et vectorielle:

a)
$$\begin{cases} x - 2y - 3z + 2w = 2 \\ 2x + 5y - 8z \quad\;\; = 2 \\ 3x - y + z - w = 4 \end{cases}$$

b)
$$\begin{cases} x + 2y + 2z = 2 \\ 3x - 2y - z = 5 \\ 2x - 5y + 3z = -4 \\ x + 4y + 6z = 0. \end{cases}$$

2.   Soit le système S suivant:

$$S \quad \begin{cases} x + 3y + 3z = 2 \\ x + 4y + 3z = 1 \\ x + 3y + 4z = 4. \end{cases}$$

Mettre le système sous la forme AX = B, où X est le vecteur $\begin{pmatrix} x \\ y \\ z \end{pmatrix}$, A et B, des matrices. Peut-on inverser A? Si oui, déduire les valeurs

de x, y et z, en multipliant par A^{-1}.

7.7   LES MÉTHODES DE RÉSOLUTION

Nous allons maintenant aborder différentes façons de trouver les solutions d'un système d'équations linéaires.

7.7.1   Méthode de résolution par élimination et substitution

Le lecteur est déjà familier avec le procédé connu sous le nom de *méthode de résolution par élimination et substitution*. Ce procédé consiste à faire apparaître les solutions en réussissant à ne dégager des équations qu'une inconnue dont la valeur est trouvée, puis à dégager une autre inconnue, etc. Le système sera plus facile à résoudre s'il a été, auparavant, mis sous forme échelon.

Exemple: Soit le système S suivant, déjà ramené sous forme échelon:

$$S \begin{cases} x + 2y + z = 4 \\ y - z = 2 \\ z = 3 \\ 0 = 0. \end{cases}$$

Puisque z égale 3, la valeur de y sera 5:

$$y = 2 + z = 2 + 3.$$

Ainsi, la valeur de x sera –9:

$$x = 4 - 2y - z = 4 - 2(5) - (3).$$

Nous ne nous attarderons pas à cette méthode de résolution; elle est bien connue et ne présente aucune difficulté. Nous allons voir d'autres méthodes plus astucieuses et, dans beaucoup de cas, plus rapides.

7.7.2   Méthode d'élimination de Gauss

Présentons une autre méthode, appelée méthode d'élimination de Gauss.

Soit $AX = B$, un système de m équations linéaires à n inconnues, x_1, x_2, ..., x_n. Considérons la matrice $A \vdots B$ suivante, appelée *matrice augmentée*, où n'apparaissent que les coefficients de x_i et les termes b_j:

$$\begin{pmatrix} a_{11} & a_{12} & a_{13} & \cdots & a_{1n} & \vline & b_1 \\ a_{21} & a_{22} & a_{23} & \cdots & a_{2n} & \vline & b_2 \\ a_{31} & a_{32} & a_{33} & \cdots & a_{3n} & \vline & b_3 \\ \cdot & \cdot & \cdot & & \cdot & \vline & \cdot \\ \cdot & \cdot & \cdot & & \cdot & \vline & \cdot \\ \cdot & \cdot & \cdot & & \cdot & \vline & \cdot \\ a_{m1} & a_{m2} & a_{m3} & \cdots & a_{mn} & \vline & b_m \end{pmatrix}$$

La matrice augmentée permet de retrouver le système.

Exemple: Soit le système suivant:

$$\begin{cases} 2x - y + z = 8 \\ x - y - z = -6 \\ 3x + y + z = 2 \\ 4x - y - z = 0 . \end{cases}$$

Sous forme matricielle, le système s'écrirait AX = B, c.-à-d.

$$\begin{pmatrix} 2 & -1 & 1 \\ 1 & -1 & -1 \\ 3 & 1 & 1 \\ 4 & -1 & -1 \end{pmatrix} \begin{pmatrix} x \\ y \\ z \end{pmatrix} = \begin{pmatrix} 8 \\ -6 \\ 2 \\ 0 \end{pmatrix} .$$

La matrice augmentée $A \mid B$, associée au système, serait alors:

$$A \mid B = \begin{pmatrix} 2 & -1 & 1 & \vline & 8 \\ 1 & -1 & -1 & \vline & -6 \\ 3 & 1 & 1 & \vline & 2 \\ 4 & -1 & -1 & \vline & 0 \end{pmatrix}$$

Pour résoudre un système d'équations linéaires, nous pouvons:

- permuter deux équations,

- multiplier une équation par une constante non nulle,

- ajouter à une équation k fois une autre.

Pourquoi ne pas travailler de la même façon sur les lignes de la matrice augmentée, lesquelles représentent les coefficients et les constantes des équations du système? Cela mène à un algorithme de résolution utilisé pour la première fois par Gauss (1777-1855).

> *Méthode d'élimination de Gauss:*   Résoudre un système par la *méthode d'élimination de Gauss* consiste à effectuer des transformations élémentaires sur la matrice augmentée jusqu'à obtenir une matrice échelon.

Exemple 1:   Soit le système

$$\begin{cases} 2x - y = 4 \\ x + y = 2. \end{cases}$$

La matrice augmentée est:

$$\left(\begin{array}{cc|c} 2 & -1 & 4 \\ 1 & 1 & 2 \end{array} \right) .$$

Les transformations élémentaires permettent de retrouver la forme échelon:

$$\left(\begin{array}{cc|c} 2 & -1 & 4 \\ 1 & 1 & 2 \end{array} \right) \sim \left(\begin{array}{cc|c} 1 & 1 & 2 \\ 2 & -1 & 4 \end{array} \right) \qquad \text{(par } P_{12})$$

$$\sim \left(\begin{array}{cc|c} 1 & 1 & 2 \\ 0 & -3 & 0 \end{array} \right) \qquad \text{(par } A_{21}^{-2})$$

$$\sim \left(\begin{array}{cc|c} 1 & 1 & 2 \\ 0 & 1 & 0 \end{array} \right) \qquad \text{(par } M_{2}^{-1/3})$$

Le système initial est donc équivalent au système

$$\begin{cases} x + y = 2 \\ \phantom{x + {}} y = 0 \end{cases}$$

La solution, unique, est $(2, 0)$.

Exemple 2:   Soit le système

$$\begin{cases} 2x + y - 3z - w = 1 \\ x + 2z = 0 \\ -3x + y + z - w = 2 . \end{cases}$$

Alors

$$\begin{pmatrix} 2 & 1 & -3 & -1 & | & 1 \\ 1 & 0 & 2 & 0 & | & 0 \\ -3 & 1 & 1 & -1 & | & 2 \end{pmatrix} \sim \begin{pmatrix} 1 & 0 & 2 & 0 & | & 0 \\ 2 & 1 & -3 & -1 & | & 1 \\ -3 & 1 & 1 & -1 & | & 2 \end{pmatrix} \quad \text{(par } P_{12})$$

$$\sim \begin{pmatrix} 1 & 0 & 2 & 0 & | & 0 \\ 0 & 1 & -7 & -1 & | & 1 \\ -3 & 1 & 1 & -1 & | & 2 \end{pmatrix} \quad \text{(par } A_{21}^{-2})$$

$$\sim \begin{pmatrix} 1 & 0 & 2 & 0 & | & 0 \\ 0 & 1 & -7 & -1 & | & 1 \\ 0 & 1 & 7 & -1 & | & 2 \end{pmatrix} \quad \text{(par } A_{31}^{3})$$

$$\sim \begin{pmatrix} 1 & 0 & 2 & 0 & | & 0 \\ 0 & 1 & -7 & -1 & | & 1 \\ 0 & 0 & 14 & 0 & | & 1 \end{pmatrix} \quad \text{(par } A_{32}^{-1})$$

$$\sim \begin{pmatrix} 1 & 0 & 2 & 0 & | & 0 \\ 0 & 1 & -7 & -1 & | & 1 \\ 0 & 0 & 1 & 0 & | & 1/14 \end{pmatrix} \quad \text{(par } M_{3}^{1/14}) .$$

Donc, le système devient

$$\begin{cases} x \quad\quad + 2z \quad\quad = \quad 0 \\ \quad y - 7z - w = \quad 1 \\ \quad\quad\quad z \quad\quad = \quad \dfrac{1}{14}. \end{cases}$$

Fixons une valeur pour w, disons $\overline{w}$. Alors l'équation $y - 7z - w = 1$ devient $y - 7(\dfrac{1}{14}) - \overline{w} = 1$, c.-à-d.

$y = \dfrac{1}{2} + \overline{w} + 1 = \dfrac{3}{2} + \overline{w}$, tandis que l'équation $x + 2z = 0$ devient $x + 2(\dfrac{1}{14}) = 0$. D'où, $x = -\dfrac{1}{7}$.

La solution est donc de la forme

$$\left(-\frac{1}{7}, \frac{3}{2} + \overline{w}, \frac{1}{14}, \overline{w} \right).$$

L'ensemble-solution peut s'écrire:

$$\left\{ \left(-\frac{1}{7}, \frac{3}{2}, \frac{1}{14}, 0 \right) + \overline{w}(0, 1, 0, 1) : \overline{w} \in \mathbb{R} \right\}.$$

Remarque 1:   Bien que cela ne soit pas absolument nécessaire, c'est souvent éviter des efforts supplémentaires que de poursuivre les manipulations au-delà de la forme échelon. Par exemple, la matrice augmentée

$$\left(\begin{array}{cccc|c} 1 & 0 & 2 & 0 & 0 \\ 0 & 1 & -7 & -1 & 1 \\ 0 & 0 & 1 & 0 & \dfrac{1}{14} \end{array} \right)$$

de l'exemple 2 pourrait devenir

$$\left(\begin{array}{cccc|c} 1 & 0 & 0 & 0 & -\dfrac{1}{7} \\ 0 & 1 & 0 & -1 & \dfrac{3}{2} \\ 0 & 0 & 1 & 0 & \dfrac{1}{14} \end{array} \right)$$

en faisant la transformation A_{13}^{-2}, puis A_{23}^{7}, c.-à-d. $A_{23}^{7} \circ A_{13}^{-2}$. Cette forme donne les équations:

$$\begin{cases} x & & & = -\dfrac{1}{7} \\ & y & -w & = \dfrac{3}{2} \\ & & z & = \dfrac{1}{14} \end{cases} .$$

L'ensemble-solution apparaît clairement:

$$\left\{ \left(-\frac{1}{7} , \frac{3}{2} + \overline{w} , \frac{1}{14}, \overline{w} \right) : \overline{w} \in \mathbb{R} \right\} .$$

Il suffit, pour obtenir l'ensemble-solution presque immédiatement, de poursuivre la méthode d'élimination de Gauss jusqu'à obtenir des ''0'' au-dessus des ''1'' de la forme-échelon.

Remarque 2: Dans l'exemple 2, l'ensemble-solution est donné pour une valeur arbitraire de w, notée $\overline{w}$. Est-il possible de trouver l'ensemble-solution en fonction de $\overline{x}$, par exemple? Non, car x = −1/7 ne fait pas intervenir w. Par contre, il est possible de trouver l'ensemble-solution en faisant intervenir $\overline{y}$:

$$\begin{cases} x = \dfrac{1}{7} \\ w = y - \dfrac{3}{2} \\ z = \dfrac{1}{14} . \end{cases}$$

L'ensemble-solution serait:

$$\left\{ \left(-\frac{1}{7} , \overline{y}, \frac{1}{14}, \overline{y} - \frac{3}{2} \right) : \overline{y} \in \mathbb{R} \right\} .$$

7.7.3 Méthode de Cramer.

La méthode de Cramer et celle de la matrice inverse, vue un peu plus loin, ne conviennent que lorsque nous avons un système possédant autant d'équations que d'inconnues (c.-à-d. m = n) et n'admettant qu'une solution.

Avant d'aborder le théorème justifiant la méthode de résolution proposée par Cramer (1704-1752), signalons que nous utiliserons la notation vectorielle. Soit un système de n équations à n inconnues AX = B. Écrivons

$$A = (\vec{v_1}, \vec{v_2}, \vec{v_3}, ..., \vec{v_n})$$

$$B = (\vec{b})$$

où $\vec{v_1}, \vec{v_2}, \vec{v_3}, ..., \vec{v_n}, \vec{b}$ sont des vecteurs-colonnes. Rappelons que det A ou $|A|$ désigne le déterminant de A.

THÉORÈME   (Méthode de Cramer)

Soit AX = B, un système de n équations linéaires à n inconnues. Si det A ≠ 0, alors le système admet une et une seule solution donnée par:

$$x_1 = \frac{\det(\vec{b}, \vec{v_2}, \vec{v_3}, ..., \vec{v_n})}{\det(\vec{v_1}, \vec{v_2}, \vec{v_3}, ..., \vec{v_n})}$$

$$x_2 = \frac{\det(\vec{v_1}, \vec{b}, \vec{v_3}, ..., \vec{v_n})}{\det(\vec{v_1}, \vec{v_2}, \vec{v_3}, ..., \vec{v_n})}$$

$$\vdots$$

$$x_i = \frac{\det(\vec{v_1}, \vec{v_2}, \vec{v_3}, ..., \vec{v_{i-1}}, \vec{b}, \vec{v_{i+1}}, ..., \vec{v_n})}{\det(\vec{v_1}, \vec{v_2}, \vec{v_3}, ..., \vec{v_n})}$$

$$\vdots$$

$$x_n = \frac{\det(\vec{v_1}, \vec{v_2}, \vec{v_3}, ..., \vec{b})}{\det(\vec{v_1}, \vec{v_2}, \vec{v_3}, ..., \vec{v_n})}$$

La démonstration de ce théorème est laissée en exercice.

Exemple 1:   Soit le système

$$\begin{cases} 3x + y = 2 \\ x - y = 4. \end{cases}$$

Comme

$$\begin{vmatrix} 3 & 1 \\ 1 & -1 \end{vmatrix} = -4 \, ,$$

le système admet une solution unique:

$$x = \frac{\begin{vmatrix} 2 & 1 \\ 4 & -1 \end{vmatrix}}{\begin{vmatrix} 3 & 1 \\ 1 & -1 \end{vmatrix}} = \frac{-6}{-4} = \frac{3}{2} \, ,$$

$$y = \frac{\begin{vmatrix} 3 & 2 \\ 1 & 4 \end{vmatrix}}{\begin{vmatrix} 3 & 1 \\ 1 & -1 \end{vmatrix}} = \frac{10}{-4} = -\frac{5}{2} \, .$$

Exemple 2:   Soit le système

$$\begin{cases} x - y + 3t = 3 \\ 2x + 3y + t = -2 \\ 2y + t = 4 . \end{cases}$$

Comme

$$\begin{vmatrix} 1 & -1 & 3 \\ 2 & 3 & 1 \\ 0 & 2 & 1 \end{vmatrix} = 15 \, ,$$

le système admet une et une seule solution:

$$x = \frac{\begin{vmatrix} 3 & -1 & 3 \\ -2 & 3 & 1 \\ 4 & 2 & 1 \end{vmatrix}}{\begin{vmatrix} 1 & -1 & 3 \\ 2 & 3 & 1 \\ 0 & 2 & 1 \end{vmatrix}} = \frac{-51}{15} = -\frac{51}{15} = -\frac{17}{5}$$

$$y = \frac{\begin{vmatrix} 1 & 3 & 3 \\ 2 & -2 & 1 \\ 0 & 4 & 1 \end{vmatrix}}{\begin{vmatrix} 1 & -1 & 3 \\ 2 & 3 & 1 \\ 0 & 2 & 1 \end{vmatrix}} = \frac{12}{15} = \frac{4}{5}$$

$$T = \frac{\begin{vmatrix} 1 & -1 & 3 \\ 2 & 3 & -2 \\ 0 & 2 & 4 \end{vmatrix}}{\begin{vmatrix} 1 & -1 & 3 \\ 2 & 3 & 1 \\ 0 & 2 & 1 \end{vmatrix}} = \frac{36}{15} = \frac{12}{5} .$$

7.7.4   Méthode de la matrice inverse

La méthode proposée ci-dessous suppose, encore une fois, qu'il y a autant d'équations que d'inconnues.

THÉORÈME   (Méthode de la matrice inverse)

Soit $AX = B$, un système de n équations à n inconnues. Si A est inversible, alors $X = A^{-1} B$ est solution unique.

Démonstration:

Soit $AX = B$. Si A est inversible, alors

$A^{-1}(AX) = A^{-1} B$	(en multipliant chaque membre de l'égalité par A^{-1})
$(A^{-1} A) X = A^{-1} B$	(associativité du produit de matrices)
$I_n X = A^{-1} B$	(définition de l'inverse)
$X = A^{-1} B$	($I_n X = X$)

Donc, $\overline{X} = A^{-1}B$ est solution. Il va de soi qu'elle est unique. $\square$

Exemple: Soit le système

$$\begin{pmatrix} 1 & -1 & 3 \\ 2 & 3 & 1 \\ 0 & 2 & 1 \end{pmatrix} \begin{pmatrix} t_1 \\ t_2 \\ t_3 \end{pmatrix} = \begin{pmatrix} 3 \\ -2 \\ 4 \end{pmatrix} .$$

La matrice

$$A = \begin{pmatrix} 1 & -1 & 3 \\ 2 & 3 & 1 \\ 0 & 2 & 1 \end{pmatrix}$$

est inversible:

$$A^{-1} = \begin{pmatrix} \dfrac{1}{15} & \dfrac{7}{15} & -\dfrac{2}{3} \\ -\dfrac{2}{15} & \dfrac{1}{15} & \dfrac{1}{3} \\ \dfrac{4}{15} & -\dfrac{2}{15} & \dfrac{1}{3} \end{pmatrix}.$$

Donc, en vertu du théorème précédent,

$$\begin{pmatrix} t_1 \\ t_2 \\ t_3 \end{pmatrix} = \begin{pmatrix} \dfrac{1}{15} & \dfrac{7}{15} & -\dfrac{2}{3} \\ -\dfrac{2}{15} & \dfrac{1}{15} & \dfrac{1}{3} \\ \dfrac{4}{15} & -\dfrac{2}{15} & \dfrac{1}{3} \end{pmatrix} \begin{pmatrix} 3 \\ -2 \\ 4 \end{pmatrix}$$

$$= \begin{pmatrix} -\dfrac{17}{5} \\ \dfrac{4}{5} \\ \dfrac{12}{5} \end{pmatrix}$$

Donc, $t_1 = -\dfrac{17}{5}$, $t_2 = \dfrac{4}{5}$, $t_3 = \dfrac{12}{5}$.

Remarque 1:   Nous savons comment inverser une matrice (voir section 6.4.) Évidemment, si nous voulions comparer les quatre méthodes de résolution que nous venons de voir, cette dernière méthode, celle de la matrice inverse, offre les pires côtés! Il faut en effet inverser une matrice, ce qui est loin d'être une sinécure... Plus loin, nous verrons une nouvelle méthode d'inverser les matrices, méthode beaucoup plus simple que celle déjà apprise. Il faudra donc réserver l'utilisation de cette méthode aux cas où, pour différentes raisons, nous connaissons déjà l'inverse de la matrice des coefficients d'un système.

Remarque 2:   Résumons sommairement les méthodes de résolution déjà vues:

- MÉTHODE D'ÉLIMINATION ET DE SUBSTITUTION: - méthode consistant à faire apparaître, par manipulation des équations, la valeur d'une inconnue, puis, par substitution, d'une autre, etc.;
- méthode simple sur le plan théorique, mais pénible si le nombre d'équations et le nombre d'inconnues sont élevés;

- MÉTHODE D'ÉLIMINATION DE GAUSS: - méthode basée sur les transformations élémentaires de la matrice augmentée;
- le système est quelconque (m équations, n inconnues);

- MÉTHODE DE CRAMER: - méthode basée sur les propriétés des déterminants;
- le système doit posséder autant d'équations que d'inconnues;
- est surtout pratique pour les systèmes de 2 équations à 2 inconnues;
- est fastidieuse pour plus de 3 équations, car elle oblige au calcul de $n + 1$ déterminants d'ordre n;

- MÉTHODE DE LA MATRICE INVERSE: - méthode basée sur le calcul matriciel;
- le système doit posséder autant d'équations que d'inconnues;
- est surtout avantageuse si la matrice des coefficients est déjà inversée.

7.8 EXERCICES

1. Résoudre par la méthode d'élimination de Gauss:

a)
$$\begin{cases} 2x - y = 4 \\ x + y = 8 \end{cases}$$

b)
$$\begin{cases} 2x + y + t = 9 \\ x - y \quad\;\; = 2 \end{cases}$$

c)
$$\begin{cases} 3x + y + t = 2 \\ x - y + t = 1 \\ x + y - t = 2 \\ 3x + y \quad\;\; = 0 \end{cases}$$

d)
$$\begin{cases} 4x + y + t + w = 1 \\ x - y + t + w = 2 \\ t + w = 3 \end{cases}$$

e)
$$\begin{pmatrix} 2 & -1 & 3 \\ 1 & 0 & 0 \\ 4 & -2 & 3 \end{pmatrix} \begin{pmatrix} t \\ s \\ w \end{pmatrix} = \begin{pmatrix} 4 \\ 0 \\ 0 \end{pmatrix}$$

f)
$$\begin{cases} 4x + y = 0 \\ x = 0 \\ x + 2y = 4 \end{cases}$$

g)
$$\begin{cases} 3x + 4y + z = 2 \\ x - y + z = 2 \\ 2x - y + 3z = 6 \end{cases}$$

h)
$$\begin{cases} 4x + 6y + z + w = 9 \\ x - y + z = 3 \\ x + z + w = 0. \end{cases}$$

2. Il s'agit, dans cet exercice, de fournir la justification théorique de la méthode de Cramer. Cette méthode est basée sur les propriétés des déterminants. Il faut donc expliquer chaque étape du raisonnement suivant.

Soit le système $AX = B$ de n équations à n inconnues. Écrivons A et B sous forme vectorielle:

$$A = (\vec{v_1}, \vec{v_2}, ..., \vec{v_{i-1}}, \vec{v_i}, \vec{v_{i+1}}, ..., \vec{v_n})$$

Justifiez

$$B = (\vec{b}).$$

Supposons que det $A \neq 0$. Alors

$$x_i \det(\vec{v_1}, \vec{v_2}, ..., \vec{v_{i-1}}, \vec{v_i}, \vec{v_{i+1}}, ..., \vec{v_n})$$

$$= \det(\vec{v_1}, \vec{v_2}, ..., \vec{v_{i-1}}, x_i\vec{v_i}, \vec{v_{i+1}}, ..., \vec{v_n}) \qquad (?)$$

$$= \det(\vec{v_1}, \vec{v_2}, ..., \vec{v_{i-1}}, x_1\vec{v_1} + x_i\vec{v_i}, \vec{v_{i+1}}, ..., \vec{v_n}) \qquad (?)$$

$$= \det(\vec{v_1}, \vec{v_2}, ..., \vec{v_{i-1}}, x_1\vec{v_1} + x_2\vec{v_2} + x_i\vec{v_i}, \vec{v_{i+1}}, ..., \vec{v_n}) \qquad (?)$$

$$= \det(\vec{v_1}, \vec{v_2}, ..., \vec{v_{i-1}}, x_1\vec{v_1} + x_2\vec{v_2} + x_3\vec{v_3} + x_i\vec{v_i}, \vec{v_{i+1}}, ..., \vec{v_n}) \qquad (?)$$

$$\vdots$$

$$= \det (\vec{v_1}, \vec{v_2}, ..., \vec{v_{i-1}}, x_1\vec{v_1} + x_2\vec{v_2} + ... + x_{i-1}\vec{v_{i-1}} + x_i\vec{v_i} + x_{i+1}\vec{v_{i+1}} + ... + x_n\vec{v_n}, \vec{v_{i+1}}, ..., \vec{v_n}) \qquad (?)$$

$$= \det (\vec{v_1}, \vec{v_2}, ..., \vec{v_{i-1}}, \vec{b}, \vec{v_{i+1}}, ..., \vec{v_n}) \qquad (?)$$

Donc,

$$x_i = \frac{\det (\vec{v_1}, \vec{v_2}, ..., \vec{v_{i-1}}, \vec{b}, \vec{v_{i+1}}, ..., \vec{v_n})}{\det (\vec{v_1}, \vec{v_2}, ..., \vec{v_n})} \qquad (?)$$

3. Résoudre par la méthode de Cramer ou par la méthode de la matrice inverse, si cela est possible:

a)
$$\begin{cases} x + y = 4 \\ 2x - y = 0 \end{cases}$$

b)
$$\begin{cases} 3x + y = 12 \\ x + y = 0 \end{cases}$$

c)
$$\begin{cases} 3x - y = 4 \\ 2x + y = 1 \end{cases}$$

d)
$$\begin{cases} 4x + y = 1 \\ x - y = 9 \end{cases}$$

e)
$$\begin{cases} 4x + 6y + z = 2 \\ x - y + z = 1 \\ 4x - y - z = 0 \end{cases}$$

f)
$$\begin{cases} 3x + y + t = 2 \\ x - y = 4 \\ y + t = 0 \end{cases}$$

g)
$$\begin{cases} 14x + 15y + 12z = 36 \\ x - y - z = 1 \\ 3x + z = 2 \end{cases}$$

h)
$$\begin{cases} 2x + y = 4 \\ x - y = 2 \\ x + y = 1. \end{cases}$$

4. Résoudre les systèmes suivants par la méthode d'élimination et de substitution:

a)
$$\begin{cases} x + 2y + 3z = 3 \\ 2x + 3y + 8z = 4 \\ 3x + 2y + 17z = 1 \end{cases}$$

b)
$$\begin{cases} x + 2y - z + 3w = 4 \\ 2x - 4y - 4z + 3w = 9 \\ 3x + 6y - z + 8w = 12. \end{cases}$$

5. Pouvons-nous trouver un système homogène d'équations linéaires ayant une solution unique? Expliquer.

6. Pouvons-nous trouver un système homogène d'équations linéaires dont l'ensemble-solution est vide? Expliquer.

7. Ramener sous forme échelon. Déterminer si le système est consistant ou inconsistant. Dire si les solutions, si elles existent, sont uniques ou en nombre infini:

a)
$$\begin{cases} x + 4y + 2z = 1 \\ x + 5y = 2 \\ 3x - y + z = 2 \\ x + y + z = 0 \end{cases}$$

b)
$$\begin{pmatrix} 3 & -1 & 2 \\ 1 & 4 & 6 \\ 2 & 8 & 1 \end{pmatrix}\begin{pmatrix} x \\ y \\ z \end{pmatrix} = \begin{pmatrix} 0 \\ 0 \\ 0 \end{pmatrix}$$

c)
$$\begin{cases} 2x + y + z = 3 \\ x - y = 4 \end{cases}$$

d)
$$\begin{cases} 2x + y = 3 \\ 2x - y = 2 \\ -x + y = 1 \end{cases}$$

e)
$$\begin{cases} 4x + 6y + z = 4 \\ 3x + 7y + z = 0 \\ x - y + z = 8 \\ x + y - z = -8. \end{cases}$$

8. Résoudre:

a)
$$\begin{cases} x + 2y = -1 \\ 3x - y = 7 \end{cases}$$

b)
$$\begin{cases} y - 2z = -7 \\ 3y - 4z = 2 \end{cases}$$

c) $\begin{cases} 3x - 9y = -3 \\ -3x + 7y = 4 \end{cases}$

d) $\begin{cases} x + 2y - 3z = -1 \\ 7y - 11z = -10 \\ 3x + y = 4 \end{cases}$

e) $\begin{cases} 2x + y - 3z = 1 \\ -5y + z = 13 \\ x + y - 5z = 12 \end{cases}$

f)
$$x \begin{pmatrix} 1 \\ 2 \\ 3 \end{pmatrix} + y \begin{pmatrix} -1 \\ 0 \\ 4 \end{pmatrix} + z \begin{pmatrix} 4 \\ 3 \\ 8 \end{pmatrix} = \begin{pmatrix} 2 \\ -6 \\ 5 \end{pmatrix}$$

g)
$$\begin{pmatrix} 1 & 2 & -3 \\ 2 & -1 & 4 \\ 4 & 3 & -2 \end{pmatrix} \begin{pmatrix} x \\ y \\ z \end{pmatrix} = \begin{pmatrix} 6 \\ 2 \\ 12 \end{pmatrix}.$$

9. Existe-t-il des valeurs de k pour lesquelles les systèmes suivants admettent une et une seule solution ?

a) $\begin{cases} kx + y = 5 \\ 4x + ky = 10 \end{cases}$

b)
$$\begin{pmatrix} 1 & 3 & 2 \\ 0 & k & 1 \\ 6 & -1 & 2 \end{pmatrix} \begin{pmatrix} x \\ y \\ z \end{pmatrix} = \begin{pmatrix} 2 \\ 1 \\ 0 \end{pmatrix}$$

10. Résoudre:

a) $\begin{cases} 3x - 2y - z - 4w = 7 \\ x + 3z + 2w = -10 \\ x + 4y + 2z + w = 0 \end{cases}$

b) $\begin{cases} 2x + y + 5z + w = 5 \\ x + y - 3z - 4w = -1 \\ 3x + 6y - 2z + w = 8 \\ 2x + 2y + 2z - 3w = 2 \end{cases}$

c) $\begin{cases} 2x + y + 5z + w = 2 \\ x + y - z - 4w = 1 \\ 3x + 6y + 8z + w = 3 \\ 3x + 3y + z - 7w = 3 \end{cases}$

d) $\begin{cases} 2x - 3y + z = 0 \\ x + 5y - 3z = 3 \\ 5x + 12y - 8z = 9 \end{cases}$

e) $\begin{cases} x + 2y + 3z = 2 \\ 2x + 4y + z = -1 \\ 3x + 6y + 5z = 2 \end{cases}$

f) $\begin{cases} 6x - 2y + z = 1 \\ x - 4y + z = 0 \\ 4x + 6y - 3z = 0 \end{cases}$

g) $\begin{cases} x + 2y - 3z + 5w = 11 \\ 4x - y + z - 2w = 0 \\ 2x + 4y - 6z + 10w = 22 \\ 5x + y - 2z + 3w = 11 \end{cases}$

h) $\begin{cases} 3x - 2y = 1 \\ 4x + y = 41 \\ 6x + 2y = 23 \end{cases}$

i) $\begin{cases} 3x + y = 1 \\ 5x - 2y = 20 \\ 4x + y = -7 \end{cases}$

j) $\begin{cases} x + y + z = 2 \\ 4x + y - 3z = -15 \\ 5x - 3y + 4z = 23 \\ 7x - y + 6z = 7 \end{cases}$

k) $\begin{cases} x + y = 5 \\ y + z = 8 \\ x + z = 7 \end{cases}$

l) $\begin{cases} 2x - 3y + 3z = 0 \\ 3x - 4y + 5z = 0 \\ 5x + y + z = 0 \end{cases}$

m)
$$\begin{cases} 4x + y - 2z = 0 \\ x - y + z = 0 \\ 11x - 4y - z = 0 \end{cases}$$

n)
$$\begin{cases} x + 2y + z = 0 \\ 3x + y + 3z = 0 \\ 5x + 10y + 5z = 0 \end{cases}$$

o)
$$\begin{cases} 2x + y = 0 \\ 3y - 2z = 0 \\ 2y + w = 0 \\ 4x - w = 0. \end{cases}$$

11. Un homme d'affaires emprunte 1 400 $ à un certain taux, tout en prêtant 2 600 $ à un taux plus intéressant. Cette opération lui permet de réaliser un bénéfice, pour l'année, de 197,80 $. Un peu plus tard, aux mêmes conditions, il emprunte 3 000 $ et prête 4 200 $, réalisant alors un bénéfice de 225 $. Déterminer les taux de prêt et d'emprunt.

12. Il s'agit de trouver un nombre composé de trois chiffres tel que: 1° la somme des chiffres est 12; 2° le chiffre des dizaines est inférieur de 1 à celui des centaines; 3° le nombre renversé s'obtient en ajoutant 396 au nombre initial.

13. Soit $f(x) = ax^3 + bx^2 + cx + d$, une fonction telle que $f(-1) = 0$, $f\left(\frac{1}{2}\right) = 3$, $f(1) = 4$ et $f(2) = 15$. Trouver les valeurs de a, b, c et d.

7.9   UNE NOUVELLE MÉTHODE POUR INVERSER LES MATRICES: RÉSOLUTION SIMULTANÉE DE SYSTÈMES PAR LA MÉTHODE D'ÉLIMINATION DE GAUSS

À la section 6.6, nous avons vu qu'inverser une matrice revient à résoudre plusieurs systèmes d'équations. Mettons donc à profit le présent chapitre pour améliorer notre façon d'inverser une matrice.

Exemple: Soit la matrice

$$\begin{pmatrix} 1 & 0 & 0 \\ 2 & 2 & -1 \\ 1 & -1 & 1 \end{pmatrix}$$

à inverser. Il s'agit donc de trouver une matrice

$$\begin{pmatrix} x & y & z \\ w & t & r \\ v & s & p \end{pmatrix}$$

telle que

$$\begin{pmatrix} 1 & 0 & 0 \\ 2 & 2 & -1 \\ 1 & -1 & 1 \end{pmatrix} \begin{pmatrix} x & y & z \\ w & t & r \\ v & s & p \end{pmatrix} = \begin{pmatrix} 1 & 0 & 0 \\ 0 & 1 & 0 \\ 0 & 0 & 1 \end{pmatrix}.$$

Ce produit matriciel peut s'écrire comme solution des trois systèmes suivants:

$$S_1 \begin{cases} x & = 1 \\ 2x + 2w - v = 0 \\ x - w + v = 0 \end{cases}$$

$$S_2 \begin{cases} y & = 0 \\ 2y + 2t - s = 1 \\ y - t + s = 0 \end{cases}$$

$$S_3 \begin{cases} z & = 0 \\ 2z + 2r - p = 0 \\ z - r + p = 1. \end{cases}$$

Ce qui est intéressant, c'est que les systèmes S_1, S_2 et S_3 ont la même matrice des coefficients:

$$\begin{pmatrix} 1 & 0 & 0 \\ 2 & 2 & -1 \\ 1 & -1 & 1 \end{pmatrix}.$$

Comme, dans la méthode d'élimination de Gauss, n'interviennent que des transformations des lignes, nous pouvons mener de front l'étude des trois systèmes en considérant comme matrice augmentée:

$$\left(\begin{array}{ccc|c|c|c} 1 & 0 & 0 & 1 & 0 & 0 \\ 2 & 2 & -1 & 0 & 1 & 0 \\ 1 & -1 & 1 & 0 & 0 & 1 \end{array} \right).$$

À la suite des transformations élémentaires (sur les lignes!), nous obtenons la matrice augmentée suivante:

$$\left(\begin{array}{ccc|c|c|c} 1 & 0 & 0 & 1 & 0 & 0 \\ 0 & 1 & 0 & -3 & 1 & 1 \\ 0 & 0 & 1 & -4 & 1 & 2 \end{array} \right).$$

Alors,

$$\begin{cases} x & = 1 \\ w & = -3 \\ v = -4 \end{cases} \quad \text{(système équivalent à } S_1\text{)}$$

$$\begin{cases} y & = 0 \\ t & = 1 \\ s = 1 \end{cases} \quad \text{(système équivalent à } S_2\text{)}$$

$$\begin{cases} z & = 0 \\ r & = 1 \\ p = 2. \end{cases} \quad \text{(système équivalent à } S_3\text{)}$$

Ainsi, la matrice inverse n'est rien d'autre que

$$\begin{pmatrix} 1 & 0 & 0 \\ -3 & 1 & 1 \\ -4 & 1 & 2 \end{pmatrix}.$$

*Inversion de matrice par la méthode
d'élimination de Gauss:*

Inverser une matrice par la *méthode d'élimination de Gauss* consiste à modifier par des transformations élémentaires la matrice augmentée $A \mid I_n$ jusqu'à l'obtention d'une matrice de la forme $I_n \mid B$. Alors, si cette modification est possible,

$$B = A^{-1}.$$

La méthode de Gauss présente l'avantage de permettre la résolution simultanée de plusieurs systèmes ayant une même matrice des coefficients. C'est cet avantage qui est mis à profit pour inverser une matrice. Toutefois, la résolution simultanée de systèmes, par la méthode d'élimination de Gauss, n'a pas comme seule application de permettre l'inversion de matrices.

Exemple: Nous pouvons résoudre simultanément ces deux systèmes:

$$\begin{cases} x - y - z = 8 \\ y + z = 7 \\ x \quad + z = 6 \end{cases}$$

et

$$\begin{cases} w - r \ - t = -1 \\ \quad\ \ r + t = \ 0 \\ w \quad\ + t = \ 9 \end{cases}$$

en modifiant la matrice augmentée:

$$\left(\begin{array}{ccc|c|c} 1 & -1 & -1 & 8 & -1 \\ 0 & 1 & 1 & 7 & 0 \\ 1 & 0 & 1 & 6 & 9 \end{array} \right).$$

À la suite de transformations élémentaires, nous avons obtenu:

$$\left(\begin{array}{ccc|c|c} 1 & 0 & 0 & 15 & -1 \\ 0 & 1 & 0 & 16 & -10 \\ 0 & 0 & 1 & -9 & 10 \end{array} \right).$$

Alors, (15, 16, −9) est solution du premier système, tandis que (−1, −10, 10) est solution du deuxième.

7.10 EXERCICES

1. Inverser les matrices suivantes par la méthode d'élimination de Gauss:

a) $\begin{pmatrix} 1 & 2 \\ 3 & -4 \end{pmatrix}$

b) $\begin{pmatrix} 1 & 1 \\ 2 & 1 \end{pmatrix}$

c) $\begin{pmatrix} 1 & 2 \\ 0 & -1 \end{pmatrix}$

d) $\begin{pmatrix} 1 & 2 & 0 \\ 0 & 1 & 0 \\ 0 & 0 & 1 \end{pmatrix}$

e) $\begin{pmatrix} 1 & 2 & 3 \\ 2 & 3 & 1 \\ 3 & 1 & 2 \end{pmatrix}$

f) $\begin{pmatrix} 3 & 2 & 4 & 1 \\ 1 & 0 & 1 & 0 \\ 3 & 1 & 0 & 1 \\ 0 & 1 & 0 & 2 \end{pmatrix}.$

2. Résoudre le système suivant par la méthode de la matrice inverse:

$$\begin{cases} 4x_1 \quad\quad + x_3 = 2 \\ 2x_1 - 3x_2 + x_3 = 0 \\ x_1 + 2x_2 - x_3 = 1. \end{cases}$$

3. Résoudre simultanément:

a) $\begin{cases} 2x - y + t = 0 \\ x + y + t = 4 \end{cases}$ et $\begin{cases} 2r - p + q = 0 \\ r + p + q = 5 \end{cases}$

b) $\begin{cases} 6x - 4y + 8z = 9 \\ x - y + z = 0 \\ x + y + 2z = 6 \end{cases}$ et $\begin{cases} 6x - 4y + 8z = 10 \\ x - y + z = -1 \\ x + y + 2z = 3 \end{cases}$

7.11   RANG D'UN SYSTÈME D'ÉQUATIONS LINÉAIRES

Nous avons déjà défini le rang d'une matrice (voir section 5.11). Le rang de la matrice A, noté r (A), est l'ordre de la plus grande sous-matrice carrée contenue dans A dont le déterminant est non nul. Par exemple, si

$$A = \begin{pmatrix} 1 & 2 & -1 & 1 \\ 4 & 0 & -5 & 0 \\ 3 & -2 & -4 & 0 \end{pmatrix},$$

r(A) égale 3, car

$$\begin{vmatrix} 1 & 2 & 1 \\ 4 & 0 & 0 \\ 3 & -2 & 0 \end{vmatrix} = -8 \neq 0.$$

En un premier temps, nous présenterons quelques théorèmes de nature à simplifier le calcul du rang d'une matrice.

THÉORÈME:

L'une ou l'autre des transformations suivantes opérées sur une matrice n'en affecte pas le rang:

- permuter deux lignes,

- multiplier une ligne par une constante non nulle,

- ajouter à une ligne k fois une autre.

Démonstration:

Bornons-nous à démontrer le théorème dans le cas où la matrice est multipliée par une constante non nulle, la démonstration des autres cas étant laissée aux bons soins du lecteur. En vertu des propriétés des déterminants, l'opération consistant à multiplier une ligne par une constante non nulle ne peut transformer un déterminant nul en un déterminant non nul, ou vice-versa, car

$$\det (\vec{v}_1, \vec{v}_2, ..., k\vec{v}_i, ..., \vec{v}_n) = k \det (\vec{v}_1, \vec{v}_2, ..., \vec{v}_i, ..., \vec{v}_n).$$

Le rang n'est donc pas modifié. □

Le théorème précédent permet de calculer plus facilement le rang d'une matrice A. Il suffit de modifier A par l'une ou l'autre des transformations permises. Ces transformations n'affectent que les lignes de A. Il faut toutefois noter que ces mêmes transformations, opérées sur les colonnes de A, n'affectent pas, elles non plus, le rang de A. C'est l'objet du théorème suivant, admis sans démonstration.

THÉORÈME:

L'une ou l'autre des transformations suivantes opérées sur une matrice n'en affecte pas le rang:

- permuter deux colonnes,

- multiplier une colonne par une constante non nulle,

- ajouter à une colonne k fois une autre.

Nous pouvons tirer le maximum des deux théorèmes précédents lors du calcul du rang d'une matrice. Il suffit en effet de modifier la matrice jusqu'à l'obtention d'une forme avantageuse. Par exemple, le rang des matrices suivantes est facilement calculable:

$$r \begin{pmatrix} 1 & 3 & 2 & 4 & 3 \\ 0 & 1 & 2 & -8 & 2 \\ 0 & 0 & 3 & 4 & 1 \\ 0 & 0 & 0 & 1 & -1 \end{pmatrix} = 4$$

$$r \begin{pmatrix} 1 & -3 & 2 & 2 \\ 0 & 1 & 4 & 3 \\ 0 & 0 & 0 & 0 \end{pmatrix} = 2$$

$$r \begin{pmatrix} 1 & 2 & 0 & 4 & 6 \\ 0 & -1 & 3 & 5 & 7 \\ 0 & 0 & 0 & 0 & 6 \\ 0 & 0 & 0 & 0 & 0 \\ 0 & 0 & 0 & 0 & 0 \end{pmatrix} = 3.$$

Pourquoi? Certaines règles sont faciles à imaginer:

- le rang est inférieur (ou égal) au nombre de lignes, ainsi qu'au nombre de colonnes de la matrice;

- si la matrice contient une ligne (ou une colonne) de 0, nous n'avons pas à tenir compte de cette ligne (ou de cette colonne) dans le calcul du rang;

- le rang d'une matrice triangulaire, dont les éléments sur la diagonale sont non nuls, équivaut au nombre de lignes (ou de colonnes) de cette matrice.

Ce sont ces règles qui ont justifié le calcul, devenu presque immédiat, du rang des matrices précédentes.

Il suffit donc, par des transformations permises, de modifier une matrice de façon à n'obtenir que des 0 sous les premiers termes non nuls de chaque ligne. Son rang est alors facilement calculable.

Présentons maintenant quelques théorèmes reliant la notion de rang à celle de solution d'un système de m équations à n inconnues, x_1, x_2, ..., x_n. Nous supposerons que le système est noté $AX = B$, A désignant la matrice des coefficients, tandis que $A \mid B$ désigne la matrice augmentée du système.

THÉORÈME:

Le système $AX = B$ admet une infinité de solutions si et seulement si
$$r(A \mid B) = r(A) < n.$$

THÉORÈME:

Le système $AX = B$ admet une et une seule solution si et seulement si
$$r(A \mid B) = r(A) = n.$$

THÉORÈME:

Le système AX = B est inconsistant si et seulement si

$$r(A \mid B) \neq r(A).$$

La démonstration de ces trois derniers théorèmes ne pose pas beaucoup de difficultés. Il suffit d'analyser chacun des cas en étudiant le système ramené sous forme échelon.

Pour terminer, présentons un théorème d'une surprenante utilité. À sa lecture, nous en comprenons bien toute l'importance.

THÉORÈME:

Soit une matrice A. Le nombre de vecteurs-lignes linéairement indépendants et le nombre de vecteurs-colonnes linéairement indépendants sont égaux. De plus, ce nombre est égal au rang de A.

7.12 EXERCICES

1. Calculer le rang des matrices suivantes:

a) $\begin{pmatrix} 2 & 3 & 4 & -1 & 0 \\ 0 & 4 & -1 & 2 & 1 \\ 0 & 2 & 0 & 10 & 8 \end{pmatrix}$

b) $\begin{pmatrix} 2 & -3 & -9 \\ 3 & 1 & 9 \\ 2 & -9 & 0 \end{pmatrix}$

c) $\begin{pmatrix} 6 & -3 & -9 & 3 & 0 \\ 4 & 1 & 8 & 2 & 1 \\ 3 & -1 & 2 & 0 & 0 \\ 0 & 23 & 10 & 1 & 0 \end{pmatrix}$

d) $\begin{pmatrix} 9 & 0 & 1 \\ 0 & 1 & 2 \\ 2 & 4 & 5 \\ 2 & 8 & 1 \end{pmatrix}.$

2. À l'aide du rang, analyser la nature des solutions des systèmes d'équations linéaires suivants:

a)
$$\begin{cases} 2x - y + z = 0 \\ x + y + z = 5 \\ x \quad + z = 0 \end{cases}$$

b)
$$\begin{cases} -x \quad + z = 1 \\ x + y \quad = 2 \\ \quad - y + z = 0 \\ x + y + z = 1 \end{cases}$$

c)
$$\begin{cases} x + y + 23z = -1 \\ x - y + 4z = 0 \\ -x \quad + z = 9 \end{cases}$$

d)
$$\begin{cases} 2x - 3y + 4z = 10 \\ x - y - z = 0. \end{cases}$$

3. À l'aide du rang, déterminer si les vecteurs suivants sont linéairement indépendants:

a) $\{(1, 2, 3), (23, 6, -1), (3, 7, 1)\}$;

b) $\{(1, -1, 9, 0), (8, 0, 1, 3), (3, -1, 2, 0)\}$;

c) $\{(0, 1, 0, 1), (2, 0, 1, 1), (2, 3, 0, 1)\}$;

d) $\{(1, 0, 1, 0), (0, 1, 8, 1), (2, 3, 0, 2), (0, 2, 1, 0)\}$.

4. Démontrer les trois théorèmes des pages 188 et 189 reliant la notion de rang à celle de solution d'un système d'équations.

Chapitre **8**

Produits de vecteurs

À la section 1.7, nous avons défini le produit d'un vecteur par un scalaire. Il existe deux autres types de produits de vecteurs: le *produit scalaire* et le *produit vectoriel*. De plus, un autre produit, appelé *produit mixte*, fait intervenir les produits vectoriel et scalaire. Voilà ce que nous allons étudier au cours de ce chapitre.

8.1   LE PRODUIT SCALAIRE

Ramenons-nous d'abord aux vecteurs géométriques. Avant de définir le produit scalaire, nous allons préciser ce qu'il faut entendre par angle entre deux vecteurs.

DÉFINITION: *L'angle entre deux vecteurs $\vec{a}$ et $\vec{b}$, noté $(\vec{a}, \vec{b})$,* est l'angle formé par ces deux vecteurs lorsque ramenés à une origine commune.

Exemple:

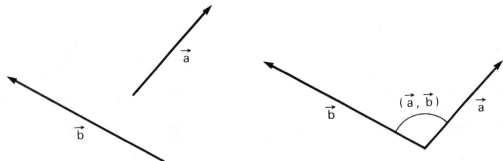

Fig. 8.1

C'est un angle non orienté, qui varie dans l'intervalle $[0, \pi]$.

DÉFINITION: Le *produit scalaire de deux vecteurs* $\vec{a}$ et $\vec{b}$, *noté* $\vec{a} \cdot \vec{b}$, est le scalaire défini par:

$$\vec{a} \cdot \vec{b} = |\vec{a}| \, |\vec{b}| \cos(\vec{a}, \vec{b}).$$

Si $\vec{a}$ et $\vec{b}$ sont deux vecteurs non nuls, nous aurons:

$$\vec{a} \cdot \vec{b} > 0 \iff 0 \leqslant (\vec{a}, \vec{b}) < \pi/2,$$

$$\vec{a} \cdot \vec{b} = 0 \iff (\vec{a}, \vec{b}) = \pi/2,$$

$$\vec{a} \cdot \vec{b} < 0 \iff \pi/2 < (\vec{a}, \vec{b}) \leqslant \pi.$$

Exemple 1:   Calculons le produit scalaire des vecteurs $\vec{a} = (3, 3)$ et $\vec{b} = (-4, 0)$.

Ces vecteurs forment un angle de $\dfrac{3}{4}\pi$ radians. D'où:

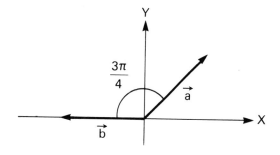

$$\vec{a} \cdot \vec{b} = \sqrt{18} \ \sqrt{16} \ \cos \frac{3}{4}\pi$$

$$= \sqrt{288}\left(-\frac{\sqrt{2}}{2}\right)$$

$$= -12.$$

Fig. 8.2

Exemple 2:   Calculons tous les produits scalaires possibles entre les vecteurs $\vec{i}$, $\vec{j}$ et $\vec{k}$:

$$\vec{i} \cdot \vec{j} = 1 \times 1 \times \cos \frac{\pi}{2} = 0 = \vec{j} \cdot \vec{i}$$

$$\vec{i} \cdot \vec{k} = 0 = \vec{k} \cdot \vec{i}$$

$$\vec{j} \cdot \vec{k} = 0 = \vec{k} \cdot \vec{j}$$

$$\vec{i} \cdot \vec{i} = 1 \times 1 \times \cos 0 = 1$$

$$\vec{j} \cdot \vec{j} = 1$$

$$\vec{k} \cdot \vec{k} = 1$$

Les vecteurs $\vec{i}$, $\vec{j}$, $\vec{k}$ étant perpendiculaires deux à deux, le produit scalaire de deux de ces vecteurs sera nul s'ils sont différents, et sera égal à 1 s'ils sont identiques.

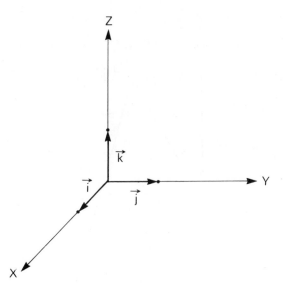

Fig. 8.3

Prenons maintenant deux vecteurs quelconques dans le repère $(O, \vec{i}, \vec{j}, \vec{k})$:

$$\vec{u} = u_1 \vec{i} + u_2 \vec{j} + u_3 \vec{k} \quad \text{et} \quad \vec{v} = v_1 \vec{i} + v_2 \vec{j} + v_3 \vec{k}.$$

Voyons s'il existe un lien entre les composantes de $\vec{u}$ et $\vec{v}$ et l'expression de

$$\vec{u} \cdot \vec{v} = |\vec{u}| \, |\vec{v}| \cos (\vec{u}, \vec{v}).$$

À cette fin, reportons les vecteurs

$$\vec{u} = (u_1, u_2, u_3) \quad \text{et} \quad \vec{v} = (v_1, v_2, v_3)$$

à l'origine d'un système d'axes dans le repère $(O, \vec{i}, \vec{j}, \vec{k})$, de façon que $\vec{u} = \overrightarrow{OA}$, $\vec{v} = \overrightarrow{OB}$, et donc

$$\overrightarrow{AB} = (v_1 - u_1, v_2 - u_2, v_3 - u_3).$$

Soit θ, l'angle formé par les vecteurs $\overrightarrow{OA}$ et $\overrightarrow{OB}$.

Le produit scalaire des vecteurs $\vec{u}$ et $\vec{v}$ tel qu'il a été défini, donne:

$$\vec{u} \cdot \vec{v} = |\vec{u}| \, |\vec{v}| \cos \theta$$

$$= |\overrightarrow{OA}| \, |\overrightarrow{OB}| \cos \theta. \qquad (^1)$$

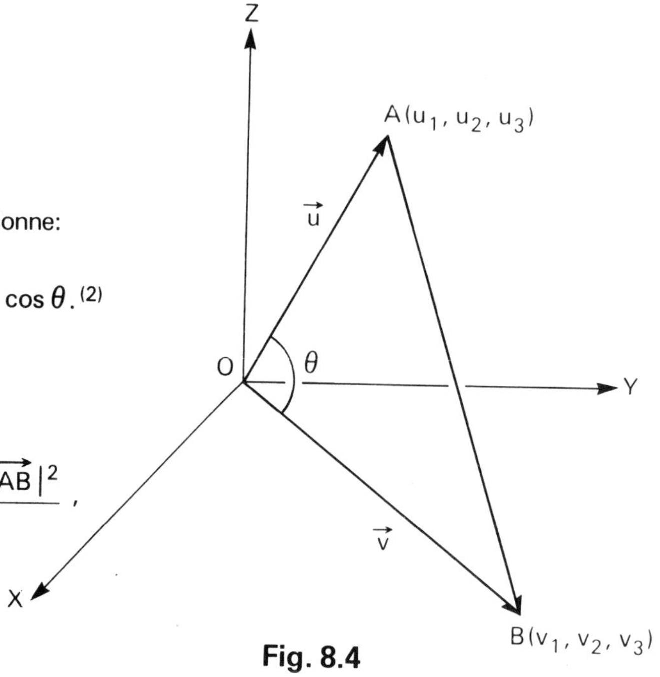

D'autre part, dans le triangle OAB, la loi des cosinus donne:

$$|\overrightarrow{AB}|^2 = |\overrightarrow{OA}|^2 + |\overrightarrow{OB}|^2 - 2|\overrightarrow{OA}| \, |\overrightarrow{OB}| \cos \theta. \, (^2)$$

De $(^2)$, nous pouvons tirer:

$$|\overrightarrow{OA}| \, |\overrightarrow{OB}| \cos \theta = \frac{|\overrightarrow{OA}|^2 + |\overrightarrow{OB}|^2 - |\overrightarrow{AB}|^2}{2},$$

c.-à-d.

Fig. 8.4

$$|\overrightarrow{OA}| \, |\overrightarrow{OB}| \cos \theta = \frac{1}{2} \left[u_1^2 + u_2^2 + u_3^2 + v_1^2 + v_2^2 + v_3^2 \right.$$

$$\left. - \left\{ (v_1 - u_1)^2 + (v_2 - u_2)^2 + (v_3 - u_3)^2 \right\} \right]$$

$$= \frac{1}{2} (2u_1 v_1 + 2u_2 v_2 + 2u_3 v_3)$$

$$= u_1 v_1 + u_2 v_2 + u_3 v_3.$$

Il y a donc égalité entre les expressions $u_1 v_1 + u_2 v_2 + u_3 v_3$ et $|\vec{u}| \, |\vec{v}| \cos (\vec{u}, \vec{v})$, et cela donne une autre définition du produit scalaire de deux vecteurs exprimés dans la base orthonormée $<\vec{i}, \vec{j}, \vec{k}>$.

DÉFINITION: Le *produit scalaire* de deux vecteurs $\vec{u} = (u_1, u_2, u_3)$ et $\vec{v} = (v_1, v_2, v_3)$ exprimés dans la base $<\vec{i}, \vec{j}, \vec{k}>$ est:

$$\vec{u} \cdot \vec{v} = u_1 v_1 + u_2 v_2 + u_3 v_3.$$

Remarque 1:   De même, pour les vecteurs géométriques de dimension 2, $\vec{u}$ et $\vec{v}$, où $\vec{u} = (u_1, u_2)$ et $\vec{v} = (v_1, v_2)$ exprimés dans la base $<\vec{i}, \vec{j}>$, une démarche semblable donnerait:

$$\vec{u} \cdot \vec{v} = u_1 v_1 + u_2 v_2.$$

Remarque 2:   Si nous comparons les expressions obtenues pour le produit scalaire de deux vecteurs, nous pouvons dire que

$$|\vec{u}|\,|\vec{v}|\cos(\vec{u}, \vec{v}) \qquad \text{est la } \textit{forme géométrique} \text{ du produit scalaire, et}$$

$$u_1 v_1 + u_2 v_2 + u_3 v_3 \qquad \text{est la } \textit{forme algébrique.}$$

La forme algébrique du produit scalaire offre l'avantage de pouvoir être généralisée au cas des vecteurs algébriques de dimension n.

DÉFINITION: Le *produit scalaire* de deux vecteurs $\vec{u} = (u_1, u_2, ..., u_n)$ et $\vec{v} = (v_1, v_2, ..., v_n)$ exprimés dans une base orthonormée est:

$$\vec{u} \cdot \vec{v} = u_1 v_1 + u_2 v_2 + ... + u_n v_n = \sum_{i=1}^{n} u_i v_i.$$

À cause de la définition même, le produit scalaire ne sera défini qu'entre des vecteurs de même dimension.

Propriétés du produit scalaire:

Quels que soient les vecteurs $\vec{u}, \vec{v}, \vec{w}$ de dimension n et quel que soit $k \in \mathbb{R}$

i) $\vec{u} \cdot \vec{v} = \vec{v} \cdot \vec{u}$;

ii) $\vec{u} \cdot (\vec{v} + \vec{w}) = \vec{u} \cdot \vec{v} + \vec{u} \cdot \vec{w}$;

iii) $(k\vec{u}) \cdot \vec{v} = k(\vec{u} \cdot \vec{v})$;

iv) $\vec{u} \cdot \vec{u} = |\vec{u}|^2$.

Démonstration:

i) $\vec{u} \cdot \vec{v} = (u_1, u_2, ..., u_n) \cdot (v_1, v_2, ..., v_n)$

   $= u_1 v_1 + u_2 v_2 + ... + u_n v_n$ (définition du produit scalaire)

   $= v_1 u_1 + v_2 u_2 + ... + v_n u_n$ (commutativité dans $\mathbb{R}$)

   $= (v_1, v_2, ..., v_n) \cdot (u_1, u_2, ..., u_n)$ (définition du produit scalaire)

   $= \vec{v} \cdot \vec{u}.$

La démonstration des autres propriétés est laissée en exercice.   □

Essayons maintenant de retrouver l'expression algébrique du produit scalaire de deux vecteurs en appliquant les propriétés précédentes. Soit $\vec{u} = u_1\vec{i} + u_2\vec{j} + u_3\vec{k}$ et $\vec{v} = v_1\vec{i} + v_2\vec{j} + v_3\vec{k}$. Alors

$$\vec{u} \cdot \vec{v} = (u_1\vec{i} + u_2\vec{j} + u_3\vec{k}) \cdot (v_1\vec{i} + v_2\vec{j} + v_3\vec{k})$$

$$= \big[(u_1\vec{i}) \cdot (v_1\vec{i}) + (u_1\vec{i}) \cdot (v_2\vec{j}) + (u_1\vec{i}) \cdot (v_3\vec{k}) + (u_2\vec{j}) \cdot (v_1\vec{i})$$

$$+ (u_2\vec{j}) \cdot (v_2\vec{j}) + (u_2\vec{j}) \cdot (v_3\vec{k}) + (u_3\vec{k}) \cdot (v_1\vec{i}) + (u_3\vec{k}) \cdot (v_2\vec{j}) + (u_3\vec{k}) \cdot (v_3\vec{k})\big]$$

(propriété ii)

$$= \big[u_1v_1\,\vec{i} \cdot \vec{i} + u_1v_2\,\vec{i} \cdot \vec{j} + u_1v_3\,\vec{i} \cdot \vec{k} + u_2v_1\,\vec{j} \cdot \vec{i} + u_2v_2\,\vec{j} \cdot \vec{j}$$

$$+ u_2v_3\,\vec{j} \cdot \vec{k} + u_3v_1\,\vec{k} \cdot \vec{i} + u_3v_2\,\vec{k} \cdot \vec{j} + u_3v_3\,\vec{k} \cdot \vec{k}\big] \quad \text{(propriété iii)}$$

$$= u_1v_1 + u_2v_2 + u_3v_3 \qquad \text{(car } \vec{i} \cdot \vec{i} = \vec{j} \cdot \vec{j} = \vec{k} \cdot \vec{k} = 1$$

$$\text{et } \vec{i} \cdot \vec{j} = \vec{j} \cdot \vec{i} = \vec{i} \cdot \vec{k} = \vec{k} \cdot \vec{i} = \vec{j} \cdot \vec{k} = \vec{k} \cdot \vec{j} = 0;$$

(voir exemple 2).

La double définition du produit scalaire permet de calculer facilement *l'angle formé par deux vecteurs géométriques*:

$$\forall\, \vec{u}, \vec{v} \neq \vec{0}, \cos(\vec{u}, \vec{v}) = \frac{\vec{u} \cdot \vec{v}}{|\vec{u}|\,|\vec{v}|}\,.$$

Exemple: Calculer l'angle formé par les vecteurs $\vec{u} = (2, 3, 0)$ et $\vec{v} = (1, 1, 1)$:

$$\cos(\vec{u}, \vec{v}) = \frac{2 \times 1 + 3 \times 1 + 0 \times 1}{\sqrt{13}\ \sqrt{3}} = 5/\sqrt{39}\,.$$

Alors,

$$(\vec{u}, \vec{v}) = \arccos(5/\sqrt{39}) \simeq 36{,}8°.$$

THÉORÈME:

$$\forall \vec{u}, \vec{v} \neq \vec{0}, \vec{u} \cdot \vec{v} = 0 \Longleftrightarrow \vec{u} \perp \vec{v}.$$

Démonstration:

$$\vec{u} \cdot \vec{v} = 0 \Longleftrightarrow |\vec{u}||\vec{v}| \cos(\vec{u}, \vec{v}) = 0 \qquad \text{(définition du produit scalaire)}$$

$$\Longleftrightarrow \cos(\vec{u}, \vec{v}) = 0 \qquad (\text{car } \vec{u}, \vec{v} \neq \vec{0})$$

$$\Longleftrightarrow (\vec{u}, \vec{v}) = \pi/2 \qquad (\text{car } 0 \leqslant (\vec{u}, \vec{v}) \leqslant \pi)$$

$$\Longleftrightarrow \vec{u} \perp \vec{v}.$$

$\square$

8.2   VECTEUR-PROJECTION ET MESURE ALGÉBRIQUE

Lorsque, à la section 2.2, nous avons étudié la dépendance linéaire des vecteurs, nous avons appris à projeter un vecteur sur un autre vecteur.

Ainsi, dans la figure 8.5, $\vec{w}$ est projeté sur $\vec{u}$ parallèlement à $\vec{v}$, et sur $\vec{v}$, parallèlement à $\vec{u}$. Cette construction nous permet de dire que $\vec{w}$ est combinaison linéaire de $\vec{u}$ et $\vec{v}$, et de conclure que les vecteurs $\vec{u}$, $\vec{v}$ et $\vec{w}$ sont linéairement dépendants.

Cependant ces projections ne sont pas généralement orthogonales (à moins que $\vec{u}$ et $\vec{v}$ ne soient perpendiculaires entre eux).

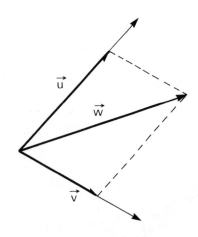

Fig. 8.5

DÉFINITION: Le *vecteur-projection de $\vec{u}$ sur $\vec{v}$*, noté $\vec{u}_{\vec{v}}$, est le vecteur obtenu par la projection orthogonale de $\vec{u}$ sur le vecteur $\vec{v}$, ou sur son prolongement, lorsque $\vec{u}$ et $\vec{v}$ sont reportés à la même origine.

Exemple:

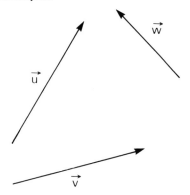
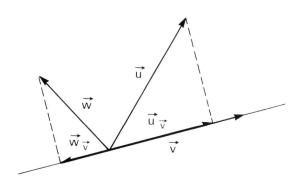

Fig. 8.6

C'est donc un vecteur qui est dans le même sens que $\vec{v}$ si $(\vec{u}, \vec{v})$ est entre 0 et $\pi/2$ et dans le sens contraire de $\vec{v}$ si $(\vec{u}, \vec{v})$ est entre $\pi/2$ et π. Évidemment, si $(\vec{u}, \vec{v}) = \pi/2$, c.-à-d. si $\vec{u} \perp \vec{v}$, alors $\vec{u}_{\vec{v}} = \vec{0}$. Comme le vecteur $\vec{u}_{\vec{v}}$ est parallèle au vecteur $\vec{v}$, il sera donc un multiple scalaire de $\vec{v}$. Ainsi, dans la figure 8.7,

$$\vec{u}_{\vec{v}} = \frac{1}{2} \vec{v} :$$

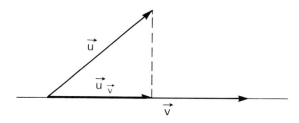

Fig. 8.7

De façon générale:

$$\vec{u}_{\vec{v}} = k\vec{v} \text{ où } k = \frac{\vec{u} \cdot \vec{v}}{\vec{v} \cdot \vec{v}} .$$

La démonstration de ce résultat sera demandée en exercice.

Exemple: Soit, dans la figure 8.7, $\vec{v} = (6, 0)$ et $\vec{u} = (3, 3)$. Alors

$$\vec{u}_{\vec{v}} = \frac{\vec{u} \cdot \vec{v}}{\vec{v} \cdot \vec{v}} \vec{v} = \frac{(6,0) \cdot (3,3)}{36} \vec{v} = \frac{18}{36} \vec{v} = \frac{1}{2} \vec{v} .$$

DÉFINITION: La *mesure algébrique* d'un vecteur $\vec{u}$, notée *m.a.* $(\vec{u})$, est un nombre réel qui exprime la longueur de ce vecteur $\vec{u}$ par rapport à un axe de référence orienté, parallèle à $\vec{u}$.

Ainsi, m.a. $(\vec{u}) = + \left| \vec{u} \right|$ si $\vec{u}$ est dans le même sens que l'axe et
m.a. $(\vec{u}) = - \left| \vec{u} \right|$ si $\vec{u}$ est dans le sens contraire de l'axe.

Exemple: Dans la figure 8.8, la mesure algébrique de $\vec{a}$ par rapport à l'axe des X est 3, celle de $\vec{b}$ est -4. La mesure algébrique de $\vec{c}$ par rapport à l'axe des X n'est pas définie, mais est 2 par rapport à l'axe des Y. La mesure algébrique de $\vec{d}$ n'est définie par rapport à aucun des axes de coordonnées, mais serait définie par rapport à un axe orienté qui serait parallèle à $\vec{d}$.

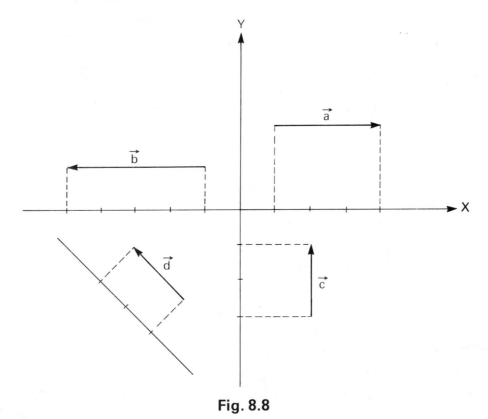

Fig. 8.8

THÉORÈME:

La mesure algébrique de la projection orthogonale de $\vec{u}$ sur $\vec{v}$ est égale à $\dfrac{\vec{u} \cdot \vec{v}}{\left| \vec{v} \right|}$, par rapport à un axe de référence de même orientation que $\vec{v}$.

Démonstration:

Distinguons suivant la valeur de l'angle formé par $\vec{u}$ et $\vec{v}$:

1° $0 < (\vec{u}, \vec{v}) < \pi/2$:

$$\cos(\vec{u}, \vec{v}) = \frac{|\overrightarrow{OC}|}{|\overrightarrow{OA}|} = \frac{|\vec{u}_{\vec{v}}|}{|\vec{u}|} .$$

Donc: $|\vec{u}_{\vec{v}}| = |\vec{u}| \cos(\vec{u}, \vec{v})$.

Mais, $\vec{u}_{\vec{v}}$ est dans le même sens que $\vec{v}$, donc:

$$\text{m.a.} (\vec{u}_{\vec{v}}) = + |\vec{u}_{\vec{v}}|$$

$$= |\vec{u}| \cos(\vec{u}, \vec{v})$$

$$= \frac{\vec{u} \cdot \vec{v}}{|\vec{v}|} \quad ;$$

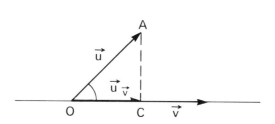

Fig. 8.9

2° $(\vec{u}, \vec{v}) = \pi/2$:

Alors,

$$\vec{u}_{\vec{v}} = \vec{0} \text{ et } |\vec{u}_{\vec{v}}| = 0.$$

Donc:

$$\text{m.a.} (\vec{u}_{\vec{v}}) = 0 = \frac{|\vec{u}| \, |\vec{v}|}{|\vec{v}|} \cos \pi/2$$

$$= \frac{\vec{u} \cdot \vec{v}}{|\vec{v}|};$$

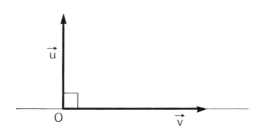

Fig. 8.10

3° $\pi/2 < (\vec{u}, \vec{v}) < \pi$:

Alors,

$$\cos(\pi - (\vec{u}, \vec{v})) = \frac{|\vec{u}_{\vec{v}}|}{|\vec{u}|} = - \cos(\vec{u}, \vec{v})$$

Donc, $|\vec{u}_{\vec{v}}| = - |\vec{u}| \cos(\vec{u}, \vec{v})$.
Mais, $\vec{u}_{\vec{v}}$ est dans le sens contraire de $\vec{v}$, donc,
m.a. $(\vec{u}_{\vec{v}}) = - |\vec{u}_{\vec{v}}|$,

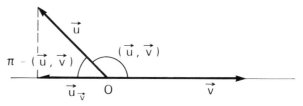

Fig. 8.11

c.-à-d.

$$(\text{m.a.}\,(\vec{u}_{\vec{v}}) = -(-|\vec{u}|\cos(\vec{u},\vec{v}))$$

$$= |\vec{u}|\cos(\vec{u},\vec{v})$$

$$= \frac{\vec{u}\cdot\vec{v}}{|\vec{v}|}\,;$$

4° $(\vec{u},\vec{v}) = 0$:

Alors,

$$\vec{u}_{\vec{v}} = \vec{u} \Rightarrow |\vec{u}_{\vec{v}}| = |\vec{u}|.\text{ Et}$$

$$\text{m.a.}\,(\vec{u}_{\vec{v}}) = +|\vec{u}_{\vec{v}}|$$

$$= |\vec{u}|$$

$$= \frac{|\vec{u}||\vec{v}|\cos 0}{|\vec{v}|}$$

$$= \frac{\vec{u}\cdot\vec{v}}{|\vec{v}|}\,;$$

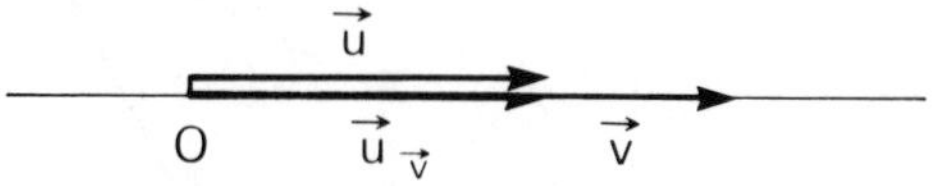

Fig. 8.12

5° $(\vec{u},\vec{v}) = \pi$:

Alors,

$$\vec{u}_{\vec{v}} = \vec{u} \Rightarrow |\vec{u}_{\vec{v}}| = |\vec{u}|.$$

Et

$$\text{m.a.}\,(\vec{u}_{\vec{v}}) = -|\vec{u}_{\vec{v}}| = -|\vec{u}| = -\frac{|\vec{u}||\vec{v}|\cos\pi}{|\vec{v}|} = \frac{\vec{u}\cdot\vec{v}}{|\vec{v}|}\,.$$

Fig. 8.13

□

Exemple 1:

Le produit scalaire est utile pour calculer le travail fait par une force constante s'exerçant sur un objet en mouvement. Rappelons que le travail accompli égale la composante de la force dans la direction du mouvement, multipliée par le déplacement:

$$T = |\vec{F}_{\vec{D}}||\vec{D}|$$

$$= |\vec{F}|\cos\theta\,|\vec{D}|$$

$$= \vec{F}\cdot\vec{D}$$

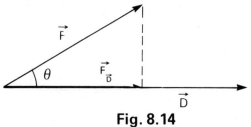

Fig. 8.14

Ainsi, une force de 10 newtons, appliquée sur un objet à un angle de 30° avec la direction du mouvement, le déplace de 12 mètres. Calculer le travail accompli par cette force:

$$T = \vec{F} \cdot \vec{D} = (10)(12) \cos 30° = 60\sqrt{3} \quad \text{(en joules)}.$$

Exemple 2:

Démontrons la loi des cosinus. Soit un triangle quelconque ABC. Nous avons:

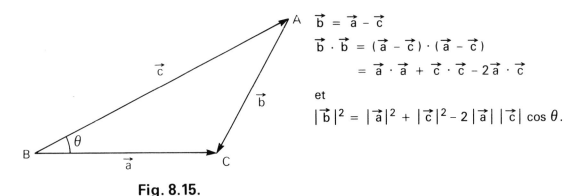

$$\vec{b} = \vec{a} - \vec{c}$$
$$\vec{b} \cdot \vec{b} = (\vec{a} - \vec{c}) \cdot (\vec{a} - \vec{c})$$
$$= \vec{a} \cdot \vec{a} + \vec{c} \cdot \vec{c} - 2\vec{a} \cdot \vec{c}$$

et

$$|\vec{b}|^2 = |\vec{a}|^2 + |\vec{c}|^2 - 2|\vec{a}||\vec{c}| \cos \theta.$$

Fig. 8.15.

8.3 EXERCICES

1. Calculer $\vec{u} \cdot \vec{v}$ pour les vecteurs $\vec{u}$ et $\vec{v}$ suivants exprimés en base naturelle:

a) $\vec{u} = (1, 0)$ et $\vec{v} = (3, 5)$;

b) $\left(\dfrac{1}{2}, \dfrac{1}{4}\right)$ et $(4, -2)$;

c) (a, b) et $(b, -a)$, où a et $b \in \mathbb{R}$;

d) (π, π) et $(1/\pi, 1/\pi)$;

e) $(0, 1, 0)$ et $(0, 0, 1)$;

f) $\left(-1, \dfrac{1}{2}, 3\right)$ et $(4, 4, -1)$;

g) $(1, 2, 3, 0)$ et $(0, 1, -2)$;

h) $(-1, 2, -3, 4, -5)$ et $(0, 1, -3, 4, 6)$.

2. Calculer k de façon que: a) $(3, k) \cdot (5, 4) = 0$; b) $(-1, k, 2) \cdot (4, 1, -1) = 2$.

3. Soit $\vec{u} = (3, -2)$, $\vec{v} = (4, -7)$ et $\vec{w} = (-2, 3)$. Calculer:

a) $\vec{u} \cdot (\vec{v} + \vec{w})$;

b) $\vec{u} \cdot \vec{v} + \vec{u} \cdot \vec{w}$;

c) $\vec{u} \cdot 3\vec{v}$;

d) $(-3\vec{u}) \cdot (-4\vec{v})$;

e) $(\vec{u} \cdot \vec{v}) \cdot \vec{w}$;

f) $(\vec{u} \cdot \vec{v})\vec{w}$.

4. Déterminer la composante inconnue, de sorte que les vecteurs donnés soient perpendiculaires:

a) $(3, 4, 5)$ et $(2, y, 2)$; b) $(x, -6, 2)$ et $(3, 6, 12)$; c) $(1, 2, z)$ et $(-4, 18, -8)$.

5. Trouver un vecteur perpendiculaire au vecteur donné:

a) $(2, 3, 0)$; b) $(5, 3, 8)$; c) $(0, 3, 9)$.

6. Déterminer un vecteur perpendiculaire au vecteur $(2, -3, 0)$ et dont la longueur soit quatre fois celle de $(2, -3, 0)$.

7. a) Vérifier que les points $A(-1, 4, 3)$, $B(-3, 10, 7)$ et $C(0, 1, 8)$ sont les sommets d'un triangle rectangle. b) Calculer le module de la médiane abaissée sur l'hypoténuse, et le comparer au module de celle-ci.

8. Démontrer les propriétés ii), iii) et iv) du produit scalaire pour des vecteurs de dimension n.

9. a) Effectuer le calcul de l'expression $(2\vec{u} - 3\vec{v}) \cdot (\vec{u} - 4\vec{v})$ en justifiant les transformations. b) Évaluer cette expression si $|\vec{u}| = 2$, $|\vec{v}| = 3$ et $\vec{u} \cdot \vec{v} = -6$.

10. Les vecteurs $\vec{u}$ et $\vec{v}$ sont les côtés adjacents d'un triangle équilatéral dont les côtés mesurent a. Calculer $\vec{u} \cdot \vec{v}$.

11. Calculer l'angle entre les vecteurs suivants: a) $(-1, 4)$ et $(3, -1)$; b) $(4, -3, -1)$ et $(2, 7, 0)$.

12. Calculer l'angle que fait le segment PQ avec l'axe des X pour:

a) $P(-5, 1)$, $Q(7, 3)$;

b) $P(3, 0, -2)$, $Q(5, 0, -2)$.

13. Déterminer h et k de façon que $\vec{u} = (5, h, k)$ soit perpendiculaire à $\vec{v} = (1, 3, 2)$ et $\vec{w} = (-2, 1, 4)$.

14. Soit $A(2, 4, 3)$, $B(7, -1, 3)$ et $C(7, 4, -2)$. Trouver les coordonnées de D telles que $\overrightarrow{AD}$ soit perpendiculaire à $\overrightarrow{AB}$ et à $\overrightarrow{BC}$, et que $|\overrightarrow{AD}| = \sqrt{75}$.

15. a) Trouver le vecteur-projection de $\overrightarrow{PQ}$ sur $\overrightarrow{RS}$ pour: $P(-2, 1, 6)$, $Q(3, 1, -2)$, $R(-3, 1, 4)$ et $S(2, -1, 2)$.

b) Calculer la mesure algébrique de $\overrightarrow{PQ}_{\overrightarrow{RS}}$.

c) Représenter graphiquement.

16. Calculer la longueur et la mesure algébrique de $\vec{u}_{\vec{v}}$ pour les vecteurs suivants:

a) $\vec{u} = (3, 0)$ et $\vec{v} = (2, 3)$;

b) $(-1, 5)$ et $(4, 3)$;

c) $(1, 1, -4)$ et $(2, -1, 3)$;

d) $(3, -3, 1)$ et $(2, -1, 4)$.

17. Étant donné les vecteurs $\vec{a} = (1, 2, 3)$ et $\vec{b} = (0, -1, 2)$:

a) Évaluer les vecteurs-projections $\vec{a}_{\vec{b}}$ et $\vec{b}_{\vec{a}}$.

b) Calculer leur longueur et leur mesure algébrique.

18. Montrer que, pour des vecteurs $\vec{u}$ et $\vec{v}$ quelconques, le scalaire k tel que $\vec{u}_{\vec{v}} = k\vec{v}$ est égal à $\dfrac{\vec{u} \cdot \vec{v}}{\vec{v} \cdot \vec{v}}$.

19. Une force de 5 newtons parallèle au segment AB pour $A(2, 5)$ et $B(5, 9)$, déplace un objet du point $P(-2, 1)$ au point $Q(3, 7)$. Calculer le travail effectué par cette force. (Les distances sont en mètres.)

20. Un garçon tire un traîneau en montant une colline dont la pente est de 30 cm pour 2 m. La grandeur et la direction de la force exercée par le garçon sont représentées par le vecteur (9, 12). Calculer l'intensité de la force qui tire le traîneau sur la pente, et celle de la force qui tend à le soulever.

21. Dans un triangle ABC, désignons par M le milieu de BC. Montrer alors que:

$$|\overrightarrow{AB}|^2 + |\overrightarrow{AC}|^2 = \frac{1}{2}|\overrightarrow{BC}|^2 + 2|\overrightarrow{AM}|^2.$$

22. Montrer que la médiane à la base d'un triangle isocèle est perpendiculaire à cette base.

23. Montrer que les diagonales d'un losange sont perpendiculaires.

24. Montrer que le triangle inscrit dans une demi-circonférence est rectangle.

8.4   LE PRODUIT VECTORIEL

Contrairement aux autres types de produits de vecteurs étudiés jusqu'ici, le produit vectoriel n'est défini que pour les vecteurs géométriques de dimension 3.

DÉFINITION: Le *produit vectoriel* de deux vecteurs $\vec{u}$ et $\vec{v}$, *noté* $\vec{u} \times \vec{v}$, est un vecteur dont:

1) la *direction* est perpendiculaire au plan des vecteurs $\vec{u}$ et $\vec{v}$, ramenés à la même origine,

2) le *sens* est déterminé par la "règle de la vis",

3) la *longueur* est égale à $|\vec{u}|\,|\vec{v}|\sin(\vec{u}, \vec{v})$.

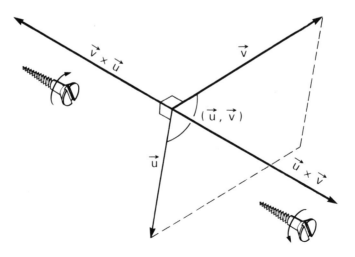

Fig. 8.16

Cette définition constitue la forme géométrique du produit vectoriel.

Exemple 1:   Calculons $\vec{u} \times \vec{v}$ pour $\vec{u} = (-2, 1, 5)$ et $\vec{v} = (3, 0, 4)$. Alors

$$|\vec{u}| = \sqrt{30}, \ |\vec{v}| = \sqrt{25}, \ \cos(\vec{u}, \vec{v}) = \frac{14}{5\sqrt{30}} \ \text{et} \ (\vec{u}, \vec{v}) = 59{,}26°.$$

Le vecteur $\vec{u} \times \vec{v}$ sera ainsi qu'il est représenté sur la figure 8.17. Sa longueur sera égale à:

$$|\vec{u} \times \vec{v}| = \sqrt{30} \sqrt{25} \sin 59{,}26°$$

$$\simeq 23{,}5$$

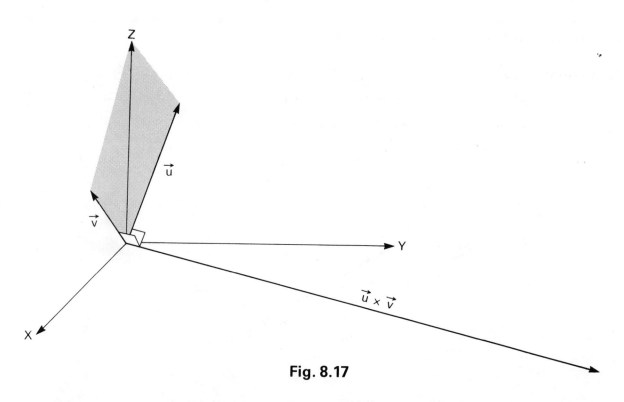

Fig. 8.17

Exemple 2:   Voyons ce qui se passe lorsque nous multiplions vectoriellement les vecteurs de la base $\{\vec{i}, \vec{j}, \vec{k}\}$.

1) $\vec{i} \times \vec{j}$ donne un vecteur dont:

- la direction est perpendiculaire au plan XY, donc parallèle à $\vec{k}$;

- le sens est le même que celui de $\vec{k}$;

- la longueur est $\left|\vec{i}\right|\left|\vec{j}\right| \sin \pi/2$, c.-à-d. 1.

Donc, $\vec{i} \times \vec{j} = \vec{k}$. De la même façon, nous trouverions que $\vec{j} \times \vec{k} = \vec{i}$ et que $\vec{k} \times \vec{i} = \vec{j}$. En résumé,

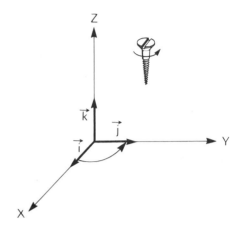

Fig. 8.18

$$\vec{i} \times \vec{j} = \vec{k}$$

$$\vec{j} \times \vec{k} = \vec{i}$$

$$\vec{k} \times \vec{i} = \vec{j}$$

2) Un raisonnement semblable donnerait:

$$\vec{i} \times \vec{k} = -\vec{j}$$

$$\vec{j} \times \vec{i} = -\vec{k}$$

$$\vec{k} \times \vec{j} = -\vec{i}$$

3) Et, enfin:

$$\vec{i} \times \vec{i} = \vec{0}$$

$$\vec{j} \times \vec{j} = \vec{0}$$

$$\vec{k} \times \vec{k} = \vec{0}$$

Propriétés du produit vectoriel:

Quels que soient les vecteurs $\vec{u}$, $\vec{v}$, $\vec{w}$ de dimension 3 et quels que soient p, q $\in \mathbb{R}$:

i) $\vec{u} \times \vec{v} = -(\vec{v} \times \vec{u})$ (anticommutativité)

ii) $\vec{u} \times (\vec{v} + \vec{w}) = (\vec{u} \times \vec{v}) + (\vec{u} \times \vec{w})$ (distributivité à gauche)

   et $(\vec{u} + \vec{v}) \times \vec{w} = (\vec{u} \times \vec{w}) + (\vec{v} \times \vec{w})$ (distributivité à droite)

iii) $(p\vec{u}) \times (q\vec{v}) = pq (\vec{u} \times \vec{v})$.

Démonstration:

i) Montrons que $\vec{u} \times \vec{v} = -(\vec{v} \times \vec{u})$. Cette propriété est une conséquence directe de la définition du produit vectoriel. En effet, d'après cette définition (voir figure 8.16):

1) $\vec{u} \times \vec{v}$ et $\vec{v} \times \vec{u}$ ont la même direction car, étant tous deux perpendiculaires au plan de $\vec{u}$ et $\vec{v}$, ils sont parallèles;

2) $\vec{u} \times \vec{v}$ et $\vec{v} \times \vec{u}$ ont la même longueur car $(\vec{u}, \vec{v})$ n'étant pas un angle orienté,
$$|\vec{u}||\vec{v}| \sin(\vec{u}, \vec{v}) = |\vec{v}||\vec{u}| \sin(\vec{v}, \vec{u});$$

3) $\vec{u} \times \vec{v}$ et $\vec{v} \times \vec{u}$ sont de sens opposé tel qu'il est déterminé par la règle de la vis.

ii) Les diagrammes de la figure 8.19 *illustrent* la propriété de distributivité à gauche du produit vectoriel.

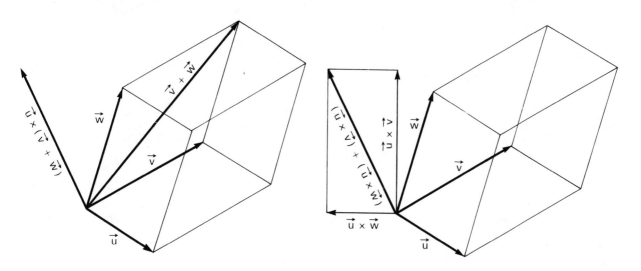

Fig. 8.19

iii) Montrons que $(p\vec{u}) \times (q\vec{v}) = pq(\vec{u} \times \vec{v})$.

Soit $p > 0$, $q > 0$.

Nous voyons sur la figure 8.20 que, p et q étant supérieurs à 0, $p\vec{u} \times q\vec{v}$ et $pq(\vec{u} \times \vec{v})$ ont la même direction et le même sens.

De plus:
$$|p\vec{u} \times q\vec{v}| = |p\vec{u}||q\vec{v}| \sin(p\vec{u}, q\vec{v})$$

(déf. prod. vect.)

$$= |p| \, |\vec{u}| \, |q| \, |\vec{v}| \sin(p\vec{u}, q\vec{v})$$

(déf. prod. par scalaire)

$$= p \, |\vec{u}| \, q \, |\vec{v}| \sin(\vec{u}, \vec{v})$$

(car p et q > 0)

$$= pq \, |\vec{u}| \, |\vec{v}| \sin(\vec{u}, \vec{v})$$

(commutativité dans $\mathbb{R}$)

$$= pq \, |\vec{u} \times \vec{v}|.$$

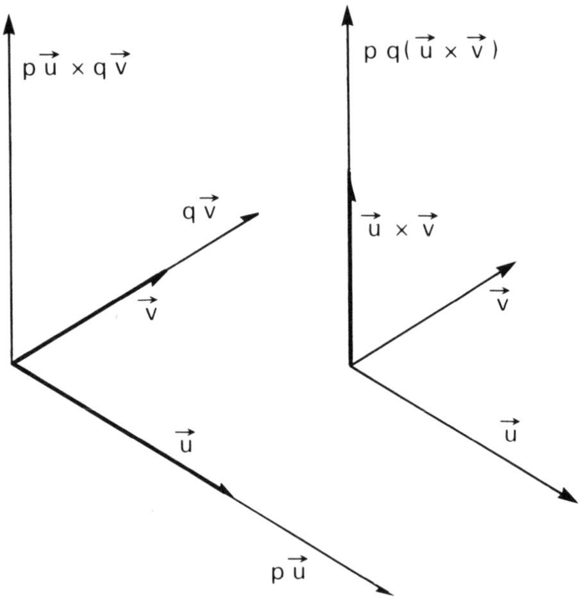

Fig. 8.20

Pour compléter cette démonstration, il faudrait encore étudier le cas où p > 0, q < 0 et p < 0, q < 0.   □

Connaissant les propriétés du produit vectoriel sous sa forme géométrique, nous allons maintenant chercher une forme algébrique de ce produit.

Soit $\vec{u} = u_1 \vec{i} + u_2 \vec{j} + u_3 \vec{k}$ et $\vec{v} = v_1 \vec{i} + v_2 \vec{j} + v_3 \vec{k}$. Alors

$$
\begin{aligned}
\vec{u} \times \vec{v} = {} & (u_1 \vec{i} + u_2 \vec{j} + u_3 \vec{k}) \times (v_1 \vec{i} + v_2 \vec{j} + v_3 \vec{k}) \\
= {} & u_1 \vec{i} \times v_1 \vec{i} + u_1 \vec{i} \times v_2 \vec{j} + u_1 \vec{i} \times v_3 \vec{k} \\
& + u_2 \vec{j} \times v_1 \vec{i} + u_2 \vec{j} \times v_2 \vec{j} + u_2 \vec{j} \times v_3 \vec{k} \\
& + u_3 \vec{k} \times v_1 \vec{i} + u_3 \vec{k} \times v_2 \vec{j} + u_3 \vec{k} \times v_3 \vec{k} \qquad \text{(propriété ii)}
\end{aligned}
$$

$$
\begin{aligned}
= {} & u_1 v_1 \, \vec{i} \times \vec{i} + u_1 v_2 \, \vec{i} \times \vec{j} + u_1 v_3 \, \vec{i} \times \vec{k} \\
& + u_2 v_1 \, \vec{j} \times \vec{i} + u_2 v_2 \, \vec{j} \times \vec{j} + u_2 v_3 \, \vec{j} \times \vec{k} \\
& + u_3 v_1 \, \vec{k} \times \vec{i} + u_3 v_2 \, \vec{k} \times \vec{j} + u_3 v_3 \, \vec{k} \times \vec{k} \qquad \text{(propriété iii)}
\end{aligned}
$$

$$
\begin{aligned}
= {} & u_1 v_2 \vec{k} - u_1 v_3 \vec{j} - u_2 v_1 \vec{k} + u_2 v_3 \vec{i} \\
& + u_3 v_1 \vec{j} - u_3 v_2 \vec{i}
\end{aligned}
$$

(produit vectoriel des vecteurs $\vec{i}$, $\vec{j}$, $\vec{k}$: voir exemple 2)

$$= \begin{vmatrix} u_2 & u_3 \\ v_2 & v_3 \end{vmatrix} \vec{i} - \begin{vmatrix} u_1 & u_3 \\ v_1 & v_3 \end{vmatrix} \vec{j} + \begin{vmatrix} u_1 & u_2 \\ v_1 & v_2 \end{vmatrix} \vec{k}$$

$$= \begin{vmatrix} \vec{i} & \vec{j} & \vec{k} \\ u_1 & u_2 & u_3 \\ v_1 & v_2 & v_3 \end{vmatrix}$$

C'est ce que nous appellerons la *forme algébrique* du produit vectoriel.

DÉFINITION: Le *produit vectoriel* des vecteurs $\vec{u} = (u_1, u_2, u_3)$ et $\vec{v} = (v_1, v_2, v_3)$, exprimés dans la base $< \vec{i}, \vec{j}, \vec{k} >$ est:

$$\vec{u} \times \vec{v} = \begin{vmatrix} \vec{i} & \vec{j} & \vec{k} \\ u_1 & u_2 & u_3 \\ v_1 & v_2 & v_3 \end{vmatrix}$$

Remarque: Cette dernière notation est un peu "abusive", en ce sens que les éléments de la première ligne du déterminant ne sont pas des scalaires, mais des vecteurs. Elle n'en constitue pas moins un excellent moyen mnémotechnique pour le calcul algébrique du produit vectoriel.

Exemple: Reprenons les vecteurs $\vec{u} = (-2,1,5)$ et $\vec{v} = (3,0,4)$ de l'exemple 1. Alors,

$$\vec{u} \times \vec{v} = \begin{vmatrix} \vec{i} & \vec{j} & \vec{k} \\ -2 & 1 & 5 \\ 3 & 0 & 4 \end{vmatrix} = \vec{i}(4-0) - \vec{j}(-8-15) + \vec{k}(0-3)$$

$$= 4\vec{i} + 23\vec{j} - 3\vec{k}.$$

THÉORÈME: $|\vec{a} \times \vec{b}|$ égale la surface du parallélogramme engendré par $\vec{a}$ et $\vec{b}$.

Démonstration:

Soit $\vec{a}$ et $\vec{b}$, deux vecteurs de l'espace faisant entre eux un angle θ. Complétons le parallélogramme ABCD engendré par les vecteurs $\vec{a}$ et $\vec{b}$ reportés à l'origine A, et traçons $\vec{h} = \vec{BE}$. La surface du parallélogramme ABCD est:

$$S = |\vec{b}| \, |\vec{h}|. \qquad (^1)$$

D'autre part, dans le triangle ABE, nous avons:

$$\sin \theta = \frac{|\vec{h}|}{|\vec{a}|}$$

ou

$$|\vec{h}| = |\vec{a}| \sin \theta. \qquad (^2)$$

Substituant $(^2)$ dans $(^1)$, nous avons:

$$S = |\vec{b}| \, |\vec{a}| \sin \theta = |\vec{a} \times \vec{b}|$$

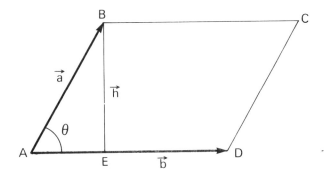

Fig. 8.21

□

THÉORÈME: $\quad \vec{a} \times \vec{b} = \vec{0} \Longleftrightarrow \vec{a} = \vec{0}$ ou $\vec{b} = \vec{0}$ ou $\vec{a} \parallel \vec{b}$.

Démonstration: $\quad \vec{a} \times \vec{b} = \vec{0} \Longleftrightarrow |\vec{a} \times \vec{b}| = 0 \qquad$ (déf. vecteur nul)

$$\Longleftrightarrow |\vec{a}| \, |\vec{b}| \sin(\vec{a}, \vec{b}) = 0 \qquad \text{(déf. produit vectoriel)}$$

$$\Longleftrightarrow \begin{cases} |\vec{a}| = 0 \quad \Longleftrightarrow \quad \vec{a} = \vec{0} \\ \qquad \text{ou} \\ |\vec{b}| = 0 \quad \Longleftrightarrow \quad \vec{b} = \vec{0} \\ \qquad \text{ou} \\ \sin(\vec{a}, \vec{b}) = 0 \Longleftrightarrow (\vec{a}, \vec{b}) = 0 \text{ ou } \pi \\ \qquad\qquad \Longleftrightarrow \vec{a} \parallel \vec{b} \end{cases}$$

□

Exemple 1: Calculer l'aire du parallélogramme dont deux des côtés sont les vecteurs $\vec{u} = (1,-2,4)$ et $\vec{v} = (-3,1,2)$, reportés à la même origine. Alors:

$$\vec{u} \times \vec{v} = \begin{vmatrix} \vec{i} & \vec{j} & \vec{k} \\ 1 & -2 & 4 \\ -3 & 1 & 2 \end{vmatrix} = -8\,\vec{i} - 14\,\vec{j} - 5\,\vec{k}.$$

D'où,

$$|\vec{u} \times \vec{v}| = \sqrt{64 + 196 + 25} \simeq 16{,}88$$

Exemple 2: Trouver un vecteur de longueur 3, perpendiculaire au parallélogramme de l'exemple précédent.

Il suffit d'utiliser le vecteur $\vec{u} \times \vec{v}$, lequel est perpendiculaire à $\vec{u}$ et à $\vec{v}$, donc au parallélogramme. Sa longueur est $\sqrt{285}$. Nous prendrons donc le vecteur

$$\vec{s} = \frac{3}{\sqrt{285}} \ (-8, -14, -5) = \left(-\frac{24}{\sqrt{285}} \ , \ -\frac{42}{\sqrt{285}} \ , \ -\frac{15}{\sqrt{285}} \right)$$

ou son opposé.

Enfin, nous verrons aux chapitres 9 et 10 que les produits scalaire et vectoriel sont utiles dans l'étude de la droite et du plan.

8.5 EXERCICES

1. Soit $\vec{a} = \vec{i} + \vec{j} - 2\vec{k}$, $\vec{b} = 2\vec{i} - \vec{k}$ et $\vec{c} = -\vec{j} + 2\vec{k}$. Calculer:

a) $\vec{a} \times \vec{b}$;

e) $\vec{a} \times (\vec{b} \times \vec{c})$;

b) $\vec{a} \times \vec{c}$;

f) $(\vec{a} \times \vec{b}) \times \vec{c}$;

c) $\vec{b} \times \vec{a}$;

g) $(\vec{a} \times \vec{b}) \times (\vec{a} \times \vec{c})$.

d) $\vec{b} \times \vec{c}$;

2. Soit $\vec{a} = 3\vec{i} + 2\vec{k}$ et $\vec{b} = \vec{j} - 3\vec{k}$. Trouver $\vec{a} \times \vec{b}$ sous sa forme géométrique et représenter graphiquement.

3. Soit $\vec{a} = 2\vec{i} + \vec{j} - \vec{k}$ et $\vec{b} = -3\vec{i} + 2\vec{j} + \vec{k}$.

a) Trouver un vecteur unitaire perpendiculaire à $\vec{a}$ et à $\vec{b}$.

b) Trouver l'angle entre $\vec{a}$ et $\vec{b}$.

4. Prouver que $(\vec{a} + \vec{b}) \times (\vec{a} - \vec{b}) = -2\vec{a} \times \vec{b}$.

5. Prouver que, en général, $\vec{a} \times (\vec{b} \times \vec{c}) \neq (\vec{a} \times \vec{b}) \times \vec{c}$.

6. Montrer que $\vec{a} \times \vec{b} = \vec{a} \times \vec{c}$ n'implique pas que $\vec{b} = \vec{c}$.

7. Calculer la surface du triangle ABC pour A(1,1,1), B(2,3,0) et C(1,2,4).

8. Vérifier que $\vec{u} \times \vec{v} = -\vec{v} \times \vec{u}$ lorsque les produits vectoriels sont effectués sous la forme algébrique.

9. Démontrer la loi des sinus en utilisant les propriétés du produit vectoriel.

8.6 LE PRODUIT MIXTE

Le produit mixte est une opération qui fait intervenir à la fois le produit scalaire et le produit vectoriel. Pour cette raison, il ne sera défini que pour les vecteurs géométriques de dimension 3. Étant donné les vecteurs quelconques $\vec{u}$, $\vec{v}$ et $\vec{w}$, le produit mixte de ces vecteurs est le résultat de l'opération $\vec{u} \cdot \vec{v} \times \vec{w}$. Remarquons que les parenthèses sont superflues dans cette expression, les opérations devant nécessairement être faites dans l'ordre $\vec{u} \cdot (\vec{v} \times \vec{w})$. (Pourquoi?)

Voyons comment effectuer cette opération. Soit:

$$\vec{u} = u_1 \vec{i} + u_2 \vec{j} + u_3 \vec{k},$$

$$\vec{v} = v_1 \vec{i} + v_2 \vec{j} + v_3 \vec{k},$$
$$\vec{w} = w_1 \vec{i} + w_2 \vec{j} + w_3 \vec{k}.$$

Alors:

$$\vec{u} \cdot \vec{v} \times \vec{w} = (u_1 \vec{i} + u_2 \vec{j} + u_3 \vec{k}) \cdot \begin{vmatrix} \vec{i} & \vec{j} & \vec{k} \\ v_1 & v_2 & v_3 \\ w_1 & w_2 & w_3 \end{vmatrix}$$

$$= (u_1 \vec{i} + u_2 \vec{j} + u_3 \vec{k}) \cdot \left(\begin{vmatrix} v_2 & v_3 \\ w_2 & w_3 \end{vmatrix} \vec{i} + \begin{vmatrix} v_3 & v_1 \\ w_3 & w_1 \end{vmatrix} \vec{j} + \begin{vmatrix} v_1 & v_2 \\ w_1 & w_2 \end{vmatrix} \vec{k} \right)$$

$$= u_1 \begin{vmatrix} v_2 & v_3 \\ w_2 & w_3 \end{vmatrix} + u_2 \begin{vmatrix} v_3 & v_1 \\ w_3 & w_1 \end{vmatrix} + u_3 \begin{vmatrix} v_1 & v_2 \\ w_1 & w_2 \end{vmatrix}$$

$$= \begin{vmatrix} u_1 & u_2 & u_3 \\ v_1 & v_2 & v_3 \\ w_1 & w_2 & w_3 \end{vmatrix}.$$

Le résultat du produit mixte de trois vecteurs est donc un scalaire.

DÉFINITION: Le *produit mixte* des trois vecteurs $\vec{u} = (u_1, u_2, u_3)$, $\vec{v} = (v_1, v_2, v_3)$ et $\vec{w} = (w_1, w_2, w_3)$, exprimés dans la base $< \vec{i}, \vec{j}, \vec{k} >$ est:

$$\vec{u} \cdot \vec{v} \times \vec{w} = \begin{vmatrix} u_1 & u_2 & u_3 \\ v_1 & v_2 & v_3 \\ w_1 & w_2 & w_3 \end{vmatrix}$$

Propriétés du produit mixte:

i) $\vec{u} \cdot \vec{v} \times \vec{w} = 0 \Longleftrightarrow \vec{u}, \vec{v}$ et $\vec{w}$ sont coplanaires;

ii) $|\vec{u} \cdot \vec{v} \times \vec{w}|$ est la mesure du volume du parallélépipède engendré par $\vec{u}, \vec{v}$ et $\vec{w}$;

iii) $\vec{u} \cdot \vec{v} \times \vec{w} = \vec{w} \cdot \vec{u} \times \vec{v} = \vec{v} \cdot \vec{w} \times \vec{u}$, c.-à-d. le produit mixte n'est pas affecté par une permutation circulaire des vecteurs;

iv) $\vec{u} \cdot \vec{v} \times \vec{w} = \vec{u} \times \vec{v} \cdot \vec{w}$, c.-à-d. les produits scalaire et vectoriel peuvent être permutés sans affecter le produit mixte.

Démonstration:

i) Montrons que $\vec{u} \cdot \vec{v} \times \vec{w} = 0 \Leftrightarrow \vec{u}, \vec{v}$ et $\vec{w}$ sont coplanaires.

   $(\Rightarrow)$ $\vec{u} \cdot \vec{v} \times \vec{w} = 0 \Rightarrow \vec{u} \perp \vec{v} \times \vec{w}.$ (prop. du prod. scalaire)

            Mais, $\vec{v} \times \vec{w} \perp \vec{v}$ et $\perp \vec{w}.$ (déf. prod. vect.)

            Donc, $\vec{u}, \vec{v}$ et $\vec{w}$ sont coplanaires, car ils sont tous perpendiculaires au vecteur $\vec{v} \times \vec{w}.$

   $(\Leftarrow)$ $\vec{v} \times \vec{w} \perp \vec{v}$ et $\vec{w}$ (déf. prod. vectoriel)

            De plus, $\vec{u}, \vec{v}, \vec{w}$ coplanaires $\Rightarrow \vec{v} \times \vec{w}$ est aussi $\perp$ à $\vec{u}.$

            Donc, $\vec{u} \cdot (\vec{v} \times \vec{w}) = 0.$ (prop. prod. scalaire)

ii)   Montrons que $\left| \vec{u} \cdot \vec{v} \times \vec{w} \right|$ est la mesure du volume du parallélépipède engendré par $\vec{u}, \vec{v}$ et $\vec{w}.$ Nous avons:

$$\vec{u} \cdot \vec{v} \times \vec{w} = |\vec{u}| \, |\vec{v} \times \vec{w}| \cos \phi$$
$$= |\vec{u}| \, |\vec{v}| \, |\vec{w}| \sin \theta \cos \phi$$
$$= \{ |\vec{v}| \, |\vec{w}| \sin \theta \} \{ |\vec{u}| \cos \phi \}$$

ce qui correspond à:

$[$ surface du parallélogramme engendré par $\vec{v}$ et $\vec{w}]$

$\times \begin{bmatrix} + & \text{hauteur si } 0 < \phi < \pi/2 \\ - & \text{hauteur si } \pi/2 < \phi < \pi \end{bmatrix}$

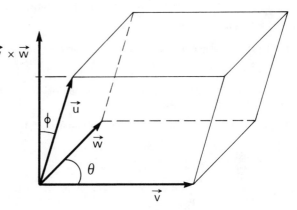

Fig. 8.22

c.-à-d. $\pm$ VOLUME DU PARALLÉLÉPIPÈDE.

D'où: $\left| \vec{u} \cdot \vec{v} \times \vec{w} \right|$ correspond au volume du parallélépipède engendré par $\vec{u}, \vec{v}$ et $\vec{w}.$

Les propriétés iii) et iv) se démontrent facilement en appliquant les propriétés des déterminants.

$\square$

Remarque: La propriété i) peut être appliquée pour vérifier l'indépendance linéaire d'un ensemble de vecteurs.

8.7 EXERCICES

1. Calculer $\vec{a} \cdot \vec{b} \times \vec{c}$ pour les vecteurs suivants:

a) $\vec{a} = (1, 2, 3), \vec{b} = (3, 2, 1), \vec{c} = (1, 1, 1);$

b)   (1, 2, 3), (0, −4, 6), (−1, 5, 0);

c)   (0, 1, 2), (3, 4, 5), (6, 7, 8).

2.   Vérifier l'indépendance linéaire des ensembles de vecteurs suivants, en utilisant le produit mixte:

a) $\left\{(1, -2, 1), (2, 1, -1), (7, -4, 1)\right\}$;

b) $\left\{(1, -3, 7), (2, 0, -6), (3, -1, -1)\right\}$;

c) $\left\{(1, 2, -3), (1, -3, 2), (2, -1, 5)\right\}$;

d) $\left\{(2, -3, 7), (0, 0, 0), (3, -1, -4)\right\}$;

e) $\left\{(-1, 4, 3), (1, 2, -4), (-1, 4, 3)\right\}$.

3.   Simplifier l'expression $(\vec{a} + \vec{b}) \cdot (\vec{b} + \vec{c}) \times (\vec{c} + \vec{a})$.

4.   Quelle valeur faut-il donner au paramètre a pour que les vecteurs $\vec{u}$, $\vec{v}$ et $\vec{w}$ soient coplanaires:

a) $\vec{u} = (1, 1, 0)$, $\vec{v} = (a, 2, 2)$, $\vec{w} = (-1, 0, 1)$;

b) $\vec{u} = \vec{i} - \vec{j} + \vec{k}$, $\vec{v} = 2\vec{i} - 2\vec{j} + 4\vec{k}$, $\vec{w} = \vec{i} + a\vec{j} + 4\vec{k}$.

5.   Calculer le volume du parallélépipède dont $\vec{AB}$, $\vec{AC}$ et $\vec{AD}$ sont trois arêtes, connaissant:

A (1, 1, 1), B (4, 8, 2), C (2, −3, 1) et D (6, 5, 1).

6.   Trouver le volume du parallélépipède dont trois des arêtes coïncident avec les vecteurs:

$\vec{a} = 2\vec{i} - 3\vec{j} + 4\vec{k}$, $\vec{b} = \vec{i} + 2\vec{j} - \vec{k}$ et $\vec{c} = 3\vec{i} - \vec{j} + 2\vec{k}$.

7.   Soit A(1, 2, 3), B(−1, 3, 0) et C(a, 1, 1). Déterminer a de façon que l'aire du triangle ABC soit égale à 5. Quelle est la hauteur de ce triangle par rapport à la base $\vec{AB}$?

8.   Soit $\vec{a} = (2, 1, -3)$, $\vec{b} = (1, -3, -1)$ et $\vec{c} = (-2, 2, 1)$. Calculer:

i) $\vec{a} \cdot \vec{b} \times \vec{c}$; ii) $\vec{b} \times \vec{a} \cdot \vec{c}$; iii) $\vec{c} \cdot \vec{a} \times \vec{b}$; iv) $\vec{a} \times (\vec{b} \times \vec{c})$; v) $(\vec{a} \times \vec{b}) \times \vec{c}$;   vi) $\vec{b} \times (\vec{a} \times \vec{c})$;   vii) $(\vec{a} \times \vec{b}) \cdot (\vec{b} \times \vec{c})$;

viii) $(\vec{c} \cdot \vec{b})(\vec{a} \times \vec{c})$; ix) $(\vec{a} \times \vec{b}) \times (\vec{b} \times \vec{c})$.

9.   Montrer que si $\vec{a}$, $\vec{b}$, $\vec{c}$ et $\vec{d}$ sont coplanaires, alors $(\vec{a} \times \vec{b}) \times (\vec{c} \times \vec{d}) = \vec{0}$. La réciproque est-elle vraie? Si oui, le prouver; sinon, donner un contre-exemple.

10.   Composer un tableau dans lequel seront comparés, pour les quatre types de produits de vecteurs, les éléments suivants:

a)   définition;

b)   ensemble des vecteurs pour lesquels cette opération est définie;

c)   le résultat;

d)   les conditions pour lesquelles ce résultat s'annule.

Chapitre 9

La droite

dans le plan

Lors de l'étude des vecteurs géométriques du plan ou de l'espace, la notion de droite a été utilisée pour définir la direction de ces vecteurs. Graphiquement, nous avons eu besoin de droites parallèles pour tracer des vecteurs équipollents, nous avons utilisé l'intersection de droites sécantes comme extrémité d'un vecteur $\vec{w}$ exprimé comme combinaison linéaire de vecteurs $\vec{u}$ et $\vec{v}$, etc.

Lors de l'étude des lieux géométriques dans une, deux ou trois dimensions, nous nous sommes penchés sur des questions du type:

- combien de droites passent par…,

- quelles sont les positions relatives de deux droites,

- quelles sont les positions relatives d'une droite et d'un point,

- quelles sont les positions relatives d'une droite et d'un plan,

- etc.

Cependant, nous n'avons jamais abordé la représentation ''algébrique'' de toutes ces situations. Il serait bon de voir comment se fait l'élaboration de l'équation d'une droite à partir d'éléments qui la caractérisent afin de pouvoir reconnaître algébriquement les situations géométriques déjà énoncées.

Nous commencerons cette étude de la droite dans le plan pour l'étendre par la suite à tout l'espace.

9.1 ÉQUATIONS DÉJÀ CONNUES DE LA DROITE

Nous savons déjà que deux points déterminent entièrement une droite. Cherchons son équation.

Soit $A(x_1,y_1)$ et $B(x_2,y_2)$, deux points appartenant à une droite D. Deux cas peuvent se produire:

Premier cas: $x_1 = x_2$:   D est alors verticale (c.-à-d. parallèle à l'axe OY), et son équation sera:

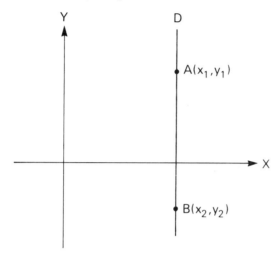

$$x = x_1$$

Fig. 9.1

Deuxième cas: $x_1 \neq x_2$:   Pour qu'un point quelconque $P(x,y)$ appartienne à D, il faut et il suffit que la droite qui passe par A et P ait même pente que D. En effet, deux droites parallèles ayant un point commun ne peuvent qu'être confondues. Ainsi,

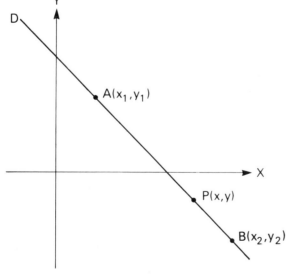

$$P(x,y) \in D$$

$$\Longleftrightarrow \frac{y-y_1}{x-x_1} = \frac{y_2-y_1}{x_2-x_1}$$

$$\Longleftrightarrow y-y_1 = m(x-x_1) \text{ en posant}$$

$$m = \frac{y_2-y_1}{x_2-x_1}$$

$$\Longleftrightarrow y = mx - mx_1 + y_1$$

$$\Longleftrightarrow y = mx + b \text{ en posant}$$

$$b = -mx_1 + y_1.$$

Fig. 9.2

L'*équation d'une droite D* passant par A(x_1,y_1) et B(x_2,y_2) est donnée par:

$$x = x_1 \text{ si } x_1 = x_2$$

et, si $x_1 \neq x_2$, elle est donnée par

$$y = mx + b$$

où la pente $m = \dfrac{y_2 - y_1}{x_2 - x_1}$ et où l'ordonnée à l'origine $b = y_1 - mx_1$.

Exemple: Cherchons l'équation de la droite passant par A(3,2) et B(−1,3). Alors:

$$\frac{y-2}{x-3} = \frac{3-2}{-1-3} \Rightarrow \frac{y-2}{x-3} = -\frac{1}{4}$$

$$\Rightarrow y - 2 = -\frac{1}{4}(x - 3)$$

$$\Rightarrow y = -\frac{1}{4}x + \frac{11}{4}$$

La pente de D est $-\dfrac{1}{4}$, l'ordonnée à l'origine est $\dfrac{11}{4}$, ce qui signifie que D passe par le point $\left(0, \dfrac{11}{4}\right)$.

9.2 ÉQUATIONS VECTORIELLE, PARAMÉTRIQUES, SYMÉTRIQUE ET ALGÉBRIQUE D'UNE DROITE

Comme les droites nous ont servi pour les vecteurs, essayons de déterminer leurs équations lorsque les renseignements connus s'énoncent en langage vectoriel.

DÉFINITION: Un vecteur directeur $\vec{v}$ d'une droite D est un vecteur dont la direction est celle de cette droite D.

Il découle immédiatement de cette définition que pour une droite D donnée, il y a une infinité de vecteurs qui peuvent se prévaloir du titre de vecteur directeur de D. De même, un vecteur $\vec{v}$ est un vecteur directeur d'une infinité de droites.

Mais alors, connaître un vecteur directeur $\vec{v}$ d'une droite D n'est pas suffisant pour déterminer entièrement D. Nous devons donc connaître aussi un point appartenant à D.

Exemple: Tracer la droite passant par A(1,3) et dont $\vec{v}$ = (2,−4) est un vecteur directeur.

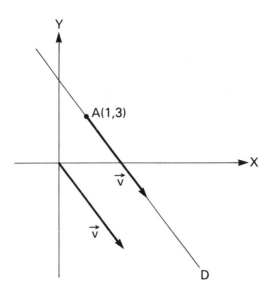

Fig. 9.3

Cherchons à caractériser un point $P(x,y)$ appartenant à une droite D dont nous connaissons un point $A(x_1,y_1)$ et un vecteur directeur $\vec{v} = (a,b)$.

Considérons la figure ci-contre où $P(x,y)$ appartient à D et où $Q(s,t)$ ne lui appartient pas. Examinons les vecteurs $\overrightarrow{OP}$ et $\overrightarrow{OQ}$ par rapport aux vecteurs $\overrightarrow{OA}$ et $\vec{v}$. Nous avons

$$\overrightarrow{OP} = \overrightarrow{OA} + \overrightarrow{AP},$$
$$\overrightarrow{OQ} = \overrightarrow{OA} + \overrightarrow{AQ},$$

et

$$\overrightarrow{AP} \mathbin{/\!/} \vec{v}, \quad \overrightarrow{AQ} \not\mathbin{/\!/} \vec{v}.$$

$\overrightarrow{AP}$ peut s'écrire comme multiple scalaire de $\vec{v}$, tandis que $\overrightarrow{AQ}$ ne le peut pas. Comme la combinaison linéaire de $\overrightarrow{OA}$ et $\vec{v}$ formant $\overrightarrow{OP}$ sera du type

$$\overrightarrow{OA} + k\vec{v}$$

pour un nombre $k \in \mathbb{R}$, nous pouvons dire que

$$P(x,y) \in D \Longleftrightarrow \overrightarrow{OP} = \overrightarrow{OA} + k\vec{v} \text{ pour } k \in \mathbb{R}$$

$$\Longleftrightarrow (x,y) = (x_1,y_1) + k(a,b) \quad (k \in \mathbb{R})$$

en traduisant les vecteurs en terme de leurs composantes.

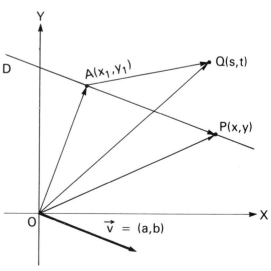

Fig. 9.4

L'équation $(x,y) = (x_1,y_1) + k(a,b)$, où $k \in \mathbb{R}$, est appelée *équation vectorielle* de la droite D passant par le point $A(x_1,y_1)$ et ayant $\vec{v} = (a,b)$ comme vecteur directeur.

Il ne faut pas mal interpréter l'équation vectorielle de D: il ne s'agit pas d'additionner au vecteur $k\vec{v}$ le point A. Il s'agit plutôt d'y additionner le vecteur $\overrightarrow{OA}$ dont les composantes coïncident avec les valeurs des coordonnées de A, puisque l'origine de $\overrightarrow{OA}$ est $O(0,0)$. Dans le même sens, un point $P(x,y)$ appartient à D si x et y vérifient cette équation: mais lors de la vérification, x et y seront considérés comme composantes d'un vecteur $\overrightarrow{OP}$.

Nous pourrions retravailler l'équation vectorielle en opérant sur les composantes:

$$(x,y) = (x_1,y_1) + k(a,b) \iff (x,y) = (x_1,y_1) + (ka,kb)$$
$$\iff (x,y) = (x_1+ka , y_1+kb)$$
$$\iff \begin{cases} x = x_1 + ka \\ y = y_1 + kb \end{cases} .$$

En mentionnant que k porte souvent le nom de *paramètre*, nous en arrivons à l'énoncé suivant.

Les équations $\begin{cases} x = x_1 + ka \\ y = y_1 + kb \end{cases}$ $(k \in \mathbb{R})$ sont appelées *équations paramétriques* de la droite D passant par le point $A(x_1,y_1)$ et ayant $\vec{v} = (a,b)$ comme vecteur directeur.

Exemple 1: Soit D, une droite passant par le point A(3,4) et ayant $\vec{v} = (-2,3)$ comme vecteur directeur.

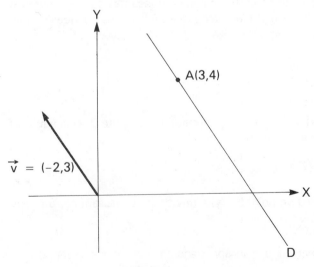

Fig. 9.5

a)   Donner les équations vectorielle et paramétriques de D.

Nous aurons:

- équation vectorielle:

$$(x,y) = (3,4) + k(-2,3)$$
$$(\text{où } k \in \mathbb{R})$$

- équations paramétriques:

$$\begin{cases} x = 3 - 2k \\ y = 4 + 3k \quad (\text{où } k \in \mathbb{R}). \end{cases}$$

b)   Le point B(5,1) appartient-il à D?

Examinons s'il existe $k \in \mathbb{R}$ tel que $x = 5$, $y = 1$ vérifient les équations paramétriques:

$$\begin{cases} 5=3-2k \\ 1=4+3k \end{cases} \Leftrightarrow \begin{cases} 2=-2k \\ -3=3k \end{cases} \Leftrightarrow \begin{cases} -1=k \\ -1=k \end{cases}.$$

En prenant $k = -1$, les équations sont vérifiées par $x = 5$, $y = 1$. Donc, le point B appartient à D.

c)   Le point C(6,−3) appartient-il à D?

Effectuons le même raisonnement avec $x = 6$, $y = -3$:

$$\begin{cases} 6=3-2k \\ -3=4+3k \end{cases} \Leftrightarrow \begin{cases} 3=-2k \\ -7=3k \end{cases} \Leftrightarrow \begin{cases} -3/2=k \\ -7/3=k \end{cases} \text{ (impossible!).}$$

Le point C n'appartient pas à la droite D.

Exemple 2:   Soit D, une droite d'équation vectorielle

D: $(x,y) = (-2,0) + k(1,5)$, $k \in \mathbb{R}$.

a)   Donner deux vecteurs directeurs de D.

Le premier pourrait être celui qui est exprimé dans l'équation, à savoir

$\vec{v} = (1,5)$.

Le deuxième peut être tout vecteur parallèle à $\vec{v}$, comme

$\vec{w} = (-2,-10)$.

b)   Donner deux points appartenant à D.

Si nous examinons l'équation de D, nous y retrouvons $(-2,0)$ comme composantes d'un vecteur $\overrightarrow{OA}$: nous pouvons donc prendre A: $(-2,0)$. Le deuxième peut être obtenu en donnant à k une valeur quelconque, disons $k = 3$. Alors, comme

$(-2,0) + 3(1,5) = (1,15)$,

le point B: $(1,15)$ appartient à D.

Remarque: Si nous connaissons deux points $A(x_1,y_1)$ et $B(x_2,y_2)$ appartenant à une droite D, cela équivaut à connaître un point et un vecteur directeur, à savoir:

A: (x_1,y_1) et $\vec{v} = \overrightarrow{AB} = (x_2-x_1, y_2-y_1)$.

Revenons à notre discussion sur l'appartenance d'un point P(x,y) à une droite D passant par un point $A(x_1,y_1)$ et ayant $\vec{v}$ comme vecteur directeur.

Ce qui différencie un point P(x,y) appartenant à D d'un point Q(s,t) ne lui appartenant pas, c'est que, d'une part,

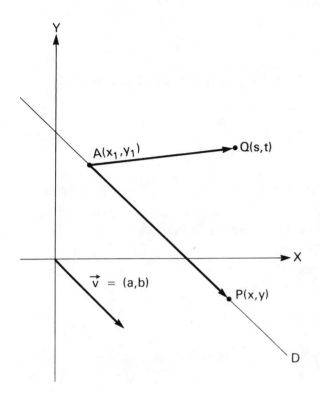

Fig. 9.6

$$\overrightarrow{AP} \parallel \vec{v}$$

et, d'autre part,

$$\overrightarrow{AQ} \not\parallel \vec{v}.$$

Ainsi,

$$P(x,y) \in D$$

$$\Leftrightarrow \overrightarrow{AP} = k\vec{v} \text{ pour un certain}$$

$$k \in \mathbb{R}$$

$$\Leftrightarrow (x - x_1, y - y_1) = k(a, b)$$

$$(\text{où } k \in \mathbb{R})$$

et, si $a \neq 0$, $b \neq 0$,

$$\frac{x - x_1}{a} = \frac{y - y_1}{b} \ ,$$

c'est-à-dire que les rapports entre les composantes, s'ils existent, sont constants et égaux au paramètre k.

L'équation $\dfrac{x - x_1}{a} = \dfrac{y - y_1}{b}$ $(a \neq 0, b \neq 0)$ est appelée *équation symétrique* de la droite D passant par $A(x_1, y_1)$ et ayant $\vec{v} = (a,b)$ comme vecteur directeur.

Remarquons que nous aurions pu obtenir cette équation à partir des équations paramétriques $\begin{cases} x = x_1 + ka \\ y = y_1 + kb \end{cases}$.

En effet, en isolant k, nous obtenons:

$$k = \frac{x - x_1}{a} \qquad (a \neq 0)$$

$$k = \frac{y - y_1}{b} \qquad (b \neq 0)$$

d'où l'égalité:

$$\frac{x - x_1}{a} = \frac{y - y_1}{b} \qquad (a \neq 0,\ b \neq 0).$$

La restriction $a \neq 0$, $b \neq 0$ signifie-t-elle que l'équation symétrique d'une droite n'existe pas toujours? Eh oui! Elle indique que l'équation symétrique d'une droite D n'existe pas si D est parallèle à l'axe OX ou à l'axe OY. Pourquoi?...

Exemple: Soit D, une droite d'équation symétrique:

$$\frac{x - 4}{3} = \frac{y + 5}{2} \quad .$$

Est-ce que $\vec{w} = (9,6)$ est un vecteur directeur de D?

En examinant l'équation, nous remarquons que $\vec{v} = (3, 2)$ est vecteur directeur de D. Comme $\vec{w} = 3\vec{v}$, $\vec{w}$ et $\vec{v}$ sont parallèles, ce qui signifie que $\vec{w}$ est lui aussi vecteur directeur de D.

Nous venons de voir trois façons de décrire une droite lorsque nous en connaissons un point et un vecteur directeur. Y a-t-il une autre façon d'utiliser des vecteurs pour déterminer une droite? Que penser d'un point et d'un vecteur qui serait perpendiculaire à D? En y réfléchissant bien, le lecteur constatera que ces deux éléments déterminent une droite de façon unique. Mais pourquoi ce choix? Tout simplement parce que l'équation qui en découlera présente certains avantages...

DÉFINITION: Un *vecteur normal* $\vec{n}$ à une droite D est un vecteur dont la direction est perpendiculaire à celle de D.

En d'autres termes, un vecteur normal $\vec{n}$ à une droite D forme un angle droit avec tout vecteur directeur $\vec{v}$ de D lorsqu'ils sont ramenés à une même origine.

Considérons une droite D, un point $A(x_1, y_1)$ lui appartenant et un vecteur normal $\vec{n} = (c,d)$. Soit aussi un point $P(x,y)$, appartenant à D, et un point $Q(s,t)$, ne lui appartenant pas.

Examinons les vecteurs $\vec{AP}$, $\vec{AQ}$ et $\vec{n}$ (voir fig. 9.7). Nous voyons bien que $\vec{AP} \perp \vec{n}$ alors que $\vec{AQ} \not\perp \vec{n}$, ce qui signifie que

$$\vec{AP} \cdot \vec{n} = 0$$

tandis que

$$\vec{AQ} \cdot \vec{n} \neq 0.$$

Ainsi,

$$P(x,y) \in D \iff \vec{AP} \cdot \vec{n} = 0$$

$$\iff (x - x_1, y - y_1) \cdot (c,d) = 0$$

$$\iff (x - x_1)c + (y - y_1)d = 0$$

$$\iff cx + dy = cx_1 + dy_1$$

$$\iff cx + dy = r \quad \text{où } r = cx_1 + dy_1 .$$

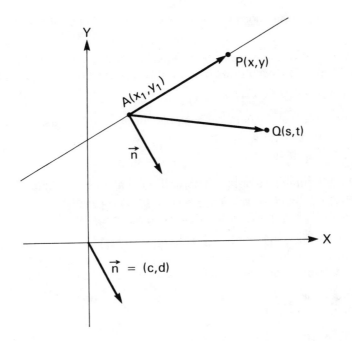

Fig. 9.7

L'équation $cx + dy = r$ où $r = cx_1 + dy_1$ est appelée *équation algébrique* de la droite D passant par le point $A(x_1, y_1)$ et ayant $\vec{n} = (c,d)$ comme vecteur normal.

Remarques: 1)   Les coefficients de x et de y coïncident avec les composantes du vecteur normal $\vec{n} = (c,d)$, ce qui représente l'avantage de cette équation.

2)   La valeur de r correspond à la valeur du produit scalaire du vecteur $\vec{OA} = (x_1, y_1)$ avec le vecteur $\vec{n} = (c, d)$.

Exemple: Soit D, une droite passant par A(2,3) et ayant $\vec{v} = (4,5)$ comme vecteur directeur. Trouver l'équation algébrique de D.

Cherchons premièrement un vecteur normal $\vec{n} = (c,d)$:

$$\vec{n} \perp \vec{v} \iff \vec{n} \cdot \vec{v} = 0$$

$$\iff (c,d) \cdot (4,5) = 0$$

$$\iff 4c + 5d = 0$$

$$\iff c = -\frac{5}{4}d.$$

Évidemment, il y a une infinité de solutions possibles. Nous pourrions prendre $\vec{n} = \left(-\dfrac{5}{4}, 1\right)$, $\vec{n} = (-5,4)$ ou $\vec{n} = (10,-8)$. Prenons $\vec{n} = (-5,4)$. Comme

$$\overrightarrow{OA} \cdot \vec{n} = (2,3) \cdot (-5,4) = 2,$$

l'équation algébrique de D sera D: $-5x + 4y = 2$.

Remarque:　Nous venons de constater dans cet exemple que si $\vec{v} = (a,b)$ est vecteur directeur, $\vec{n} = (-b,a)$ est vecteur normal. En effet,

$$\vec{n} \cdot \vec{v} = (-b,a) \cdot (a,b) = -ab + ab = 0.$$

L'équation algébrique aurait pu s'obtenir à partir de l'équation symétrique. En effet, si A: (x_1,y_1) est un point appartenant à D et si $\vec{v} = (a,b)$ est vecteur directeur ($a \neq 0$, $b \neq 0$),

$$\frac{x - x_1}{a} = \frac{y - y_1}{b} \Longleftrightarrow b(x - x_1) = a(y - y_1)$$

$$\Longleftrightarrow bx - ay = bx_1 - ay_1.$$

Posons $c = b$, $d = -a$; comme nous venons de le remarquer, les vecteurs $(-b,a)$ et $(b,-a)$ sont des vecteurs normaux à D, et ainsi, si $\vec{n} = (b,-a)$, nous aurons

$$\vec{n} \cdot \overrightarrow{OA} = (b,-a) \cdot (x_1,y_1) = bx_1 - ay_1 = r.$$

Nous venons de retrouver l'équation algébrique

$$cx + dy = r.$$

Il est clair que l'équation algébrique nous mène à l'équation connue

$$y = mx + b$$

si $d \neq 0$, c.-à-d. si la droite n'est pas parallèle à l'axe OY. En effet, si $d \neq 0$,

$$cx + dy = r \Longleftrightarrow y = -\frac{c}{d} x + \frac{r}{d}.$$

Examinons $-\dfrac{c}{d}$ et $\dfrac{r}{d}$:

* $-\dfrac{c}{d}$ est bien la pente de D: puisque $\vec{n} = (c, d)$ est un vecteur normal à D, $\vec{v} = (d, -c)$ est un vecteur directeur de D et ainsi, la pente de D vaut bien $-\dfrac{c}{d}$;

* $\dfrac{r}{d} = \dfrac{cx_1 + dy_1}{d} = \dfrac{c}{d} x_1 + y_1 = -mx_1 + y_1 = b$

(voir section 9.1).

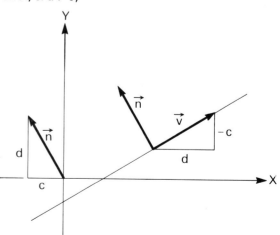

Fig. 9.8

Nous pourrions résumer les différentes équations dans un tableau.

ÉQUATIONS	CARACTÉRISTIQUES CONNUES
VECTORIELLE $$(x, y) = (x_1, y_1) + k(a, b)$$ $(k \in \mathbb{R})$	$A(x_1, y_1)$, un point $\vec{v} = (a, b)$, un vecteur directeur
PARAMÉTRIQUES $$\begin{cases} x = x_1 + ka \\ y = y_1 + kb \end{cases} \quad (k \in \mathbb{R})$$	$A(x_1, y_1)$, un point $\vec{v} = (a, b)$, un vecteur directeur
SYMÉTRIQUE $$\frac{x - x_1}{a} = \frac{y - y_1}{b}$$	$A(x_1, y_1)$, un point $\vec{v} = (a, b)$, un vecteur directeur $(a \neq 0, b \neq 0)$
ALGÉBRIQUE $$cx + dy = r \quad (r = cx_1 + dy_1 = \vec{n} \cdot \overrightarrow{OA})$$	$A(x_1, y_1)$, un point $\vec{n} = (c, d)$, un vecteur normal
$bx - ay = bx_1 - ay_1$	$A(x_1, y_1)$, un point $\vec{v} = (a, b)$, un vecteur directeur
$x = x_1$	$A(x_1, y_1)$, $B(x_2, y_2)$, deux points $x_1 = x_2$
$\dfrac{y - y_1}{x - x_1} = \dfrac{y_2 - y_1}{x_2 - x_1}$	$A(x_1, y_1)$, $B(x_2, y_2)$, deux points $x_1 \neq x_2$
$y - y_1 = m(x - x_1)$	$A(x_1, y_1)$, un point m, la pente
$y = mx + b$	m, la pente b, l'ordonnée à l'origine où $$m = \frac{y_2 - y_1}{x_2 - x_1}, \quad b = y_1 - mx_1$$

9.3 EXERCICES

1. Déterminer l'équation vectorielle de la droite D passant par le point A et ayant $\vec{v}$ comme vecteur directeur, sachant que:

a) A : $(3, 2)$, $\vec{v} = (2, 2)$

b) A : $(-1, 4)$, $\vec{v} = (0, 3)$

c) A : $(0, 5)$, $\vec{v} = (4, -1)$

d) A : $(2, -6)$, $\vec{v} = (-3, 0)$.

2. Déterminer les équations paramétriques des droites de l'exercice 1.

3. Déterminer l'équation symétrique des droites de l'exercice 1.

4. Déterminer l'équation algébrique de la droite D passant par le point A et ayant $\vec{n}$ comme vecteur normal, sachant que:

a) A : $(5, 2)$, $\vec{n} = (0, 3)$

b) A : $(0, 4)$, $\vec{n} = (-2, 1)$

c) A : $(-1, 3)$, $\vec{n} = (3, -1)$.

5. Pour les droites de l'exercice 4, déterminer:

a) un vecteur directeur;

b) leur équation vectorielle;

c) leur équation symétrique.

6. Pour chacune des droites suivantes, déterminer

a) deux points appartenant à la droite;

b) deux vecteurs directeurs;

c) un vecteur normal;

d) un point n'appartenant pas à la droite:

$$D_1 : \frac{x - 3}{5} = \frac{4 - y}{6} \; ; \quad D_2 : 3x + 2y = 5; \quad D_3 : \begin{cases} x = 3 + 4r \\ y = -2 - 9r \end{cases} \quad (r \in \mathbb{R})$$

$$D_4 : (x, y) = (-2, 0) + k(0, 5) \; (k \in \mathbb{R}); \quad D_5 : \frac{x - 4}{y - 7} = -1; \quad D_6 : y = 3x + 5$$

7. Déterminer l'équation algébrique de D, connaissant:

a) A$(2, 5)$, B$(-3, 4)$;

b) A$(-2, 5)$, m = 3;

c) $\vec{v} = (2, 4)$, A$(0, -3)$;

d) $\vec{n} = (-1, 3)$, B$(1, 7)$;

e) m = 0, A$(3, -1)$;

f) A$(-3, 2)$, B$(-3, 7)$.

9.4   POSITIONS RELATIVES DE DEUX DROITES

Nous savons que deux droites peuvent être parallèles distinctes, parallèles confondues, sécantes. Différencier ces cas lorsque les droites sont déjà représentées graphiquement ne cause évidemment de problème à personne. Dans les sections précédentes, nous avons étudié les différentes équations d'une droite. Il nous reste à reconnaître les positions relatives de deux droites à partir de leurs équations.

9.4.1   Droites parallèles, confondues ou distinctes

Soit D_1, D_2, deux droites parallèles. Si nous connaissons $\vec{v_1}$ et $\vec{v_2}$, vecteurs directeurs de D_1 et D_2, nous aurons évidemment:

$$D_1 \parallel D_2 \Leftrightarrow \vec{v_1} \parallel \vec{v_2}.$$

Si nous connaissons $\vec{n_1}$ et $\vec{n_2}$, vecteurs normaux de D_1 et D_2, il est clair que

$$D_1 \parallel D_2 \Leftrightarrow \vec{n_1} \parallel \vec{n_2}.$$

Si nous connaissons $\vec{n_1}$, vecteur normal de D_1, et $\vec{v_2}$, vecteur directeur de D_2, alors

$$D_1 \parallel D_2 \Leftrightarrow \vec{n_1} \perp \vec{v_2}.$$

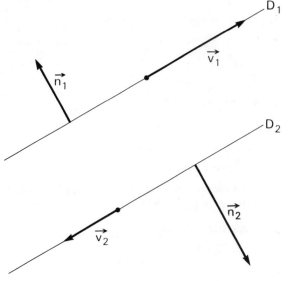

Fig. 9.9

Vérifier le parallélisme de deux droites revient donc à un problème de parallélisme ou de perpendicularité de vecteurs, problème que nous avons appris à résoudre dans les chapitres précédents. Pour établir si deux droites parallèles sont confondues ou distinctes, nous n'avons qu'à examiner si elles ont au moins un point en commun: si oui, elles en auront aussi une infinité et elles seront confondues; sinon, elles seront distinctes.

Exemple: Soit

$$D_1: \begin{cases} x = 3 + 2k \\ y = 4 + 3k \end{cases} \quad (k \in \mathbb{R}),$$

$$D_2: \frac{x + 5}{4} = \frac{y - 2}{6},$$

$$D_3: -3x + 2y = -1.$$

Ces droites sont-elles parallèles, distinctes ou confondues? Nous avons immédiatement:

$$\vec{v_1} = (2, 3), \vec{v_2} = (4, 6), \vec{n_3} = (-3, 2).$$

Comme $\vec{v_2} = 2\vec{v_1}$,

$$\vec{v_1} \mathbin{/\!/} \vec{v_2}$$

et ainsi,

$$D_1 \mathbin{/\!/} D_2.$$

En plus,

$$\vec{n_3} \cdot \vec{v_1} = (-3, 2) \cdot (2, 3) = -6 + 6 = 0,$$

donc

$$\vec{n_3} \perp \vec{v_1}$$

et

$$D_3 \mathbin{/\!/} D_1.$$

Ainsi, D_1, D_2 et D_3 sont toutes parallèles. En examinant l'équation de D_1, nous pouvons affirmer que $A_1 : (3,4)$ est un point de D_1:

— A_1 appartient-il à D_2?

Pour $x = 3$, $\frac{1}{4}(x + 5) = 2$,

pour $y = 4$, $\frac{1}{6}(y - 2) = \frac{1}{3}$

et, comme $2 \neq \frac{1}{3}$, A_1 n'appartient pas à D_2, et ainsi, D_1 et D_2 sont distinctes.

— A_1 appartient-il à D_3?

Pour $x = 3$ et $y = 4$, l'équation $D_3 : -3x + 2y = -1$ est vérifiée, ce qui signifie que D_1 et D_3 sont confondues.

9.4.2 Droites sécantes - Point d'intersection

D'après ce que nous venons de voir, si D_1 et D_2 sont deux droites pour lesquelles $\vec{v_1}$ et $\vec{v_2}$ ne sont pas parallèles, ou encore $\vec{v_1}$ et $\vec{n_2}$ ne sont pas perpendiculaires, ces droites seront évidemment sécantes.

Pour trouver le point d'intersection de deux droites, il suffit de nous pencher sur la notion d'intersection:

"Un point d'intersection entre deux droites est un point *appartenant* à ces deux droites."

Ainsi, pour trouver les coordonnées d'un point $P(x, y)$ qui se trouve à l'intersection de deux droites D_1 et D_2, il suffit de résoudre le système formé des équations de D_1 et D_2.

Exemple: Soit $D_1: x + 3y = 4$ et $D_2: \dfrac{x-4}{2} = y$. Trouver le point d'intersection de D_1 et D_2 revient à résoudre le système:

$$\begin{cases} x + 3y = 4 \\ \dfrac{x-4}{2} = y. \end{cases}$$

Le lecteur trouvera comme solution $P(4, 0)$.

Dans le cas où les droites sont données sous forme vectorielle ou paramétrique, il s'agit de trouver s'il existe des valeurs des paramètres pour lesquelles le système possède une solution en x et en y.

Exemple: Trouver les points d'intersection des deux droites suivantes:

$$D_1: \begin{cases} x = 1 + 3k \\ y = 2 + 2k \end{cases} (k \in \mathbb{R}) \qquad D_2: \begin{cases} x = 4 + 3r \\ y = 4 - 5r \end{cases} (r \in \mathbb{R}).$$

Résolvons le système:

$$\begin{cases} x = 1 + 3k \\ y = 2 + 2k \\ x = 4 + 3r \\ y = 4 - 5r. \end{cases}$$

Trouvons premièrement k et r satisfaisant le sous-système

$$\begin{cases} 1 + 3k = 4 + 3r \\ 2 + 2k = 4 - 5r \end{cases}, \text{ c.-à-d. } \begin{cases} 3k - 3r = 3 \\ 2k + 5r = 2. \end{cases}$$

Le lecteur trouvera aisément $k = 1$ et $r = 0$. Le point d'intersection de D_1 et D_2 peut donc être obtenu de deux façons:

1)   avec $k = 1$ dans les équations de D_1, nous avons $x = 1 + 3(1) = 4$ et $y = 2 + 2(1) = 4$ et le point est $P(4, 4)$;

2)   avec $r = 0$ dans les équations de D_2, nous y retrouvons aussi $x = 4$, $y = 4$.

9.5   ANGLE ENTRE DEUX DROITES SÉCANTES

Soit deux droites sécantes, D_1 et D_2. Ces droites forment quatre angles, θ_1, θ_2, θ_3 et θ_4 où $\theta_1 = \theta_3$, $\theta_2 = \theta_4$.

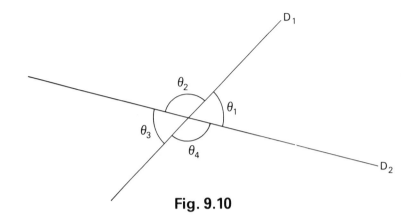

Fig. 9.10

DÉFINITION: L'*angle entre deux droites sécantes* D_1 et D_2 est l'angle aigu ou droit formé par ces droites.

Sur la figure 9.10, l'angle entre D_1 et D_2 serait θ_1 (ou θ_3!).

Essayons d'utiliser les notions déjà vues pour déterminer la valeur de cet angle.

Soit D_1, D_2, deux droites sécantes, et soit $\vec{v_1}$, $\vec{v_2}$, les vecteurs directeurs respectifs. Ces vecteurs forment entre eux l'angle $(\vec{v_1}, \vec{v_2})$ que nous pouvons connaître en nous servant de la relation:

$$\cos (\vec{v_1}, \vec{v_2}) = \frac{\vec{v_1} \cdot \vec{v_2}}{|\vec{v_1}|\,|\vec{v_2}|} \qquad \text{(voir section 8.1).}$$

Mais, l'angle $(\vec{v_1}, \vec{v_2})$ est-il l'angle désiré? Appelons θ l'angle entre D_1 et D_2. Examinons les positions possibles des vecteurs directeurs. Deux cas peuvent se produire.

Premier cas:

$$\theta = (\vec{v_1}, \vec{v_2})$$

et ainsi

$$\cos \theta = \cos (\vec{v_1}, \vec{v_2}) \geqslant 0$$
$$= |\cos (\vec{v_1}, \vec{v_2})|.$$

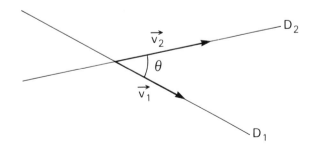

Fig. 9.11

Deuxième cas:

$$\theta = \pi - (\vec{v_1}, \vec{v_2})$$
$$\cos(\vec{v_1}, \vec{v_2}) \leqslant 0,$$
$$\cos\theta = \cos(\pi - (\vec{v_1}, \vec{v_2}))$$
$$= -\cos(\vec{v_1}, \vec{v_2}) \geqslant 0$$
$$= |\cos(\vec{v_1}, \vec{v_2})|.$$

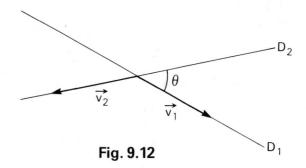

Fig. 9.12

Dans les deux cas, nous pouvons retrouver θ par:

$$\cos\theta = |\cos(\vec{v_1}, \vec{v_2})|,$$

d'où le résultat suivant.

> *L'angle θ entre deux droites sécantes* D_1 *et* D_2 *de vecteurs directeurs* $\vec{v_1}$ *et* $\vec{v_2}$ *est donné par:*
>
> $$\cos\theta = \frac{|\vec{v_1} \cdot \vec{v_2}|}{|\vec{v_1}||\vec{v_2}|}.$$

Qu'arrive-t-il si, au lieu de connaître $\vec{v_1}$ et $\vec{v_2}$, nous connaissons deux vecteurs normaux $\vec{n_1}$ et $\vec{n_2}$? Nous obtiendrons une relation semblable.

En effet, si nous connaissons $\vec{n_1}$ et $\vec{n_2}$, deux vecteurs normaux,

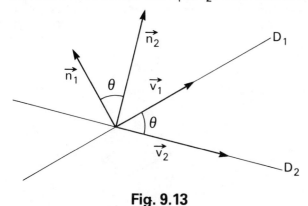

Fig. 9.13

$$(\vec{n_1}, \vec{n_2}) = \frac{\pi}{2} - (\vec{v_1}, \vec{n_2}),$$

$$(\vec{v_1}, \vec{v_2}) = \frac{\pi}{2} - (\vec{v_1}, \vec{n_2}).$$

Nous avons $(\vec{n_1}, \vec{n_2}) = (\vec{v_1}, \vec{v_2})$.

D'où:

$$\cos\theta = \frac{|\vec{n_1} \cdot \vec{n_2}|}{|\vec{n_1}||\vec{n_2}|}.$$

Exemple: Calculer l'angle entre les droites D_1 et D_2 où

$$D_1: x - 4 = \frac{y - 8}{4}$$

et

$$D_2: x + 3y = 15.$$

Nous avons $\vec{v_1} = (1, 4)$, $\vec{n_2} = (1, 3)$. Nous pouvons prendre $\vec{v_2} = (-3, 1)$. D'où

$$\cos \theta = \frac{|\vec{v_1} \cdot \vec{v_2}|}{|\vec{v_1}| \, |\vec{v_2}|} = \frac{1}{(\sqrt{17}) \, (\sqrt{10})} = \frac{1}{\sqrt{170}} \simeq 0{,}0767$$

et ainsi,

$$\theta = \text{arc cos } \frac{1}{\sqrt{170}} \simeq 85{,}6°.$$

9.6   DISTANCE D'UN POINT À UNE DROITE

Jusqu'ici, nous avons examiné algébriquement les droites, leurs positions relatives et les angles qu'elles forment. Parmi les situations géométriques mentionnées au début du chapitre se rapportant à la droite dans le plan, il nous reste à étudier la distance entre un point et une droite. Si le point appartient à la droite (vérification élémentaire à effectuer!), la distance demandée sera évidemment nulle. Examinons le cas où le point n'appartient pas à la droite.

DÉFINITION: La *distance d entre un point P et une droite D* est donnée par la longueur du segment de droite reliant P perpendiculairement à D.

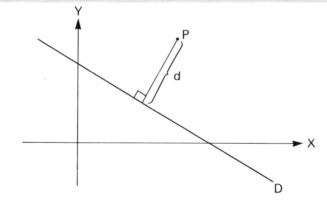

Fig. 9.14

Caractérisons cette distance d en terme de norme de vecteur. Soit D, une droite possédant un point

$A(x_1, y_1)$ et un vecteur normal $\vec{n}$. Soit P, un point extérieur à D, et soit Q, un point de D tel que $d = |\vec{PQ}|$. Par définition de d, il est clair que $PQ \parallel \vec{n}$. Examinons $\vec{PA}$ et $\vec{PQ}$: PQ est en fait le vecteur projection de $\vec{PA}$ sur $\vec{n}$, c.-à-d.

$$\vec{PQ} = \vec{PA}_{\vec{n}} \,.$$

D'où

$$d = |\vec{PA}_{\vec{n}}| \,.$$

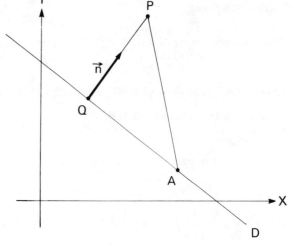

Fig. 9.15

Or, en utilisant les notions déjà vues sur les vecteurs-projections (voir la section 8.2), nous avons:

$$PA_{\vec{n}} = \left(\frac{\vec{PA} \cdot \vec{n}}{\vec{n} \cdot \vec{n}} \right) \vec{n} \,.$$

D'où

$$|PA_{\vec{n}}| = \left| \left(\frac{\vec{PA} \cdot \vec{n}}{\vec{n} \cdot \vec{n}} \right) \vec{n} \right|$$

$$= \left| \frac{\vec{PA} \cdot \vec{n}}{\vec{n} \cdot \vec{n}} \right| \, |\vec{n}| \qquad \text{(car } |k\vec{v}| = |k| \, |\vec{v}| \text{)}$$

$$= \frac{|\vec{PA} \cdot \vec{n}|}{|\vec{n} \cdot \vec{n}|} \, |\vec{n}| \qquad \text{(propriétés des valeurs absolues)}$$

$$= \frac{|\vec{PA} \cdot \vec{n}|}{|\vec{n}|^2} \, |\vec{n}| \qquad \text{(déf. produit scalaire)}$$

$$= \frac{|\vec{PA} \cdot \vec{n}|}{|\vec{n}|} \,. \qquad \text{(simplification)}$$

La distance d entre un point P et une droite D, passant par un point A et ayant $\vec{n}$ comme vecteur normal, est donnée par:

$$d = \frac{|\overrightarrow{PA} \cdot \vec{n}|}{|\vec{n}|} .$$

Exemple: Soit D: $(x,y) = (3,-2) + k(0,-3)$, $k \in \mathbb{R}$, et soit $P(1,0)$, un point.

Trouver la distance entre D et P.

Nous avons

$$\vec{v} = (0,-3),$$
$$\vec{n} = (3,0),$$
$$A: (3,-2),$$
$$\overrightarrow{PA} = (2,-2).$$

D'où

$$d = \frac{|\overrightarrow{PA} \cdot \vec{n}|}{|\vec{n}|} = \frac{|(2,-2) \cdot (3,0)|}{\sqrt{9}} = \frac{|6|}{3} = \frac{6}{3} = 2 .$$

9.7   EXERCICES

1.   Les droites suivantes sont-elles parallèles distinctes, parallèles confondues ou sécantes? Si elles sont sécantes, déterminer le point d'intersection de ces droites:

a) D_1 : $2x + 5y = 4$

    D_2 : $\dfrac{1-x}{4} = \dfrac{5y-4}{8}$

b) D_1 : $\begin{cases} x = -1 + 3k \\ y = 5 - k \quad (k \in \mathbb{R}) \end{cases}$

    D_2 : $3x + 4y = 5$

c) D_1 : $-7x + 2y = -8$

    D_2 : $(x,y) = (2,3) + k(2,7)$ $(k \in \mathbb{R})$

d) D_1 : $\begin{cases} x = 1 + 2k \\ y = 5 + 3k \quad (k \in \mathbb{R}) \end{cases}$

    D_2 : $\begin{cases} x = -6r \\ y = 4 - 9r \quad (r \in \mathbb{R}) \end{cases}$

e) D_1 : $5y - x = 3$

    D_2 : $\dfrac{3-x}{4} = y - 6.$

2. Déterminer le point d'intersection des droites suivantes et l'angle entre ces deux droites:

a) $D_1:$ $x - y = 0$

   $D_2:$ $x = 0$

b) $D_1:$ $-3x + 3y = 0$

   $D_2:$ $\dfrac{2x + 10}{4} = \dfrac{3 - y}{2}$

c) $D_1:$ $4x = 5y + 3$

   $D_2:$ $10x - 4y - 6 = 0$.

3. Les droites suivantes sont-elles perpendiculaires?

a) $D_1: \begin{cases} x = 10 + 4k \\ y = 1 + k \quad (k \in \mathbb{R}) \end{cases}$

   $D_2:$ $x + 3 = \dfrac{5 - y}{4}$

b) $D_1:$ $6x + 3y = 6$

   $D_2:$ $y = -2x + 4$

c) $D_1:$ $y - 4 = 5(x - 1)$

   $D_2:$ $(x,y) = (3,7) - k(2,10) \quad (k \in \mathbb{R})$.

4. Quelle valeur doit être attribuée au paramètre a pour que les droites suivantes soient parallèles distinctes, parallèles confondues, sécantes?

a) $D_1:$ $4x + ay = 3$

   $D_2:$ $3x + 3y = 0$

b) $D_1: \begin{cases} x = 3 + 5t \\ y = -1 - 2t \quad (t \in \mathbb{R}) \end{cases}$

   $D_2:$ $(x,y) = (8, -3) + k(4, 2a) \quad (k \in \mathbb{R})$.

5. Dire si les points P_1, P_2, P_3 sont alignés ou non:

a) $P_1 : (1,2)$, $P_2 : (-5,1)$, $P_3 : (3,7)$

b) $P_1 : (-1, -3)$, $P_2 : (1, -2)$, $P_3 : (5, 0)$.

6. Calculer la distance entre le point P et la droite D si:

a) P: $(4,1)$,   D: $4x + y = 3$

b) P: $(3,2)$,   D: $(x,y) = k(1,4) \quad (k \in \mathbb{R})$

c) P: $(-2,5)$,   D: $\dfrac{x - 1}{3} = \dfrac{2y - 5}{4}$.

7. Calculer la distance entre les droites D_1 et D_2:

a) $D_1:$ $2x + 2y - 1 = 0$

   $D_2:$ $x + y + 3 = 0$

b) $D_1:$ $\dfrac{2x - 7}{4} = 5 + y$

D_2 : $(x,y) = (3,-4) + k(2,1)$ $(k \in \mathbb{R})$

c) D_1 : $x = 5y - 4$

    D_2 : $y = 2x - 3$.

8.   Soit deux droites parallèles D et D' dont les équations sont:

    D : $ax + by + c = 0$

    D' : $ax + by + c' = 0$.

Montrer que la distance entre ces deux droites est $d(D,D') = \dfrac{|c - c'|}{\sqrt{a^2 + b^2}}$.

9.   Trouver l'angle entre

a)   la droite $3x + 4y = 6$ et l'axe des Y,

b)   la droite $-x + 12y = 5$ et l'axe des X.

10.   Soit les points $A(3,1)$, $B(-1,2)$, $C(1,-4)$. Trouver les angles du triangle ABC.

11.   Soit $A(a, 0)$, $B(b, 0)$, $C(0, c)$ les trois sommets d'un triangle. Quelle est la hauteur de ce triangle si on considère que sa base est sur l'axe des X ?

12.   Soit D: $2x - 5y = 4$ et $A(-2,1)$. Déterminer l'équation d'une droite

a)   parallèle à D qui passe par A;

b)   perpendiculaire à D qui passe par A.

13.   Soit D_1 : $4x + 6y - 4 = 0$

        D_2 : $x + 3y - 7 = 0$

        D_3 : $2x + 3y = 0$

        D_4 : $2x + 6y + 12 = 0$.

a)   Ces droites délimitent-elles un parallélogramme? Pourquoi?

b)   Déterminer les sommets de ce quadrilatère.

14.   Déterminer l'équation de la droite passant par l'origine et par l'intersection de D_1 et D_2 si D_1 : $3x - 4y = 1$ et D_2 : $x + 7y = -3$.

15.   Calculer la surface du triangle délimité par les droites $3x - 4y = -9$, $x + 7y = 22$ et $4x + 3y = 38$.

16.   Considérons

    D_1 : $2x - y - 7 = 0$

    D_2 : $x + 3y + 7 = 0$.

a)   Quel est le point d'intersection?

b)   Que représente $(2x - y - 7) + k(x + 3y + 7) = 0$ si $k = 1$? si $k = -2$? si $k = 6$?

c)   Les droites trouvées en b) passent-elles par le point trouvé en a)?

En fait, $(2x - y - 7) + k(x + 3y + 7) = 0$, où $k \in \mathbb{R}$, est appelée équation du faisceau de droite passant par $(2,-3)$.

L'équation du faisceau de droites passant par D_1 : $ax + by + c = 0$ et par D_2 : $dx + ey + f = 0$ est donnée par:

$(ax + by + c) + k(dx + ey + f) = 0.$ $(k \in \mathbb{R})$

Cette définition, bien qu'utilisée couramment, ne permet pas d'obtenir la droite D_2, elle aussi membre du faisceau. Aussi faudrait-il considérer que le faisceau est en fait composé de D_2 et des droites vérifiant l'équation

$$(ax + by + c) + k (dx + ey + f) = 0 \quad (k \in \mathbb{R}).$$

d)   Déterminer k tel que la droite passe par le point (5,2). Quelle est l'équation de cette droite?

17.   Trouver le lieu géométrique de tous les points qui sont également distants de

$3x - 4y + 1 = 0$

et

$4x + 3y - 1 = 0.$

Ces lieux sont appelées bissectrices. Faire une représentation graphique.

18.   Trouver le lieu géométrique de tous les points qui sont deux fois plus éloignés de la droite $12x + 5y - 1 = 0$ que de l'axe des Y.

19.   Quelle est l'équation du lieu des points P tels que la distance entre P et D_1 : $x - 2y + 2 = 0$ soit trois fois la distance entre P et D_2 : $x + 2y + 4 = 0$.

20.   Un point $P(x,y)$ se déplace de telle sorte que sa distance à la droite D: $x - 2y + 5 = 0$ est constamment égale à 2.

a)   Identifier le lieu géométrique de P.

b)   Donner l'équation de ce lieu.

21.   Un point $P(x,y)$ se déplace de telle sorte que sa distance à la droite D: $y + 4 = 0$ est constamment égale au carré de son abscisse.

a)   Quelle est l'équation du lieu géométrique de P.

b)   Quel est ce lieu.

22.   Tracer D_1 : $2x + 3y + 6 = 0$. Indiquer les régions identifiées par:

$\{(x,y): \ 2x + 3y + 6 > 0\}$,

$\{(x,y): \ 2x + 3y + 6 < 0\}$.

23.   Dessiner les lieux suivants:

a)   L: $x + y - 5 \geqslant 0$;

b)   L: $\begin{cases} x + y - 5 \geqslant 0 \\ 2x - y + 3 \geqslant 0 \end{cases}$;

c)   L: $\begin{cases} x + y - 5 \geqslant 0 \\ 2x - y + 3 \geqslant 0 \\ x \quad\;\; - 4 \leqslant 0 \end{cases}$;

d)   L: $\begin{cases} x - \; y \quad\;\; \geqslant 0 \\ 4x + 2y - 7 \geqslant 0 \\ x + 5y - 3 \geqslant 0 \end{cases}$;

e)   L: $\begin{cases} x - \; y + 3 \leqslant 0 \\ 4x + 2y - 7 \geqslant 0 \\ x + 5y - 3 \leqslant 0 \end{cases}$.

Chapitre 10
La droite
dans l'espace

Nous reprenons, dans ce chapitre, l'étude de la droite, pour les mêmes considérations que celles énoncées dans l'introduction du chapitre précédent, mais cette fois-ci en considérant ces droites avec une dimension supplémentaire: ce sont les droites de l'espace.

Nous étudierons diverses équations caractérisant algébriquement de telles droites, leurs positions relatives et l'angle que deux d'entre elles peuvent former. Nous définirons ensuite une notion de distance entre des droites de $\mathbb{R}^3$ et tâcherons de résoudre quelques problèmes relatifs à cette distance.

10.1 ÉQUATIONS VECTORIELLE, PARAMÉTRIQUES ET SYMÉTRIQUES D'UNE DROITE DANS L'ESPACE

Nous allons établir, dans cette section, différentes équations permettant de reconnaître algébriquement des droites dans l'espace. Essayons d'abord de construire de telles droites en notant bien les caractéristiques nécessaires à leur construction.

En fait, nous pouvons reprendre les considérations du chapitre précédent en les généralisant à une dimension supérieure.

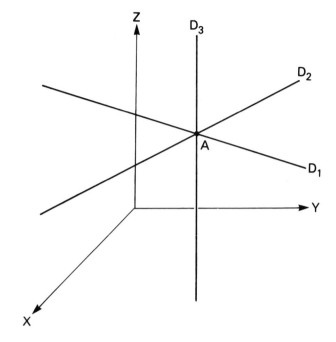

Par exemple, si nous fixons un point A dans l'espace, il peut y passer une infinité de droites, toutes dans des directions différentes.

Fig. 10.1

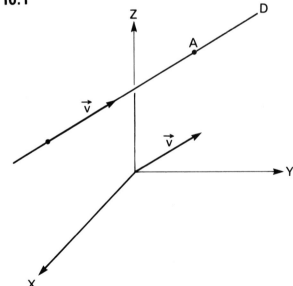

Si, en plus, nous imposons une direction particulière, c'est-à-dire, si nous choisissons un vecteur qui caractérisera cette direction, une seule droite D satisfait à ces deux propriétés:

a) $A \in D$ et

b) $\vec{v}$ est parallèle à D.

Fig. 10.2

Ainsi, tout comme celles du plan, les droites de l'espace sont entièrement déterminées par un point et un vecteur donnant leur direction. Nous appelons encore un tel vecteur, *vecteur directeur* de la droite en question.

Considérons la figure 10.1 et fixons à présent un deuxième point, B, dans l'espace. Cette fois encore, une seule droite D, parmi celles qui contiennent le point A, contient aussi le point B.

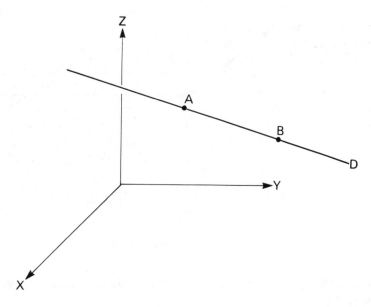

Fig. 10.3

Remarque: Nous retrouvons, à l'aide de ces deux points, les mêmes caractéristiques que précédemment, puisque $\vec{AB}$ est un vecteur directeur de D et, A ou B, est un point de cette droite. Autrement dit, connaître deux points de D équivaut à connaître un point, disons A, et un vecteur directeur $\vec{v} = \vec{AB}$.

Dans $\mathbb{R}^3$, tout comme dans $\mathbb{R}^2$, une droite est complètement déterminée par un point et un vecteur directeur ou par deux points fixes.

Essayons à présent, à l'aide de ces considérations, d'obtenir des équations qui définiraient les droites de l'espace.

Soit un point $A(x_1, y_1, z_1)$ et soit un vecteur $\vec{v} = (a, b, c)$. Cherchons à caractériser les points de la droite D passant par le point A et de vecteur directeur $\vec{v}$.

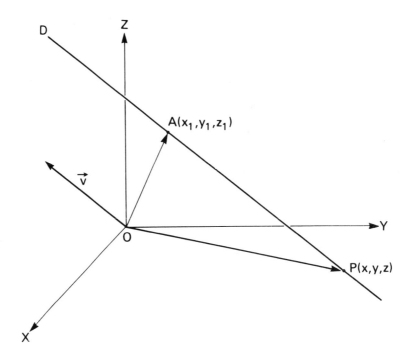

Fig. 10.4

Considérons la figure ci-dessus où un point arbitraire de D serait $P(x, y, z)$. Nous pouvons alors écrire, pour tout $P(x, y, z) \in D$,

$$\overrightarrow{OP} = \overrightarrow{OA} + \overrightarrow{AP}$$

avec $\overrightarrow{AP} \parallel \vec{v}$. $\overrightarrow{AP}$ peut donc s'écrire comme multiple scalaire de $\vec{v}$, c.-à-d.

$$\overrightarrow{AP} = k\vec{v}, k \in \mathbb{R}.$$

Il faut bien noter que, pour un point Q situé à l'extérieur de la droite D,

$$\overrightarrow{AQ} \neq k\vec{v}$$

pour tout $k \in \mathbb{R}$. Ainsi,

$$P(x,y,z) \in D \Longleftrightarrow \overrightarrow{OP} = \overrightarrow{OA} + k\vec{v}$$

$$\Longleftrightarrow (x,y,z) = (x_1,y_1,z_1) + k(a,b,c)$$

pour $k \in \mathbb{R}$.

Un point $P(x,y,z)$ appartient à la droite D de vecteur directeur $\vec{v} = (a,b,c)$ et passant par le point $A(x_1,y_1,z_1)$, si et seulement si

$$(x,y,z) = (x_1,y_1,z_1) + k(a,b,c),$$

pour un nombre réel k. Cette équation est appelée *équation vectorielle* de D.

Réécrivons l'équation vectorielle précédente sous une autre forme:

$$(x,y,z) = (x_1,y_1,z_1) + k(a,b,c)$$

$$\Longleftrightarrow (x,y,z) = (x_1,y_1,z_1) + (ka,kb,kc)$$

$$\Longleftrightarrow (x,y,z) = (x_1+ka, y_1+kb, z_1+kc)$$

$$\Longleftrightarrow \begin{cases} x = x_1 + ka \\ y = y_1 + kb \\ z = z_1 + kc \end{cases} \quad (k \in \mathbb{R}).$$

Les équations

$$\begin{cases} x = x_1 + ka \\ y = y_1 + kb \\ z = z_1 + kc \end{cases} \quad (k \in \mathbb{R})$$

sont appelées *équations paramétriques* de la droite D passant par le point $A(x_1,y_1,z_1)$ et ayant $\vec{v} = (a,b,c)$ pour vecteur directeur, tandis que k est appelé *paramètre* de ces équations.

Exemple 1:   Donner les équations vectorielle et paramétriques de la droite D, passant par le point $A(2,-1,1)$ et de vecteur directeur $\vec{v} = (4,-1,-2)$.

Si $P(x,y,z)$ est un point de la droite D, nous avons:

$$P(x,y,z) \in D \Longleftrightarrow \vec{OP} = \vec{OA} + k\vec{v}$$

$$\Longleftrightarrow (x,y,z) = (2,-1,1) + k(4,-1,-2)$$

où $k \in \mathbb{R}$. Alors

$$(x, y, z) = (2, -1, 1) + k(4, -1, -2) \qquad (k \in \mathbb{R})$$

est l'équation vectorielle de la droite D. Nous avons directement les équations paramétriques de cette droite:

$$\begin{cases} x = 2 + 4k \\ y = -1 - k \\ z = 1 - 2k \end{cases}$$

où $k \in \mathbb{R}$. Le point $B(-2,0,3)$ est-il élément de D? Pour répondre à cette question, il faut vérifier s'il existe un réel k tel que

$$\begin{cases} -2 = 2 + 4k \\ 0 = -1 - k \\ 3 = 1 - 2k. \end{cases}$$

Mais, ce système est équivalent à

$$\begin{cases} -4 = 4k \\ 1 = -k \\ 2 = -2k \end{cases}$$

dont la solution est k = −1. Donc, B(−2,0,3) est bien élément de la droite D. Par contre, le point P(−2,0,1) n'appartient pas à cette droite, puisque le système:

$$\begin{cases} -2 = 2 + 4k \\ 0 = -1 - k \\ 1 = 1 - 2k \end{cases} \sim \begin{cases} -4 = 4k \\ 1 = -k \\ 0 = -2k \end{cases} \sim \begin{cases} k = -1 \\ k = -1 \\ k = 0 \end{cases}$$

n'a pas de solution.

Exemple 2:　Soit D, une droite de l'espace, d'équation vectorielle:

$$D: \quad (x,y,z) = (3,-2,0) + k(1,0,-3), \qquad k \in \mathbb{R}.$$

a)　Donner deux vecteurs directeurs de D.

Un vecteur directeur immédiat est celui directement exprimé par l'équation vectorielle, à savoir $\vec{v} = (1,0,-3)$. Un autre vecteur directeur est un multiple scalaire quelconque de $\vec{v}$, par exemple:

$$\vec{w} = -3(\vec{v}) = (-3,0,9).$$

b)　Donner deux points, éléments de D.

Le premier point peut être celui qu'indique l'équation donnée, c.-à-d. A(3, −2, 0). Un deuxième point est obtenu en fixant une valeur quelconque au paramètre k, disons k = −1. Nous avons alors

$$(3,-2,0) + (-1)(1,0,-3) = (2,-2,3),$$

un point de D. Notons que le point A(3,−2,0) est obtenu de l'équation en faisant k = 0.

Revenons maintenant à l'étude de l'appartenance d'un point à une droite de l'espace.

Nous avons vu que, pour une droite D passant par un point $A(x_1, y_1, z_1)$ et de vecteur directeur $\vec{v} = (a, b, c)$, les seuls points P(x, y, z) de D étaient ceux tels que $\overrightarrow{AP} /\!/ \vec{v}$.

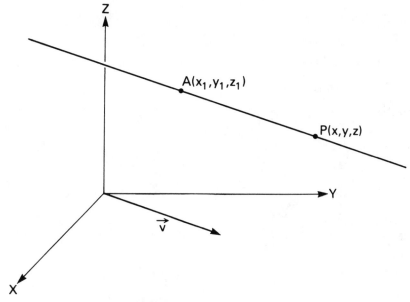

Fig. 10.5

Nous avons donc:

$$P(x,y,z) \in D \iff \overrightarrow{AP} = k\overrightarrow{v}, \text{ pour un certain } k \in \mathbb{R}$$

$$\iff (x-x_1, y-y_1, z-z_1) = k(a,b,c), \ k \in \mathbb{R}$$

$$\iff \begin{cases} x - x_1 = ka \\ y - y_1 = kb \\ z - z_1 = kc \end{cases}$$

et, si $a \neq 0$, $b \neq 0$, $c \neq 0$,

$$\iff k = \frac{x - x_1}{a} = \frac{y - y_1}{b} = \frac{z - z_1}{c} \ .$$

En fait, les rapports entre les composantes de $\overrightarrow{AP}$ et celles de $\overrightarrow{v}$, s'ils existent, sont égaux.

Les équations $\dfrac{x - x_1}{a} = \dfrac{y - y_1}{b} = \dfrac{z - z_1}{c}$, avec $a \neq 0$, $b \neq 0$ et $c \neq 0$, sont appelées *équations symétriques* de la droite D, de vecteur directeur $\overrightarrow{v} = (a,b,c)$ et passant par le point $A(x_1,y_1,z_1)$.

Remarquons qu'il aurait été possible d'obtenir ces équations à partir des équations paramétriques. En effet, si

$$D; \begin{cases} x = x_1 + ka \\ y = y_1 + kb \\ z = z_1 + kc \end{cases}$$

où $k \in \mathbb{R}$, nous avons, en isolant k,

$$k = \frac{x - x_1}{a} \qquad \text{si } a \neq 0,$$

$$k = \frac{y - y_1}{b} \qquad \text{si } b \neq 0,$$

$$k = \frac{z - z_1}{c} \qquad \text{si } c \neq 0,$$

de sorte que, si $a \neq 0$, $b \neq 0$ et $c \neq 0$,

$$\frac{x - x_1}{a} = \frac{y - y_1}{b} = \frac{z - z_1}{c}.$$

Les restrictions sur les valeurs de a, b, et c signifient, comme dans le cas de l'équation symétrique d'une droite du plan, que les droites parallèles aux plans XY, XZ et YZ ne possèdent pas d'équations symétriques. En effet, si $a = 0$,

$$\frac{x - x_1}{a}$$

n'est pas défini et le vecteur $(0,b,c)$ est "parallèle" au plan YZ. Nous devons faire les mêmes remarques pour $b = 0$ ou $c = 0$.

Exemple: Soit D, une droite d'équations symétriques

$$D: \quad x - 3 = \frac{y + 2}{3} = z.$$

Est-ce que le vecteur $\vec{u} = (2, 6, 2)$ est un vecteur directeur de la droite D? Nous remarquons que $\vec{v} = (1, 3, 1)$ est un vecteur directeur de D. Comme

$$\vec{u} = 2\vec{v},$$

$\vec{u}$ est donc aussi un vecteur directeur de la droite en question. De plus, directement à partir des équations, nous trouvons un point de D, à savoir $A(3,-2,0)$.

Nous venons de voir trois façons équivalentes d'exprimer algébriquement les points d'une droite de l'espace. Il n'est pas possible de poursuivre dans cette direction, comme nous l'avons fait au chapitre précédent, et ainsi de définir une équation que nous avons appelée "équation algébrique". En effet, il n'existe pas, pour les droites de l'espace, de vecteur bien défini pouvant être qualifié de vecteur normal puisque plusieurs directions différentes sont orthogonales à une droite de l'espace.

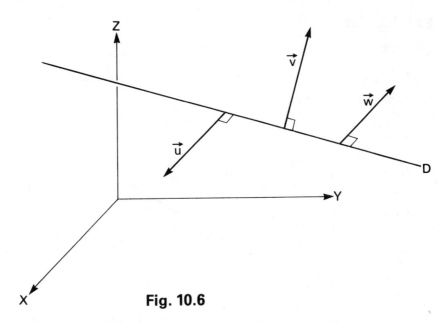

Fig. 10.6

Nous verrons au chapitre suivant une forme particulière de telles équations, en considérant la droite de l'espace comme intersection de deux plans sécants.

Résumons les résultats obtenus dans cette section en un tableau.

ÉQUATIONS	CARACTÉRISTIQUES CONNUES
VECTORIELLE $(x,y,z) = (x_1,y_1,z_1) + k(a,b,c)$ $(k \in \mathbb{R})$	$A(x_1,y_1,z_1)$, un point $\vec{v} = (a,b,c)$, un vecteur directeur
PARAMÉTRIQUES $\begin{cases} x = x_1 + ka \\ y = y_1 + kb \\ z = z_1 + kc \qquad (k \in \mathbb{R}) \end{cases}$	$A(x_1,y_1,z_1)$, un point $\vec{v} = (a,b,c)$, un vecteur directeur
SYMÉTRIQUES $\dfrac{x - x_1}{a} = \dfrac{y - y_1}{b} = \dfrac{z - z_1}{c}$ $(a \neq 0,\ b \neq 0,\ c \neq 0)$	$A(x_1,y_1,z_1)$, un point $\vec{v} = (a,b,c)$, un vecteur directeur avec $a \neq 0,\ b \neq 0$ et $c \neq 0$

10.2 EXERCICES

1. Soit la figure suivante:

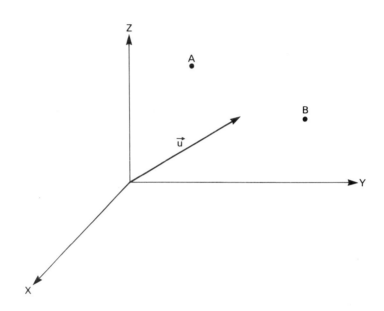

a) Représenter graphiquement une droite parallèle à $\vec{u}$ contenant le point B. Combien y a-t-il de telles droites?

b) Combien de droites contenant les points A et B est-il possible de tracer?

c) Tracer une droite parallèle à l'axe des Y passant par le point A. Combien y a-t-il de droites vérifiant ces deux propriétés?

2. Confirmer ou infirmer les propositions suivantes; illustrer graphiquement:

une droite de l'espace est complètement déterminée si nous connaissons:

a) deux points,

b) un point,

c) deux vecteurs directeurs,

d) un point et un vecteur directeur,

e) un seul vecteur directeur,

f) un vecteur orthogonal,

g) un point, un vecteur directeur et un vecteur orthogonal,

h) un point et un vecteur orthogonal.

3.   Considérons la figure suivante.

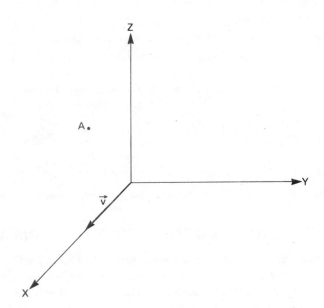

a)   Représenter une droite orthogonale à $\vec{v}$ et passant par l'origine. Combien y a-t-il de telles droites?

b)   Tracer une droite perpendiculaire au plan YZ et contenant le point A. Quel serait un vecteur directeur de cette droite? Combien de droites vérifient ces deux caractéristiques?

c)   Combien de droites passant par A et étant parallèles au plan YZ est-il possible de représenter? En tracer une et donner un vecteur orthogonal.

4.   Soit A(3, 0, −1) un point d'une droite L de vecteur directeur $\vec{u}$ = (1, 2, 4).

a)   Représenter graphiquement le point, le vecteur directeur et la droite L.

b)   Donner les équations vectorielle, paramétriques et symétriques de L.

5.   Donner les trois sortes d'équations de la droite D contenant le point A(−2, 4, 6) et parallèle au vecteur $\vec{u}$ = (3, −1, 2).

6.   Trouver l'équation de la droite L passant par les points A(0, −1, 4) et B(2, 1, 5).

7.   Considérons les équations paramétriques d'une droite D:

$$D: \begin{cases} x = -1 + 3t \\ y = 2 - t \qquad (t \in \mathbb{R}). \\ z = 1 + 2t \end{cases}$$

Représenter graphiquement la portion de D obtenue lorsque

a)   t = 0;

b)   t = −3;

c) $t \in [-3, 0]$;

d) $t \in \,]-\infty, 3[$;

e) $t \in [2, \infty[$.

8. a) Représenter graphiquement la droite L passant par le point A(0, 1, −2) et parallèle à l'axe des Z.

   b) Quel serait un vecteur directeur de L?

   c) Donner, si cela est possible, les équations paramétriques et symétriques de L.

9. Obtenir des équations symétriques et paramétriques pour la droite D afin que D soit parallèle à $\vec{v}$ = (−1, 2, 4) et que P (1, 3, 0) appartienne à D.

10. Quelles sont les équations paramétriques et symétriques de la droite contenant les points A_1 et A_2 si:

a) $A_1(1, 0, 1)$ et $A_2(2, 0, 2)$?

b) $A_1(−1, 3, 2)$ et $A_2(2, 0, 5)$?

c) $A_1(3, 4, 5)$ et $A_2(2, −1, 1)$?

d) $A_1(0, 0, 1)$ et $A_2(1, 1, 0)$?

11. Obtenir l'équation vectorielle de la droite D orthogonale au plan x = 3 et contenant le point P (2, 0, 1).

10.3 POSITIONS RELATIVES DE DEUX DROITES DANS $\mathbb{R}^3$

Nous avons déjà étudié, au chapitre 2 (voir exercice 1 b) de la section 2.9), les positions possibles de deux droites dans l'espace, l'une par rapport à l'autre. Plus particulièrement, nous avons vu, par exemple, que deux droites D_1 et D_2 pouvaient être *parallèles*. Dans ce cas, il est clair que leurs vecteurs directeurs, disons $\vec{v_1}$ et $\vec{v_2}$, le sont aussi, c.-à-d.

$$\vec{v_1} = k\vec{v_2} \text{ pour } k \in \mathbb{R}.$$

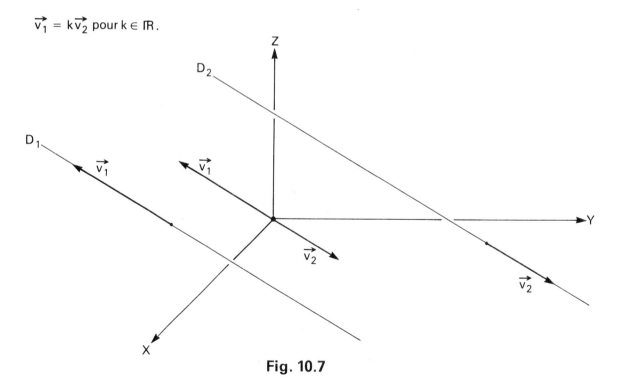

Fig. 10.7

Par exemple, si nous considérons les deux droites suivantes,

$$D_1: \quad (x, y, z) = (0, 2, -1) + k(8, 4, -3) \qquad (k \in \mathbb{R})$$

$$D_2: \quad \frac{x-1}{4} = \frac{y+3}{2} = \frac{-2z}{3} \; ,$$

alors,

$$\vec{v_1} = (8, 4, -3)$$

est un vecteur directeur de D_1 et

$$\vec{v_2} = (4, 2, -3/2)$$

est un vecteur directeur de D_2. Nous remarquons que

$$\vec{v_1} = 2\vec{v_2}$$

de sorte que $\vec{v_1}$ et $\vec{v_2}$ sont parallèles. Donc, D_1 et D_2 le sont aussi.

DÉFINITION: Deux droites D_1 et D_2 de l'espace sont *parallèles* ($D_1 \mathbin{/\!/} D_2$) si leurs vecteurs directeurs sont colinéaires ou encore, s'ils sont linéairement dépendants.

Si, en plus d'être parallèles, deux droites D_1 et D_2 de l'espace ont un point commun, nous dirons alors qu'elles sont *confondues*. Nous aurons ainsi

$$\vec{v_1} = k\vec{v_2}$$

pour k réel et un point P élément à la fois de D_1 et D_2 (voir fig. 10.8).

Il faut bien noter que, dans ce cas, si deux droites parallèles ont un point commun, tous leurs points le sont aussi: c'est la raison pour laquelle nous disons qu'elles sont confondues.

De façon analogue aux droites du plan, deux droites de l'espace peuvent se rencontrer en un seul point, c'est-à-dire qu'elles peuvent avoir un point commun et, en plus, n'être pas parallèles.

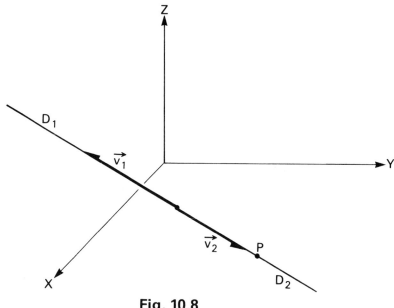

Fig. 10.8

DÉFINITION: Deux droites de l'espace, D_1 et D_2, sont dites *sécantes* ou *concourantes* si elles ont un seul point commun A, appelé *point d'intersection*.

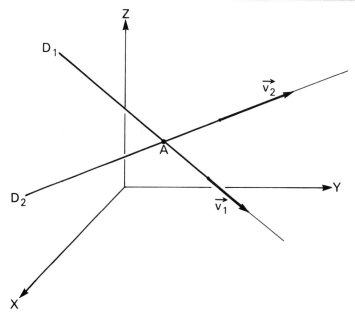

Fig. 10.9

Sur la figure 10.9, D_1 et D_2 sont deux droites sécantes car:

1° $\vec{v_1} \neq k\vec{v_2}$, $k \in \mathbb{R}$,
et 2°   il existe un point A tel que $A \in D_1 \cap D_2$.

Exemple: Soit les deux droites D_1 et D_2 suivantes:

D_1: $(x, y, z) = (2, 8, 2) + t(1, -1, 2)$ $(t \in \mathbb{R})$ et

$$D_2: \begin{cases} x = -1 + 2r \\ y = 1 + 3r \\ z = 2 + r \quad (r \in \mathbb{R}). \end{cases}$$

Étudions la position relative de D_1 et D_2. Nous savons que $\vec{v_1} = (1, -1, 2)$ est un vecteur directeur de D_1 et que $\vec{v_2} = (2, 3, 1)$ est un vecteur directeur de D_2. Il est clair que ces vecteurs ne s'écrivent pas comme multiples scalaires l'un de l'autre: ils ne sont donc pas parallèles. Les droites D_1 et D_2 seront sécantes si nous pouvons trouver un point A commun à D_1 et D_2. Mais, $A(x_0, y_0, z_0)$ est élément de D_1 s'il existe un réel t tel que:

$$x_0 = 2 + t, y_0 = 8 - t \text{ et } z_0 = 2 + 2t.$$

De la même façon, $A(x_0, y_0, z_0)$ est élément de D_2 s'il existe un scalaire $r \in \mathbb{R}$ tel que:

$$x_0 = -1 + 2r, y_0 = 1 + 3r \text{ et } z_0 = 2 + r.$$

Autrement dit, il faudra que t et r soient tels que:

$$\begin{cases} x_0 = 2 + t = -1 + 2r \\ y_0 = 8 - t = 1 + 3r \\ z_0 = 2 + 2t = 2 + r \end{cases} \Longleftrightarrow \begin{cases} 3 = 2r - t \\ 7 = 3r + t \\ 0 = r - 2t \end{cases} \cdot$$

La matrice augmentée du système est donc

$$\begin{pmatrix} 2 & -1 & \vdots & 3 \\ 3 & 1 & \vdots & 7 \\ 1 & -2 & \vdots & 0 \end{pmatrix}$$

qui est équivalente à

$$\begin{pmatrix} 1 & -2 & | & 0 \\ 3 & 1 & | & 7 \\ 2 & -1 & | & 3 \end{pmatrix} \text{ par } P_{13}$$

$$\sim \begin{pmatrix} 1 & -2 & | & 0 \\ 0 & 1 & | & 1 \\ 0 & 0 & | & 0 \end{pmatrix} \text{ par } A_{32}^{-1} \circ M_3^{1/3} \circ M_2^{1/7} \circ A_{31}^{-2} \circ A_{21}^{-3} \quad ,$$

d'où nous tirons la solution unique: $t = 1$ et $r = 2$.

Ainsi, nous avons:

$$x_0 = 2 + 1 \quad = -1 + 2(2) = 3$$

$$y_0 = 8 - 1 \quad = \quad 1 + 3(2) = 7$$

$$z_0 = 2 + 2(1) = \quad 2 + 2 \quad = 4$$

et, le point $A(x_0, y_0, z_0)$, élément à la fois de D_1 et de D_2, est donné par $A(3, 7, 4)$. C'est le point d'intersection cherché.

Dans l'exemple précédent, le point d'intersection a été obtenu en résolvant un système de trois équations à deux inconnues. Un tel système n'a pas toujours de solution (voir chapitre 7). Ainsi, il est possible que deux droites de l'espace n'aient aucun point commun, tout en n'étant pas parallèles. Ces droites sont alors dites gauches. C'est donc dire qu'il existe une autre position possible pour deux droites de $\mathbb{R}^3$, comme l'illustre la figure 10.10.

DÉFINITION: Deux droites de l'espace sont dites *gauches* si elles ne sont pas parallèles et n'ont entre elles aucun point commun.

Exemple: Soit les droites L_1 et L_2 suivantes:

$$L_1: \quad \frac{x+2}{3} = \frac{y-3}{2} = z+1$$

$$L_2: \quad \frac{x-1}{2} = y+2 = z \quad .$$

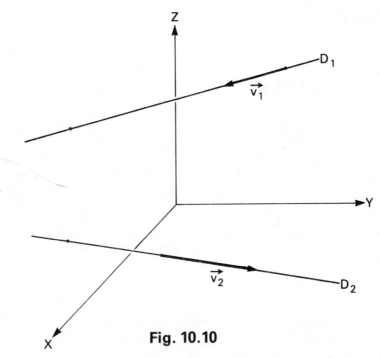

Fig. 10.10

Les vecteurs $\vec{v_1} = (3, 2, 1)$ et $\vec{v_2} = (2, 1, 1)$ sont des vecteurs directeurs de L_1 et L_2 respectivement. Les vecteurs $\vec{v_1}$ et $\vec{v_2}$ n'étant pas colinéaires, L_1 et L_2 ne sont pas parallèles. Vérifions si elles possèdent un point d'intersection. Le point $A(x_0, y_0, z_0)$ est commun à L_1 et L_2 si:

$1°$ $\dfrac{x_0 + 2}{3} = \dfrac{y_0 - 3}{2} = z_0 + 1$

$2°$ $\dfrac{x_0 - 1}{2} = y_0 + 2 = z_0$.

Nous tirons de ces égalités quatre équations:

$$\begin{cases} \dfrac{x_0 + 2}{3} = \dfrac{y_0 - 3}{2} \\[2mm] \dfrac{y_0 - 3}{2} = z_0 + 1 \\[2mm] \dfrac{x_0 - 1}{2} = y_0 + 2 \\[2mm] y_0 + 2 = z_0 \end{cases} \Longleftrightarrow \begin{cases} 2x_0 - 3y_0 = -13 \\[2mm] y_0 - 2z_0 = 5 \\[2mm] x_0 - 2y_0 = 5 \\[2mm] y_0 - z_0 = -2. \end{cases}$$

La matrice augmentée de ce système est donc

$$\begin{pmatrix} 2 & -3 & 0 & | & -13 \\ 0 & 1 & -2 & | & 5 \\ 1 & -2 & 0 & | & 5 \\ 0 & 1 & -1 & | & -2 \end{pmatrix}$$

qui est équivalente à

$$\begin{pmatrix} 1 & -2 & 0 & | & 5 \\ 0 & 1 & -2 & | & 5 \\ 0 & 0 & 1 & | & -14 \\ 0 & 0 & 0 & | & 7 \end{pmatrix} \text{ par } A_{43}^{-1} \circ M_3^{1/2} \circ A_{42}^{-1} \circ A_{32}^{-1} \circ A_{31}^{-2} \circ P_{13} \quad .$$

Or, cette dernière matrice amenant une contradiction $(0 = 7)$, le système ne possède aucune solution, ou encore, il ne peut exister de point commun $A(x_0, y_0, z_0)$ aux droites L_1 et L_2: ces droites sont gauches.

Soit D_1 et D_2, deux droites de l'espace, ayant pour vecteurs directeurs $\vec{v_1}$ et $\vec{v_2}$, respectivement:

- D_1 et D_2 sont *parallèles* si $\vec{v_1} = k\vec{v_2}$ pour $k \in \mathbb{R}$;

- D_1 et D_2 sont *confondues* si $\vec{v_1} = k\vec{v_2}$ pour $k \in \mathbb{R}$ et s'il existe un point A commun à D_1 et D_2;

- D_1 et D_2 sont *sécantes* ou *concourantes* si $\vec{v_1} \neq k\vec{v_2}$ pour tout $k \in \mathbb{R}$ et s'il existe un point A élément à la fois de D_1 et D_2 (A est le point d'*intersection* de ces deux droites);

- D_1 et D_2 sont *gauches* si elles ne sont ni parallèles ni sécantes.

10.4 ANGLE ENTRE DEUX DROITES DE L'ESPACE

Comme nous avons parlé d'angle entre deux droites du plan, nous pouvons définir cette notion pour deux droites de l'espace. En fait, il n'y a aucun problème à reprendre la définition vue au chapitre précédent.

DÉFINITION: Soit D_1 et D_2, deux droites de l'espace, et $\vec{v_1}$, $\vec{v_2}$, leur vecteur directeur respectif. Est appelé *angle entre les droites D_1 et D_2* l'angle aigu ou droit déterminé par les vecteurs $\vec{v_1}$ et $\vec{v_2}$, lorsque ramenés à la même origine.

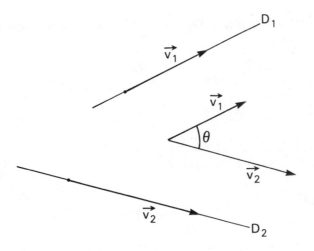

Fig. 10.11

Nous remarquons que cette définition correspond exactement à celle d'angle entre deux droites dans le plan. En effet, si nous ramenons les vecteurs directeurs $\vec{v_1}$ et $\vec{v_2}$ à la même origine, ces vecteurs sont dans un même plan, de sorte que leur angle θ, tel qu'il a été obtenu au chapitre 9, est donné par:

$$\cos \theta = \frac{|\vec{v_1} \cdot \vec{v_2}|}{|\vec{v_1}| \, |\vec{v_2}|}$$

avec $(\vec{v_1}, \vec{v_2}) \in [0, \pi]$. Cette expression nous donne ainsi, d'après la définition précédente, le cosinus de l'angle entre les droites D_1 et D_2 de vecteur directeur $\vec{v_1}$ et $\vec{v_2}$ respectivement. Toutes les remarques relatives à cette notion faites au chapitre précédent restent donc valables même si la définition d'angle que nous venons de donner s'applique également à deux droites gauches.

Exemple: Soit à calculer l'angle entre les droites D_1 et D_2 suivantes:

$$D_1: \quad \frac{x-5}{2} = \frac{y+7}{-4} = \frac{z-7}{3}$$

$$D_2: \quad \begin{cases} x = 7 - t \\ y = 5 - 2t \qquad (t \in \mathbb{R}). \\ z = 2 + t \end{cases}$$

Alors, $\vec{v_1} = (2, -4, 3)$ est un vecteur directeur de D_1 et $\vec{v_2} = (-1, -2, 1)$ est un vecteur directeur de D_2. Si θ est l'angle entre D_1 et D_2, nous avons:

$$\cos \theta = \frac{|\vec{v_1} \cdot \vec{v_2}|}{|\vec{v_1}| \, |\vec{v_2}|}$$

$$= \frac{|(2, -4, 3) \cdot (-1, -2, 1)|}{\sqrt{2^2 + (-4)^2 + 3^2} \times \sqrt{(-1)^2 + (-2)^2 + 1^2}}$$

$$= \frac{|-2 + 8 + 3|}{\sqrt{29 \times 6}}$$

$$= \frac{9}{\sqrt{174}}$$

$$= \frac{9\sqrt{174}}{174}$$

$$\simeq 0,682,$$

de sorte que $\theta \simeq 46,98°$.

Le lecteur pourra vérifier que D_1 et D_2 sont gauches. Il notera également que nous avons calculé la valeur positive du cosinus de l'angle θ pour que θ soit bien l'angle aigu $(0 \leqslant \theta \leqslant \pi/2)$ que nous cherchons.

Nous pouvons appliquer ce qui précède au cas particulier où l'une des droites est l'un des axes OX, OY ou OZ du repère $(O, \vec{i}, \vec{j}, \vec{k})$ habituel. Nous donnons alors un nom précis aux angles obtenus.

DÉFINITION: Sont apppelés *angles directeurs* d'une droite quelconque D, les angles que fait D avec les axes OX, OY et OZ du repère cartésien $(O, \vec{i}, \vec{j}, \vec{k})$.

En nous référant au vecteur $\vec{u}$ de la figure 10.12, construisons le vecteur

$$\vec{u_0} = \frac{\vec{u}}{|\vec{u}|} = (a_0, b_0, c_0)$$

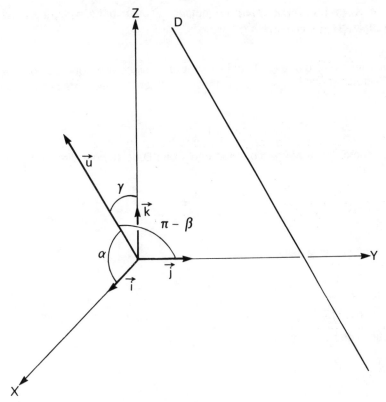

Fig. 10.12

qui est un vecteur directeur unitaire de D. Nous obtenons alors, si α, β et γ sont les angles aigus que font les vecteurs $\vec{i}$, $\vec{j}$, $\vec{k}$ avec le vecteur $\vec{u_0}$,

$$\cos \alpha = \frac{|\vec{u_0} \cdot \vec{i}|}{1} = |(a_0, b_0, c_0) \cdot (1, 0, 0)| = |a_0|,$$

$$\cos \beta = \frac{|\vec{u_0} \cdot \vec{j}|}{1} = |(a_0, b_0, c_0) \cdot (0, 1, 0)| = |b_0|,$$

$$\cos \gamma = \frac{|\vec{u_0} \cdot \vec{k}|}{1} = |(a_0, b_0, c_0) \cdot (0, 0, 1)| = |c_0|,$$

de sorte que les composantes du vecteur directeur unitaire $\vec{u_0}$ sont, à un signe près, les cosinus des angles que fait D avec les trois axes.

DÉFINITION: Si $\vec{u_0} = (a_0, b_0, c_0)$ est un vecteur directeur unitaire d'une droite D, nous appelons $|a_0|$, $|b_0|$ et $|c_0|$ les *cosinus directeurs* de la droite D.

Les cosinus directeurs d'une droite qui ne sont, à un signe près, que les composantes d'un vecteur directeur unitaire, nous donnent donc les angles que font OX, OY et OZ avec cette droite. Nous avons, de plus:

$$\cos^2\alpha + \cos^2\beta + \cos^2\gamma = |a_0|^2 + |b_0|^2 + |c_0|^2 = 1.$$

Exemple: Nous cherchons les angles que fait une droite D de vecteur directeur $\vec{v} = (-2, 0, 1)$ avec les trois axes OX, OY et OZ. Puisque

$$\vec{v_0} = \frac{\vec{v}}{|\vec{v}|}$$

est un vecteur directeur unitaire de D, alors

$$\vec{v_0} = \left(\frac{-2}{\sqrt{5}}, 0, \frac{1}{\sqrt{5}}\right).$$

Les cosinus directeurs de D sont donc

$$\cos\alpha = |-2/\sqrt{5}| = 2/\sqrt{5}$$
$$\cos\beta = |0| = 0$$
$$\cos\gamma = |1/\sqrt{5}| = 1/\sqrt{5}$$

ce qui donne

$$\alpha \simeq 26{,}57°$$
$$\beta = 90°$$
$$\gamma \simeq 63{,}43°$$

les trois angles entre D et OX, OY, OZ, respectivement.

10.5 EXERCICES

1. Considérons la droite D d'équation D : $(x, y, z) = (3, 1, 0) + t(-2, 1, 5)\,(t \in \mathbb{R})$.

a) Si L_1, L_2 et L_3 sont trois droites respectivement parallèle, sécante et gauche à D, donner pour chacune un vecteur directeur.

b) Si L est une droite ayant pour vecteur directeur $\vec{v} = (-4, 2, 12)$, quelle est la position relative des droites L et D ?

2. Donner la position relative des couples de droites D_1, D_2 suivants:

a) $D_1: \dfrac{x-2}{3} = \dfrac{y+1}{2} = z - 1$

$D_2: x + 3 = \dfrac{y-2}{3} = z$

b) $D_1: (x, y, z) = (4, -2, -3) + k(-2, 3, 6) \quad (k \in \mathbb{R})$

$D_2: x - 2 = y - 1 = \dfrac{z-3}{2}$

c)
$$D_1: \begin{cases} x = 3 - 2t \\ y = 2 + \ t \\ z = \quad\ t \qquad (t \in \mathbb{R}) \end{cases}$$

$D_2: (x, y, z) = (0, 1, 2) + r(4, -2, -2) \qquad (r \in \mathbb{R})$

d) $D_1: \dfrac{x-2}{3} = \dfrac{y-1}{2} = \dfrac{z}{-6}$

$$D_2: \begin{cases} x = 1 - \ t \\ y = \dfrac{1}{3} - \dfrac{2t}{3} \\ z = 2 + 2t \qquad (t \in \mathbb{R}). \end{cases}$$

3. Considérons les droites suivantes où b désigne un paramètre fixe :

$D_1: x - 2 = \dfrac{y+1}{2} = \dfrac{z-3}{3}$

$D_2: x = b - y = z + 1.$

Quelle doit être la valeur de b pour que D_1 et D_2 soient sécantes ? Quel est alors le point d'intersection de D_1 et D_2 ?

4. Soit les droites L_1 et L_2 telles que

$$L_1: \begin{cases} x = 2 \\ y = 3 - k \\ z = -7 + 2k \qquad (k \in \mathbb{R}) \end{cases} \qquad L_2: \dfrac{x-1}{a} = \dfrac{y+2}{b} = z.$$

a)   Trouver la valeur de a et de b de telle sorte que L_1 et L_2 soient parallèles.

b)   Pour quelles valeurs de a et de b, L_1 est perpendiculaire à L_2 ?

c)   Si L_1 et L_2 sont concourantes, quelle est alors la valeur de a et de b ?

5. Considérons trois points de $\mathbb{R}^3$: A $(0, 1, 2)$, B $(-1, 3, 4)$ et C $(-2, 1, 5)$. Ces points sont-ils alignés ?... Si non, calculer l'angle que forment les droites D_1 et D_2 passant respectivement par A et B, et par B et C.

6. Quel est l'angle formé par les droites

$L_1: \dfrac{x-2}{3} = y = \dfrac{z+1}{2}$ et $L_2: (x, y, z) = (3, 1, 0) + k(-1, 2, -3) \ (k \in \mathbb{R})$?

Ces droites sont-elles sécantes ou gauches?

7. a) Considérons une droite de l'espace dont deux des angles directeurs sont $\alpha = 45°$ et $\beta = 60°$; quel est alors l'autre angle directeur?

b)   Même question avec $\alpha = 90°$ et $\beta = 30°$.

8. Déterminer les cosinus directeurs des droites suivantes:

a) $D: x = y, z = 2$;

b) L: la droite passant par l'origine et le point $A(2, 0, 1)$;

c)   les axes OX, OY et OZ;

d)   la droite pour laquelle les trois cosinus directeurs sont égaux.

9. Obtenir un vecteur directeur $\vec{u}$ d'une droite qui a pour angles directeurs $\alpha = 60°$, $\beta = 45°$ et $|\vec{u}| = 4$.

10. Est-il possible de considérer une droite de l'espace dont deux des angles directeurs sont $\alpha = 25°$ et $\beta = 40°$? Expliquer.

10.6   NOTION DE DISTANCE DANS L'ESPACE

10.6.1   Distance d'un point à une droite de $\mathbb{R}^3$

Nous sommes intéressés à trouver la distance entre un point quelconque P et une droite D de l'espace. Nous définissons cette notion de distance de façon analogue à celle entre un point et une droite du plan.

> **DÉFINITION:**   Soit D, une droite de l'espace, et soit P un point. La *distance du point P à la droite D* est la longueur du segment perpendiculairement abaissé de P sur D. Nous noterons cette distance *d* ou *d(P, D)*.

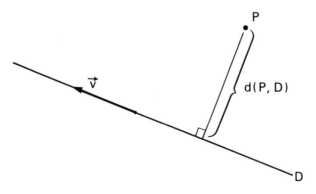

Fig. 10.13

Cherchons maintenant à établir une expression permettant de calculer cette distance.

Soit D, une droite passant par un point A et ayant pour vecteur directeur $\vec{v}$. Soit P, un point quelconque de l'espace.

Si nous plaçons l'origine de $\vec{v}$ en A, les vecteurs $\vec{v}$ et $\overrightarrow{AP}$ déterminent un parallélogramme APRQ dont l'aire est donnée par

$$\text{Aire APRQ} = d\,|\vec{v}|$$

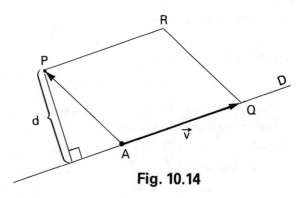

Fig. 10.14

ou encore, d'après les propriétés du produit vectoriel (voir section 8.4)

$$\text{Aire APRQ} = |\overrightarrow{AP} \times \vec{v}|.$$

Nous avons donc,

$$d\,|\vec{v}| = |\overrightarrow{AP} \times \vec{v}|$$

c.-à-d.

$$d(P, D) = d = \frac{|\overrightarrow{AP} \times \vec{v}|}{|\vec{v}|}.$$

Exemple: Cherchons la distance du point P$(-1, 0, 2)$ à la droite

$$D: \begin{cases} x = 3 - k \\ y = \quad 2k \\ z = 5 - 2k \qquad (k \in \mathbb{R}). \end{cases}$$

Alors, $\vec{v} = (-1, 2, -2)$ est un vecteur directeur de D et A$(3, 0, 5)$ est un point de cette droite. Ainsi, la distance du point P à la droite D est:

$$d(P, D) = \frac{|\overrightarrow{AP} \times \vec{v}|}{|\vec{v}|}$$

$$= \frac{|(-4, 0, -3) \times (-1, 2, -2)|}{\sqrt{1 + 4 + 4}}$$

$$= \frac{|(6, -5, -8)|}{\sqrt{9}}$$

$$= \frac{\sqrt{36 + 25 + 64}}{3}$$

$$\simeq 3{,}73.$$

Nous avons obtenu le résultat suivant:

THÉORÈME

Soit D, une droite de l'espace passant par un point A et ayant pour vecteur directeur $\vec{v}$. La distance d'un point P à la droite D est donnée par

$$d(P, D) = \frac{|\overrightarrow{AP} \times \vec{v}|}{|\vec{v}|} \ .$$

10.6.2   Distance entre deux droites de $\mathbb{R}^3$

Nous étudions maintenant ce à quoi pourrait correspondre la distance entre deux droites de l'espace. Trois cas sont à considérer.

1er cas: DROITES PARALLÈLES

DÉFINITION: La *distance entre deux droites parallèles* D_1 et D_2 est la longueur d'une perpendiculaire abaissée de l'une des droites sur l'autre.

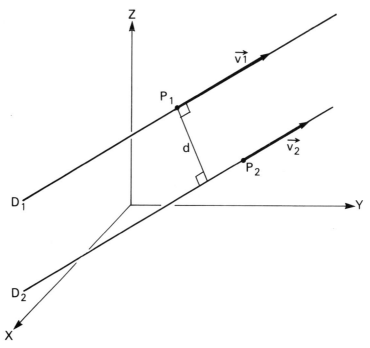

Fig. 10.15

Ainsi, si D_1 et D_2 sont deux droites parallèles de vecteurs directeurs $\vec{v_1}$ et $\vec{v_2}$ et passant par les points P_1 et P_2 respectivement, la distance de D_1 à D_2 serait la distance du point P_1 à la droite D_2, ou du point P_2 à la droite D_1.

COROLLAIRE:

> Soit D_1 et D_2 deux droites parallèles; alors la distance entre les droites D_1 et D_2 est donnée par:
>
> $$d(D_1, D_2) = \frac{|\overrightarrow{P_1P_2} \times \vec{v_1}|}{|\vec{v_1}|} = \frac{|\overrightarrow{P_2P_1} \times \vec{v_2}|}{|\vec{v_2}|}$$
>
> avec P_1 et $\vec{v_1}$ un point et un vecteur directeur de D_1 et P_2 et $\vec{v_2}$ un point et un vecteur directeur de D_2.

Nous remarquons que si D_1 et D_2 sont confondues, la distance est nulle car alors $\overrightarrow{P_1P_2} \times \vec{v_1} = \overrightarrow{P_2P_1} \times \vec{v_2} = \vec{0}$.

2e cas: DROITES GAUCHES

Il est possible de définir une distance entre deux droites gauches car il existe, pour de telles droites, une perpendiculaire commune (voir figure 10.16).

DÉFINITION: Si deux droites D_1 et D_2 sont gauches, la *distance entre D_1 et D_2* est la longueur du seul segment perpendiculaire qu'il est possible d'abaisser de l'une sur l'autre.

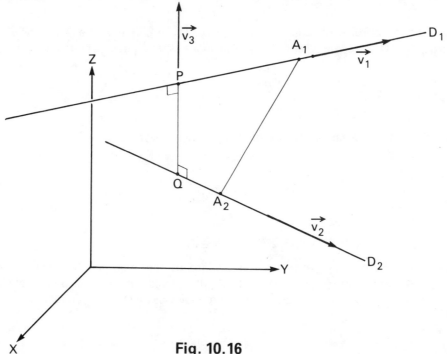

Fig. 10.16

Cherchons une expression pour cette distance. Si $\vec{v_3}$ est un vecteur directeur de la droite perpendiculaire à la fois à D_1 et D_2 et si A_1 et A_2 sont deux points de D_1 et D_2 respectivement, alors la longueur du segment cherché, $|\overrightarrow{PQ}|$ sur la figure, correspond à la longueur de la projection orthogonale de $\overrightarrow{A_1A_2}$ sur $\vec{v_3}$: cela s'obtient en vertu des mêmes principes déjà utilisés dans le chapitre précédent. Mais, d'après les développements du chapitre 8, section 8.2,

$$\overrightarrow{A_1A_2}_{\vec{v_3}} = \left(\frac{\overrightarrow{A_1A_2} \cdot \vec{v_3}}{\vec{v_3} \cdot \vec{v_3}} \right) \vec{v_3}$$

de sorte que la longueur cherchée est

$$d(D_1, D_2) = |\overrightarrow{A_1A_2}_{\vec{v_3}}| = \frac{|\overrightarrow{A_1A_2} \cdot \vec{v_3}|}{|\vec{v_3}|^2} |\vec{v_3}| = \frac{|\overrightarrow{A_1A_2} \cdot \vec{v_3}|}{|\vec{v_3}|} .$$

Dans ce résultat, les points A_1 et A_2 peuvent être bien déterminés en connaissant les équations des droites D_1 et D_2, cependant que le vecteur $\vec{v_3}$ ne l'est pas.

Nous remarquons que $\vec{v_3}$ doit être perpendiculaire à la fois à D_1 et à D_2, donc aux vecteurs $\vec{v_1}$ et $\vec{v_2}$. Si nous considérons le plan contenant les vecteurs $\vec{v_1}$ et $\vec{v_2}$, le vecteur $\vec{v_3}$ doit être perpendiculaire à ce plan. Ainsi, un vecteur $\vec{v_3}$ pourrait être le produit vectoriel de $\vec{v_1}$ par $\vec{v_2}$. D'où le théorème suivant.

THÉORÈME:

Soit D_1 et D_2, deux droites gauches, A_1, un point de D_1, A_2, un point de D_2, et $\vec{v_1}$, $\vec{v_2}$ des vecteurs directeurs de D_1 et D_2 respectivement. Alors, la distance entre D_1 et D_2 est donnée par:

$$d(D_1, D_2) = \frac{|\overrightarrow{A_1A_2} \cdot (\vec{v_1} \times \vec{v_2})|}{|\vec{v_1} \times \vec{v_2}|} .$$

Exemple: Calculons la distance entre les droites gauches suivantes:

$$D_1 : \frac{x+1}{3} = y + 2 = \frac{z}{4}$$

et

$$D_2 : (x, y, z) = (-1, 0, 2) + k(3, 2, 1) \qquad (k \in \mathbb{R}).$$

Le lecteur vérifiera, en premier lieu, que ces droites sont bien gauches! Un vecteur directeur de D_1 est $\vec{v_1} = (3, 1, 4)$ et un point de D_1 est $A_1(-1, -2, 0)$. Un vecteur directeur de D_2 est $\vec{v_2} = (3, 2, 1)$ et un point de D_2 est $A_2(-1, 0, 2)$. De plus, un vecteur perpendiculaire à D_1 et D_2 en même temps est donné par:

$$\vec{v_3} = \vec{v_1} \times \vec{v_2} = (-7, 9, 3).$$

Ainsi, la distance entre D_1 et D_2 est:

$$d(D_1, D_2) = \frac{\left| \overrightarrow{A_1 A_2} \cdot (-7, 9, 3) \right|}{\left| (-7, 9, 3) \right|} = \frac{24}{\sqrt{139}} \simeq 2{,}04.$$

3e cas: DROITES SÉCANTES

Soit D_1 et D_2 deux droites sécantes de point d'intersection A; nous pouvons définir, de la même façon que pour les deux cas précédents, une distance entre D_1 et D_2. En effet, il suffit de considérer le seul segment perpendiculaire à la fois à D_1 et à D_2, à savoir le segment joignant le point A de D_1 et le point A de D_2. Ce segment étant évidemment de longueur nulle, la distance cherchée sera donc égale à zéro.

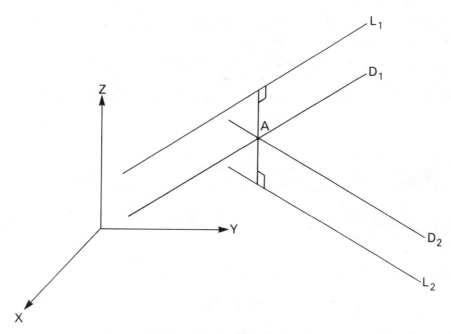

Fig. 10.17

Le fait de définir ainsi la distance entre deux droites sécantes nous permet d'utiliser la formule précédente pour les droites gauches et donc de décrire la position relative entre deux droites de la façon suivante:

Pour deux droites D_1 et D_2 non parallèles,

$d(D_1, D_2) = 0 \Rightarrow D_1$ et D_2 sécantes,

$d(D_1, D_2) \neq 0 \Rightarrow D_1$ et D_2 gauches.

10.7   APPLICATION À LA RECHERCHE DE POINTS PARTICULIERS D'UNE DROITE DE L'ESPACE

10.7.1   Point d'une droite le plus rapproché d'un point donné

Il est intéressant de connaître, étant donné un point P de l'espace et une droite D quelconque, quel est le point de D le plus près du point P. Autrement dit, quel est le pied de la perpendiculaire abaissé du point P sur D?

Les résultats obtenus à la section 8.2 du chapitre 8 permettent de répondre à cette question.

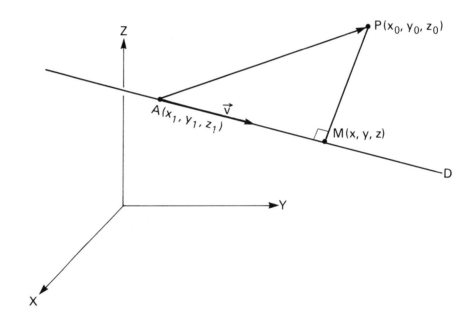

Fig. 10.18

Considérons un point $P(x_0, y_0, z_0)$ de l'espace et une droite D de vecteur directeur $\vec{v} = (a, b, c)$ et contenant le point $A(x_1, y_1, z_1)$. Nous cherchons le point $M(x, y, z)$. (Voir figure 10.18.)

Nous remarquons que $\overrightarrow{AM} = \overrightarrow{AP}_{\vec{v}}$, c'est-à-dire, d'après la section 8.2,

$$\overrightarrow{AM} = \left(\frac{\overrightarrow{AP} \cdot \vec{v}}{\vec{v} \cdot \vec{v}} \right) \vec{v}$$

$$= \left(\frac{(x_0 - x_1, y_0 - y_1, z_0 - z_1) \cdot (a, b, c)}{(a, b, c) \cdot (a, b, c)} \right) \vec{v}$$

$$= \left(\frac{a(x_0 - x_1) + b(y_0 - y_1) + c(z_0 - z_1)}{a^2 + b^2 + c^2} \right) (a, b, c).$$

Mais, le vecteur $\overrightarrow{AM}$ s'écrit également

$$\overrightarrow{AM} = (x - x_1, y - y_1, z - z_1),$$

de sorte que:

$$(x - x_1, y - y_1, z - z_1) = \left(\frac{a(x_0 - x_1) + b(y_0 - y_1) + c(z_0 - z_1)}{a^2 + b^2 + c^2} \right) (a, b, c).$$

Nous obtenons finalement, en égalant les composantes de ces vecteurs, le résultat suivant.

THÉORÈME:

Soit D, une droite de vecteur directeur $\overrightarrow{v} = (a, b, c)$, passant par le point $A(x_1, y_1, z_1)$. Soit $P(x_0, y_0, z_0)$, un point quelconque de l'espace. Le point $M(x, y, z)$ de D le plus près du point P est donné par:

$$x = x_1 + \frac{a^2(x_0 - x_1) + ab(y_0 - y_1) + ac(z_0 - z_1)}{(a^2 + b^2 + c^2)}$$

$$y = y_1 + \frac{ab(x_0 - x_1) + b^2(y_0 - y_1) + bc(z_0 - z_1)}{(a^2 + b^2 + c^2)}$$

$$z = z_1 + \frac{ac(x_0 - x_1) + bc(y_0 - y_1) + c^2(z_0 - z_1)}{(a^2 + b^2 + c^2)}$$

Remarque: Il est inutile de tenter de mémoriser ce résultat puisqu'il est facile de le retrouver par un raisonnement simple comme le montre l'exemple suivant.

Exemple: Soit

$$D: x + 1 = \frac{y - 1}{3} = \frac{z + 2}{2}$$

une droite de $\mathbb{R}^3$, et $P(-1, 2, 0)$ un point de l'espace. Déterminer le point $M(x, y, z)$ de la droite D le plus rapproché du point P.

Nous avons $A(-1, 1, -2)$ et $\overrightarrow{v} = (1, 3, 2)$ un point et un vecteur directeur de D.

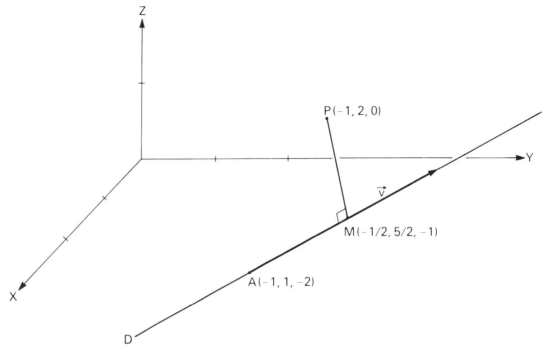

Fig. 10.19

Alors,

$$\overrightarrow{AM} = (x + 1, y - 1, z + 2)$$

et

$$\overrightarrow{AM} = \left(\frac{\overrightarrow{AP} \cdot \vec{v}}{\vec{v} \cdot \vec{v}} \right) \vec{v}$$

$$= \left(\frac{(0, 1, 2) \cdot (1, 3, 2)}{(1, 3, 2) \cdot (1, 3, 2)} \right) (1, 3, 2)$$

$$= \left(\frac{0 + 3 + 4}{1 + 9 + 4} \right) (1, 3, 2)$$

$$= (1/2, 3/2, 1)$$

de sorte que:

$$(x + 1, y - 1, z + 2) = (1/2, 3/2, 1)$$

$$\Leftrightarrow \begin{cases} x = -1 + 1/2 \\ y = 1 + 3/2 \\ z = -2 + 1 \end{cases}$$

$$\Leftrightarrow \begin{cases} x = -1/2 \\ y = 5/2 \\ z = -1 \end{cases}$$

et le point cherché est $M(-1/2, 5/2, -1)$.

10.7.2 Points de deux droites gauches les plus rapprochés l'un de l'autre

Le problème se pose ainsi: ayant deux droites gauches D_1 et D_2, nous cherchons les points A_1 et A_2 de D_1 et D_2 tels que la distance entre A_1 et A_2 soit minimale. En fait, nous cherchons A_1 et A_2, éléments de D_1 et D_2, tels que:

$$d(A_1, A_2) = d(D_1, D_2).$$

Considérons une première solution à ce problème.

Soit les droites

$$D_1: \frac{x + 3}{3} = y - 1 = \frac{3 - z}{2}$$

et

$$D_2: 4 - x = y + 2 = z.$$

Soit aussi deux vecteurs directeurs

$$\vec{v_1} = (3, 1, -2)$$

et

$$\vec{v_2} = (-1, 1, 1)$$

de D_1 et D_2 respectivement.

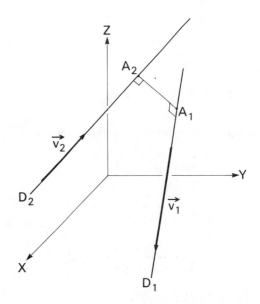

Fig. 10.20

Les points $A_1(x_1, y_1, z_1)$ et $A_2(x_2, y_2, z_2)$ sont tels que la droite supportant le vecteur $\overrightarrow{A_1A_2}$ est orthogonale à la fois à D_1 et D_2, par définition de distance entre deux droites gauches. Un vecteur directeur à cette droite est donné par

$$\overrightarrow{v} = \overrightarrow{v_1} \times \overrightarrow{v_2} = (3, 1, -2) \times (-1, 1, 1)$$
$$= (3, -1, 4)$$

et donc

$$\overrightarrow{A_1A_2} = k(3, -1, 4)$$

pour $k \in \mathbb{R}$, ce qui donne:

$$(x_2 - x_1, y_2 - y_1, z_2 - z_1) = (3k, -k, 4k) \Longleftrightarrow \begin{cases} x_2 - x_1 = 3k \\ y_2 - y_1 = -k \\ z_2 - z_1 = 4k. \end{cases}$$

De plus, A_1 et A_2 sont éléments de D_1 et D_2 respectivement, de sorte que:

$$\frac{x_1 + 3}{3} = y_1 - 1 = \frac{3 - z_1}{2}$$

et

$$4 - x_2 = y_2 + 2 = z_2.$$

Nous avons donc ainsi sept équations à sept inconnues, $x_1, y_1, z_1, x_2, y_2, z_2$ et k:

$$\begin{cases} x_2 - x_1 = 3k \\ y_2 - y_1 = -k \\ z_2 - z_1 = 4k \\ x_1 - 3y_1 = -6 \\ 2y_1 + z_1 = 5 \\ x_2 + y_2 = 2 \\ y_2 - z_2 = -2 \end{cases}$$

ce qui s'écrit:

$$
\begin{pmatrix}
-1 & 0 & 0 & 1 & 0 & 0 & -3 \\
0 & -1 & 0 & 0 & 1 & 0 & 1 \\
0 & 0 & -1 & 0 & 0 & 1 & -4 \\
1 & -3 & 0 & 0 & 0 & 0 & 0 \\
0 & 2 & 1 & 0 & 0 & 0 & 0 \\
0 & 0 & 0 & 1 & 1 & 0 & 0 \\
0 & 0 & 0 & 0 & 1 & -1 & 0
\end{pmatrix}
\begin{pmatrix}
x_1 \\ y_1 \\ z_1 \\ x_2 \\ y_2 \\ z_2 \\ k
\end{pmatrix}
=
\begin{pmatrix}
0 \\ 0 \\ 0 \\ -6 \\ 5 \\ 2 \\ -2
\end{pmatrix}
$$

Le lecteur vérifiera que la solution à ce système est donnée par

$$x_1 = -9/13,\ y_1 = 23/13,\ z_1 = 19/13,\ x_2 = 9/13,\ y_2 = 17/13,\ z_2 = 43/13,\ k = 6/13,$$

de sorte que les points cherchés sont:

$$A_1(-9/13,\ 23/13,\ 19/13)$$

et

$$A_2(9/13,\ 17/13,\ 43/13).$$

De plus, nous avons

$$d(D_1, D_2) = d(A_1, A_2) = |\overrightarrow{A_1 A_2}| = \frac{1}{13}\sqrt{18^2 + (-6)^2 + 24^2} = \frac{6}{13}\sqrt{26}.$$

Le lecteur vérifiera que $d(D_1, D_2)$ est bien $\dfrac{6}{13}\sqrt{26}$ en utilisant les résultats obtenus à la section 10.6.2.

Remarque: La difficulté du problème réside finalement dans la résolution d'un système de sept équations à sept inconnues. Au chapitre suivant, nous présenterons une autre solution à ce problème, plus élégante...

10.8   EXERCICES

1. Considérons la droite D d'équation D : $(x, y, z) = (0, -1, 2) + t(1, 4, 5)$ $(t \in \mathbb{R})$ et le point $P(2, 0, -1)$ de $\mathbb{R}^3$. Calculer la distance qui sépare le point P de la droite D.

2. Déterminer la distance de l'origine à la droite d'équation

$$L: \frac{x + 1}{2} = y = z - 3.$$

3. Soit les deux droites D_1 et D_2 suivantes:

$$D_1: (x, y, z) = (-2, 0, 1) + r(2, 1, 4) \quad (r \in \mathbb{R})$$

$$D_2: x + 4 = 2y = \frac{z - 3}{2}.$$

Vérifier que D_1 et D_2 sont parallèles et calculer la distance qui les sépare.

4. Représenter graphiquement le lieu géométrique décrit par un point $M(x, y, z)$ se déplaçant à une distance constante de 5 de la droite d'équation $D: x = 3, y = 2$. Déterminer son équation.

5. Obtenir la distance qui sépare les droites D_1 et D_2 suivantes:

a) $D_1: x - 1 = \dfrac{y + 4}{2} = \dfrac{2 - z}{3}$

$D_2: \dfrac{x + 1}{2} = 3 - y = 2z$

b) D_1 passe par $A(2, 0, -1)$ et a pour vecteur directeur $\vec{u} = (0, 1, 1)$ et D_2 contient le point $B(-1, 2, 5)$ et est parallèle au vecteur $\vec{v} = (2, 0, -4)$.

6. Calculer la distance entre L_1 et L_2 si

$$L_1: (x, y, z) = (-1, 2, 3) + k(3, 0, 2) \quad (k \in \mathbb{R})$$

$$L_2: \frac{x + 2}{3} = y = \frac{3z}{4}.$$

7. Trouver le point de la droite D le plus près du point $A(0, 1, 3)$ où

$$D: x - 2 = \frac{y}{2} = \frac{z - 3}{4}.$$

8. Étant donné deux droites D_1 et D_2, trouver les points A_1 et A_2 appartenant respectivement à D_1 et D_2 qui soient les plus rapprochés l'un de l'autre si:

a) D_1 passe par l'origine et a pour vecteur directeur $\vec{v_1} = (1, 1, 1)$; D_2 passe par $M_2(1, 0, 1)$ et a pour vecteur directeur $\vec{v_2} = (-2, 2, -1)$;

b)

$$D_1: \begin{cases} x = 1 + \lambda \\ y = -1 + 2\lambda \\ z = 3\lambda \quad (\lambda \in \mathbb{R}) \end{cases} \quad \text{et} \quad D_2: \begin{cases} x = -3\lambda \\ y = -1 + \lambda \\ z = 2 - 2\lambda \quad (\lambda \in \mathbb{R}). \end{cases}$$

9. Nous étudions la position de trois comètes C_1, C_2 et C_3 dont nous supposons les trajectoires rectilignes. Depuis le début de cette étude, il a pu être établi que les positions respectives de C_1, C_2 et C_3, au temps t (t en années), sont données par les équations paramétriques suivantes (l'origine du repère étant la terre):

$$C_1: \begin{cases} x = 2t \\ y = 3 + t \\ z = 1 - t \quad (t \in \mathbb{R}) \end{cases} \qquad C_2: \begin{cases} x = -1 + 4t \\ y = 2 + 2t \\ z = -2t \quad (t \in \mathbb{R}) \end{cases}$$

$$C_3: \begin{cases} x = 2 - t \\ y = 4 + 2t \\ z = \quad 3t \qquad (\in \mathbb{R}). \end{cases}$$

a) À quel endroit se trouvaient les comètes lorsque l'étude a débuté?

b) Les comètes C_1 et C_2 se rapprochent-elles l'une de l'autre? Pourquoi?

c) À quelle distance la comète C_1 sera-t-elle de la comète C_3, dix ans après le début de l'étude?

d) Les trajectoires des comètes C_2 et C_3 se rencontrent-elles? Si oui, donner la position du point de rencontre, sinon, quelle distance les sépare-t-elle?

e) Sept ans après le début de l'étude, quelle distance sépare la comète C_2 de la trajectoire de la comète C_3?

f) Quelle est la position relative des trajectoires des comètes C_1 et C_3? Peut-on en conclure que ces comètes entreront en collision à un certain temps t? Justifier.

g) Quel angle forment les trajectoires des comètes C_2 et C_3?

10. a) Obtenir les équations paramétriques de la droite D perpendiculaire à la droite L d'équation L: $(x, y, z) = (0, 1, 2) + k(-1, 2, 0)$ $(k \in \mathbb{R})$ et contenant le point $M(-1, 0, 2)$.

b) Si la droite D obtenue en a) est à une distance de 1 unité de L, quelle est alors l'équation de D?

Chapitre **11**

Le plan
dans l'espace

Nous avons déjà une certaine idée de ce qu'est un plan, et surtout de sa représentation géométrique; que le lecteur se souvienne, par exemple, de la définition des plans de coordonnées donnée au chapitre 2.

Nous caractériserons de façon détaillée dans ce chapitre les plans quelconques qu'il est possible de retrouver dans l'espace. Il s'agit de la prolongation de l'étude de la droite faite lors des deux derniers chapitres: cette étude nous a permis d'anticiper l'existence d'une représentation géométrique décrivant, par exemple, tous les points d'un ensemble qui contient deux droites sécantes ou parallèles distinctes.

Nous en profiterons également pour résoudre quelques problèmes intéressants de lieux géométriques faisant intervenir des notions de distance dans $\mathbb{R}^3$.

11.1 ÉQUATIONS VECTORIELLE, PARAMÉTRIQUES, ALGÉBRIQUE ET NORMALE D'UN PLAN

Dans cette section, nous allons obtenir différentes équations nous permettant de reconnaître algébriquement un plan. Avant de développer de tels résultats, essayons de retrouver des caractéristiques faisant qu'un plan est bien défini.

Il est facile de concevoir, par exemple, qu'étant donné trois points A, B, C, fixés et non alignés, il n'est possible de faire passer qu'un seul plan π (voir figure 11.1).

Il serait donc possible de caractériser complètement le plan π uniquement à l'aide de ces trois points.

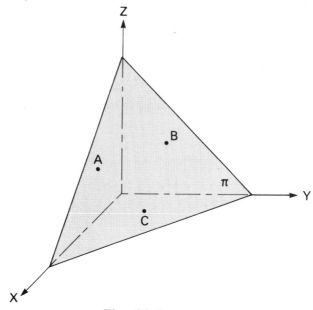

Fig. 11.1

De la même façon, considérons un vecteur $\vec{n}$ quelconque dans l'espace, ainsi que tous les plans qui lui sont perpendiculaires, c.-à-d. les plans tels que toutes les droites qui leur appartiennent forment un angle de 90° avec le vecteur $\vec{n}$:

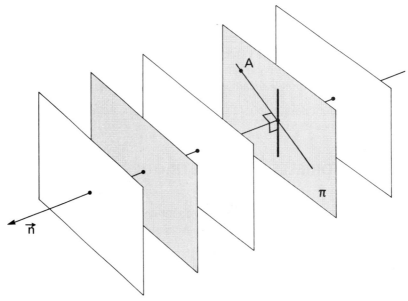

Fig. 11.2

Il est clair que ces plans sont tous "parallèles". Si maintenant, nous fixons un point A de l'espace, un seul plan π vérifie à la fois les deux propriétés suivantes:

a) $A \in \pi$ et

b) $\vec{n} \perp \pi$.

Un plan est donc aussi uniquement déterminé par un point et un vecteur qui lui est perpendiculaire.

DÉFINITION: Un *vecteur normal* à un plan est un vecteur qui est orthogonal à toutes les droites de ce plan.

orthogonal: $\perp$ et $|\vec{x}|=1$

Pour un plan donné, il existe plusieurs vecteurs normaux; ils sont cependant tous dans la même direction.

Finalement, si nous fixons deux vecteurs $\vec{v_1}$ et $\vec{v_2}$ non parallèles, dans $\mathbb{R}^3$, une infinité de plans sont "parallèles" au plan contenant ces deux vecteurs.

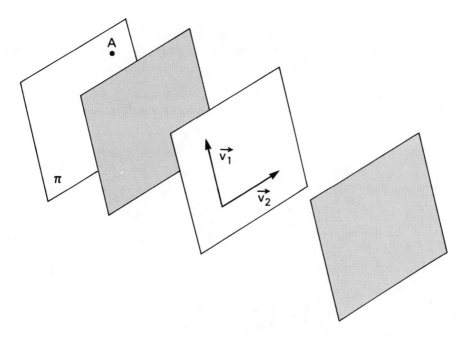

Fig. 11.3

Mais, pour un point A donné de l'espace, un seul plan π vérifie à la fois les deux propriétés suivantes:

a) $A \in \pi$ et

b) π est "parallèle" au plan contenant $\vec{v_1}$ et $\vec{v_2}$.

DÉFINITION: Deux vecteurs $\vec{v_1}$ et $\vec{v_2}$, non parallèles, sont des *vecteurs directeurs* d'un plan π s'il existe des droites D_1 et D_2 de ce plan telles que $\vec{v_1} \parallel D_1$ et $\vec{v_2} \parallel D_2$.

Ainsi, un plan est uniquement déterminé en connaissant deux vecteurs directeurs et un point qui lui appartient.

Un plan est entièrement déterminé par:

   a)   trois points non alignés, ou

   b)   un point et un vecteur normal, ou

   c)   un point et deux vecteurs directeurs.

Nous allons à présent, à l'aide de ces considérations, obtenir des équations permettant de caractériser algébriquement les points d'un plan.

Soit, par exemple, deux vecteurs non parallèles $\vec{v_1} = (a_1, b_1, c_1)$ et $\vec{v_2} = (a_2, b_2, c_2)$, ainsi qu'un point $A(x_1, y_1, z_1)$. Soit le plan π passant par le point A et de vecteurs directeurs $\vec{v_1}$ et $\vec{v_2}$. Nous cherchons à représenter algébriquement tous les points $P(x, y, z)$ de π.

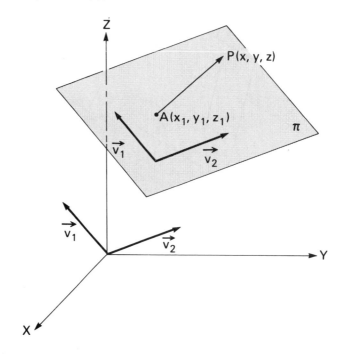

Fig. 11.4

Les vecteurs $\vec{v_1}$ et $\vec{v_2}$ étant linéairement indépendants, ils engendrent tous les vecteurs du plan qui les contient, en particulier:

$$\overrightarrow{AP} = k_1\vec{v_1} + k_2\vec{v_2} \quad (k_1, k_2 \in \mathbb{R}) \iff (x - x_1, y - y_1, z - z_1) = k_1(a_1, b_1, c_1) + k_2(a_2, b_2, c_2)$$

$$\iff (x, y, z) = (x_1, y_1, z_1) + k_1(a_1, b_1, c_1) + k_2(a_2, b_2, c_2).$$

Il faut bien remarquer que seuls les points P du plan π en question vérifient cette égalité. En effet, un point Q, extérieur à π, ne pourrait pas être tel que le vecteur $\overrightarrow{AQ}$ s'écrive comme combinaison linéaire de $\vec{v_1}$ et $\vec{v_2}$.

Un point P(x, y, z) appartient au plan π de vecteurs directeurs $\vec{v_1} = (a_1, b_1, c_1)$ et $\vec{v_2} = (a_2, b_2, c_2)$ et passant par le point A(x_1, y_1, z_1), si et seulement si:

$$(x, y, z) = (x_1, y_1, z_1) + k_1(a_1, b_1, c_1) + k_2(a_2, b_2, c_2)$$

pour des nombres réels k_1 et k_2. Cette équation est appelée l'*équation vectorielle* de π.

Nous pouvons réécrire la relation précédente sous une autre forme:

$$(x, y, z) = (x_1, y_1, z_1) + k_1(a_1, b_1, c_1) + k_2(a_2, b_2, c_2)$$

$$\iff (x, y, z) = (x_1, y_1, z_1) + (k_1a_1, k_1b_1, k_1c_1) + (k_2a_2, k_2b_2, k_2c_2)$$

$$\iff (x, y, z) = (x_1 + k_1a_1 + k_2a_2, y_1 + k_1b_1 + k_2b_2, z_1 + k_1c_1 + k_2c_2)$$

$$\iff \begin{cases} x = x_1 + k_1a_1 + k_2a_2 \\ y = y_1 + k_1b_1 + k_2b_2 \\ z = z_1 + k_1c_1 + k_2c_2 \qquad (k_1, k_2 \in \mathbb{R}). \end{cases}$$

Les équations
$$\begin{cases} x = x_1 + k_1a_1 + k_2a_2 \\ y = y_1 + k_1b_1 + k_2b_2 \\ z = z_1 + k_1c_1 + k_2c_2 \end{cases}$$

où k_1 et $k_2 \in \mathbb{R}$, sont les *équations paramétriques* du plan π passant par le point A(x_1, y_1, z_1) et ayant $\vec{v_1} = (a_1, b_1, c_1)$ et $\vec{v_2} = (a_2, b_2, c_2)$ pour vecteurs directeurs. Nous disons que k_1 et k_2 sont les *paramètres* de ces équations.

Remarque: Des équations vectorielles et paramétriques auraient pu être obtenues de façon équivalente en considérant trois points non alignés A, B et C et le plan π les contenant. En effet, les vecteurs $\overrightarrow{AB}$ et $\overrightarrow{AC}$ sont non parallèles et le point A, par exemple, est élément de π; ainsi, le plan π est complètement déterminé par les vecteurs directeurs $\overrightarrow{AB}$ et $\overrightarrow{AC}$ et le point A, d'où l'obtention des équations précédentes à l'aide de ces trois points.

Exemple 1:   Donner les équations vectorielle et paramétriques du plan π contenant le point A(−1, 0, 3) et ayant pour vecteurs directeurs $\vec{u} = (1, 3, 6)$ et $\vec{v} = (4, 1, 3)$.

P(x, y, z) est un point du plan en question si et seulement si:

$$\overrightarrow{AP} = k_1\vec{u} + k_2\vec{v}, \text{ pour } k_1, k_2 \in \mathbb{R}$$

$$\Leftrightarrow \quad (x + 1, y, z - 3) = k_1(1, 3, 6) + k_2(4, 1, 3)$$

$$\Leftrightarrow \quad (x, y, z) = (-1, 0, 3) + k_1(1, 3, 6) + k_2(4, 1, 3).$$

Alors,

$$(x, y, z) = (-1, 0, 3) + k_1(1, 3, 6) + k_2(4, 1, 3), \text{ où } k_1, k_2 \in \mathbb{R},$$

est l'équation vectorielle du plan π. De cette équation, nous déduisons directement les équations paramétriques de ce plan:

$$\begin{cases} x = -1 + \ k_1 + 4k_2 \\ y = \qquad 3k_1 + \ k_2 \\ z = \ 3 + 6k_1 + 3k_2 \qquad (k_1, k_2 \in \mathbb{R}). \end{cases}$$

Le point B(2, −2, 0) est-il élément de π? Vérifions s'il existe des réels k_1 et k_2 pour lesquels

$$\begin{cases} 2 = -1 + k_1 + 4k_2 \\ -2 = \qquad 3k_1 + k_2 \\ 0 = 3 + 6k_1 + 3k_2. \end{cases}$$

Nous obtenons la matrice augmentée:

$$\begin{pmatrix} 1 & 4 & | & 3 \\ 3 & 1 & | & -2 \\ 6 & 3 & | & -3 \end{pmatrix} \sim \begin{pmatrix} 1 & 4 & | & 3 \\ 0 & 1 & | & 1 \\ 0 & 0 & | & 0 \end{pmatrix} \text{ par } A_{32}^{21} \circ M_2^{-1/11} \circ A_{31}^{-6} \circ A_{21}^{-3}$$

et la solution: $k_2 = 1$ et $k_1 = -1$.

Comme le système précédent possède une solution en k_1 et en k_2, le point B(2, –2, 0) appartient bien au plan π. Cependant, le point P(0, –2, 0) n'est pas élément de ce plan puisqu'il est facile de vérifier, en utilisant les mêmes transformations que sur le système précédent, que le système

$$\begin{cases} 0 = -1 + k_1 + 4k_2 \\ -2 = 3k_1 + k_2 \\ 0 = 3 + 6k_1 + 3k_2 \end{cases}$$

ne possède pas de solution.

Exemple 2:   Soit π, un plan d'équation vectorielle

$$\pi: (x, y, z) = (2, 0, -1) + k_1(0, 0, 4) + k_2(2, -3, 1) \qquad (k_1, k_2 \in \mathbb{R}).$$

a)   Donner deux vecteurs directeurs de π.

D'après la forme de l'équation, nous tirons directement

$$\vec{v_1} = (0, 0, 4) \text{ et } \vec{v_2} = (2, -3, 1),$$

deux vecteurs directeurs de ce plan. Deux autres vecteurs directeurs de π seraient

$$\vec{u_1} = 3\vec{v_1} = (0, 0, 12) \text{ et } \vec{u_2} = -\vec{v_2} = (-2, 3, -1).$$

b)   Donner deux points, éléments de π.

Le point A(2, 0, –1) est obtenu directement de l'équation vectorielle en faisant

$$k_1 = k_2 = 0.$$

Un second point est donné en fixant arbitrairement k_1 et k_2; par exemple, si

$$k_1 = 0 \text{ et } k_2 = 4,$$

nous avons

$$(2, 0, -1) + 0(0, 0, 4) + 4(2, -3, 1) = (10, -12, 3)$$

de sorte que $B(10, -12, 3)$ est élément de π.

Retournons maintenant à l'étude de l'appartenance d'un point à un plan.

Nous avons vu qu'un plan π était entièrement déterminé par un point $A(x_1, y_1, z_1)$ lui appartenant et un vecteur normal $\vec{n} = (a, b, c)$.

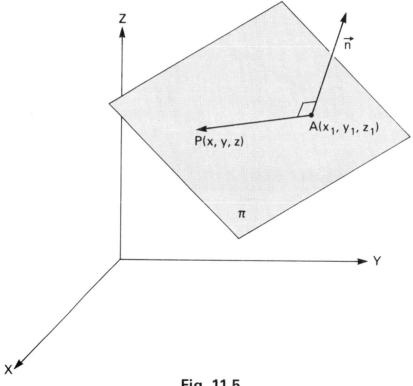

Fig. 11.5

Considérons un point $P(x, y, z)$ élément de π. Par définition du vecteur normal $\vec{n}$, nous devons avoir le vecteur $\overrightarrow{AP}$ orthogonal au vecteur $\vec{n}$. De plus, seuls les points de π vérifient cette relation: un point Q extérieur au plan π ne peut pas être tel que $\overrightarrow{AQ}$ soit perpendiculaire à $\vec{n}$; donc,

$$P(x, y, z) \in \pi \quad \Longleftrightarrow \quad \overrightarrow{AP} \cdot \vec{n} = 0$$

$$\Longleftrightarrow \quad (x - x_1, y - y_1, z - z_1) \cdot (a, b, c) = 0$$

$$\Leftrightarrow \quad a(x - x_1) + b(y - y_1) + c(z - z_1) = 0$$

$$\Leftrightarrow \quad ax + by + cz - (ax_1 + by_1 + cz_1) = 0$$

$$\Leftrightarrow \quad ax + by + cz = ax_1 + by_1 + cz_1$$

$$\Leftrightarrow \quad ax + by + cz = d$$

en posant $d = ax_1 + by_1 + cz_1$.

L'équation

$$ax + by + cz = d$$

est appelée *équation algébrique* du plan π de vecteur normal $\vec{n} = (a, b, c)$ et passant par le point $A(x_1, y_1, z_1)$.

Remarque: Les coefficients a, b, c de x, y et z sont en fait les composantes d'un vecteur normal $\vec{n}$ au plan π et la constante d correspond au produit scalaire du vecteur $\vec{n}$ avec le vecteur $\vec{OA}$:

$$d = (a, b, c) \cdot (x_1 - 0, y_1 - 0, z_1 - 0).$$

Reprenons l'équation précédente mais, cette fois-ci, en considérant un vecteur normal $\vec{n_0} = (a_0, b_0, c_0)$ qui soit unitaire. L'équation algébrique particulière ainsi obtenue présente plusieurs avantages dans la simplification de certains résultats dont nous parlerons un peu plus loin.

Soit π, un plan passant par un point $A(x_1, y_1, z_1)$ et ayant pour vecteur normal $\vec{n_0} = (a_0, b_0, c_0)$ unitaire. L'équation $a_0 x + b_0 y + c_0 z = e$ est appelée *équation normale* de π, avec $e = \vec{n_0} \cdot \vec{OA}$.

Exemple: Trouver l'équation du plan π contenant le point $A(3, -1, 1)$ et ayant pour vecteur normal $\vec{n} = (4, 2, -5)$. En déduire l'équation normale de π.

Le produit scalaire $\vec{n} \cdot \vec{OA}$ est donné par:

$$d = (4, 2, -5) \cdot (3, -1, 1) = 12 - 2 - 5 = 5$$

de sorte que l'équation algébrique de π est:

$$\pi: 4x + 2y - 5z = 5.$$

Le vecteur

$$\vec{n_0} = \frac{\vec{n}}{|\vec{n}|}$$

est un vecteur unitaire, normal au plan π. Puisque $|\vec{n}| = \sqrt{16 + 4 + 25} = \sqrt{45} = 3\sqrt{5}$,

nous avons

$$\vec{n_0} = (4/3\sqrt{5}, 2/3\sqrt{5}, -5/3\sqrt{5})$$

et donc, la constante de l'équation normale sera:

$$e = (4/3\sqrt{5}, 2/3\sqrt{5}, -5/3\sqrt{5}) \cdot (3, -1, 1) = \frac{12}{3\sqrt{5}} - \frac{2}{3\sqrt{5}} - \frac{5}{3\sqrt{5}} = \frac{5}{3\sqrt{5}} \ .$$

L'équation normale de π est alors $\pi: \dfrac{4}{3\sqrt{5}} x + \dfrac{2}{3\sqrt{5}} y - \dfrac{5}{3\sqrt{5}} z = \dfrac{5}{3\sqrt{5}}.$

   Il est possible de retrouver l'équation algébrique d'un plan π en connaissant deux vecteurs directeurs $\vec{v_1}$ et $\vec{v_2}$ et un point A lui appartenant. En effet, le produit vectoriel des vecteurs $\vec{v_1}$ et $\vec{v_2}$ est par définition, un vecteur orthogonal à $\vec{v_1}$ et $\vec{v_2}$, donc au plan π. Nous avons donc un vecteur normal $\vec{n} = \vec{v_1} \times \vec{v_2}$ et un point A. Nous pouvons écrire, en reprenant les considérations utilisées lors de l'obtention de l'équation algébrique à partir d'un vecteur normal et d'un point:

P est un point du plan π de vecteurs directeurs $\vec{v_1}$ et $\vec{v_2}$ et passant par le point A si et seulement si le produit mixte $(\vec{v_1} \times \vec{v_2}) \cdot \overrightarrow{AP}$ est nul.

Exemple: Trouver l'équation algébrique du plan π déterminé par le point A$(3, -1, 1)$ et les vecteurs directeurs $\vec{u} = (2, 1, 0)$ et $\vec{v} = (1, 2, -3)$.

Nous avons:

$$P(x, y, z) \in \pi \iff (\vec{u} \times \vec{v}) \cdot \overrightarrow{AP} = 0$$

$$\iff \begin{vmatrix} 2 & 1 & 0 \\ 1 & 2 & -3 \\ x-3 & y+1 & z-1 \end{vmatrix} = 0$$

$$\iff -3x + 6y + 3z = -12$$

$$\iff x - 2y - z = 4.$$

L'équation $x - 2y - z = 4$ est l'équation algébrique du plan en question.

Soit un plan π, de vecteurs directeurs $\vec{v_1} = (a_1, b_1, c_1)$ et $\vec{v_2} = (a_2, b_2, c_2)$, et soit $A(x_1, y_1, z_1) \in \pi$. Alors

$$P(x, y, z) \in \pi \iff \begin{vmatrix} a_1 & b_1 & c_1 \\ a_2 & b_2 & c_2 \\ x - x_1 & y - y_1 & z - z_1 \end{vmatrix} = 0.$$

Résumons les résultats obtenus dans cette section dans un tableau.

ÉQUATIONS	CARACTÉRISTIQUES CONNUES
VECTORIELLE $(x, y, z) = (x_1, y_1, z_1) + k_1(a_1, b_1, c_1)$ $\qquad + k_2(a_2, b_2, c_2)$ $(k_1, k_2 \in \mathbb{R})$	$A(x_1, y_1, z_1)$ un point et $\vec{v_1} = (a_1, b_1, c_1)$, $\vec{v_2} = (a_2, b_2, c_2)$ deux vecteurs directeurs du plan
PARAMÉTRIQUES $\begin{cases} x = x_1 + k_1 a_1 + k_2 a_2 \\ y = y_1 + k_1 b_1 + k_2 b_2 \\ z = z_1 + k_1 c_1 + k_2 c_2 \end{cases}$ $(k_1, k_2 \in \mathbb{R})$	$A(x_1, y_1, z_1)$ un point et $\vec{v_1} = (a_1, b_1, c_1)$, $\vec{v_2} = (a_2, b_2, c_2)$ deux vecteurs directeurs du plan
ALGÉBRIQUE $ax + by + cz = d$ où $d = (a, b, c) \cdot (x_1 - 0, y_1 - 0, z_1 - 0)$ $\quad = \vec{n} \cdot \vec{OA}$	$\vec{n} = (a, b, c)$ un vecteur normal et $A(x_1, y_1, z_1)$ un point du plan. (Si deux vecteurs directeurs $\vec{v_1}$ et $\vec{v_2}$ du plan sont connus, nous pouvons choisir $\vec{n} = \vec{v_1} \times \vec{v_2}$.)
$\begin{vmatrix} a_1 & b_1 & c_1 \\ a_2 & b_2 & c_2 \\ x - x_1 & y - y_1 & z - z_1 \end{vmatrix} = 0$	$A(x_1, y_1, z_1)$ un point et $\vec{v_1} = (a_1, b_1, c_1)$, $\vec{v_2} = (a_2, b_2, c_2)$ deux vecteurs directeurs du plan

---

NORMALE

$a_0 x + b_0 y + c_0 z = e$

où $e = (a_0, b_0, c_0) \cdot (x_1 - 0, y_1 - 0, z_1 - 0)$

$\vec{n_0} = (a_0, b_0, c_0)$ un vecteur normal unitaire et $A(x_1, y_1, z_1)$ un point du plan.

11.2 EXERCICES

1. En s'aidant d'une représentation graphique, confirmer ou infirmer les propositions suivantes:
Un plan dans l'espace est complètement déterminé si nous connaissons:

a)   trois points;
b)   deux points et un vecteur directeur;
c)   un vecteur normal;
d)   deux points et un vecteur normal;
e)   deux vecteurs directeurs non parallèles;
f)   un vecteur orthogonal et deux vecteurs directeurs non parallèles;
g)   deux points.

2. Considérons la figure ci-dessous. Dessiner un plan contenant:

a)   les trois points A, B et C;
b)   le point C et la droite L;
c)   les points A, B et la droite L.

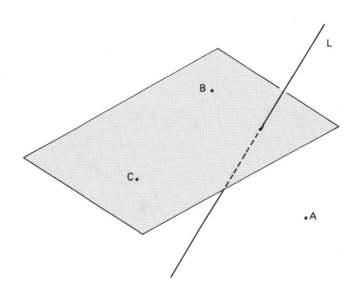

3. En considérant la figure ci-dessous, représenter graphiquement, si possible, un plan:

a) passant par les droites parallèles L_1 et L_2;

b) contenant les droites sécantes L_2 et L_3;

c) tel que les droites gauches L_1 et L_3 soient incluses dans ce plan.

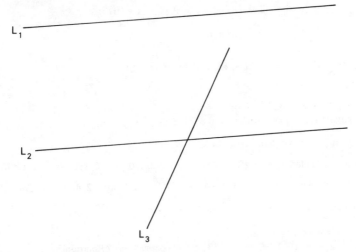

4. Sur la figure suivante, dessiner un plan π contenant le point A et tel que le vecteur $\vec{n}$ lui soit normal.

. A

5. Sur la figure ci-dessous, représenter un plan contenant le point P et ayant $\vec{u}$ et $\vec{v}$ pour vecteurs directeurs.

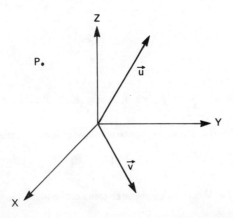

6. Donner l'équation du plan π perpendiculaire à la droite contenant les points $A(2, 0, 3)$ et $B(-1, 0, 1)$ et tel que le point $P(2, 5, -3)$ soit élément de π. Représenter graphiquement.

7. Obtenir les équations paramétriques du plan passant par:

a) les deux droites parallèles $L_1 : (x, y, z) = (-1, 2, 3) + k(3, -1, 0)$, $(k \in \mathbb{R})$

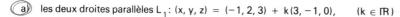

$$L_2 : (x, y, z) = (2, 0, 1) + t(-6, 2, 0),   (t \in \mathbb{R})$$

b) la droite $D : \dfrac{x + 2}{3} = y = \dfrac{z - 1}{2}$ et le point $A(0, 1, 0)$

c) les droites sécantes $L_1 : (x, y, z) = (4, -2, -3) + k(-2, 3, 6)$ $(k \in \mathbb{R})$

$$L_2 : x - 2 = y - 1 = \dfrac{z - 3}{2}$$

d) les points $A(2, 0, -1)$, $B(3, 1, 4)$ et $C(-2, 0, 1)$.

e) Représenter graphiquement les plans obtenus en a), b), c) et d).

8. Obtenir l'équation algébrique du plan $\pi : (x, y, z) = (3, -2, 4) + r(2, 1, 0) + t(0, 1, 0)$, $(r \in \mathbb{R}, t \in \mathbb{R})$.

9. Considérons le plan π d'équation $\pi : (x, y, z) = (3, 0, -1) + k(0, 1, -2) + m(1, 2, 4)$, $(k \in \mathbb{R}, m \in \mathbb{R})$.

a) Donner trois points appartenant à π.

b) Obtenir un vecteur normal à π.

c) Le point $A(0, 2, -4)$ appartient-il à π? Pourquoi?

d) La droite $L : (x, y, z) = (0, 2, 3) + t(-1, -7, 6)$, $(t \in \mathbb{R})$ est-elle parallèle à π? Pourquoi?

e) Quels sont les points d'intersection de π avec les axes OX, OY et OZ?

f) Donner une représentation graphique de ce plan.

10. Reprendre l'exercice précédent avec le plan $\pi : x - y - z = 2$.

11. Étudions les façons de caractériser certaines parties d'un plan donné. Considérons π d'équation

$$\pi : \begin{cases} x = \quad\quad 2k - t \\ y = \quad 3 + \quad k - 2t \\ z = -1 + 3k + \quad t, \quad (k, t \in \mathbb{R}) \end{cases}$$

Quel sous-ensemble de π obtenons-nous lorsque:

a) $k = 2$ et $t = 0$

b) $k \in \mathbb{R}$ et $t = -1$

c) $k \in [-1, 1]$ et $t = 1$

d) $k = 0$ et $t \in \left]-\infty, -1\right]$

e) k et $t \in [0, 1]$

f) $k \geqslant 0$ et $t \in \mathbb{R}$.

12. Dire si les points $A_1(0, -1, 3)$, $A_2(-1, 2, 1)$, $A_3(-2, 1, 3)$ et $A_4(0, 2, 0)$ sont coplanaires. Si oui, trouver l'équation du plan les contenant, si non, justifier.

13. Trouver l'équation du plan qui passe par le point A_0 donné et est parallèle aux vecteurs $\vec{u}$ et $\vec{v}$ si:

a) $A_0(3, -1, 2)$, $\vec{u} = (-1, 2, 1)$ et $\vec{v} = (3, 1, 4)$

b) $A_0(0, -1, 4)$, $\vec{u} = (2, 1, 0)$ et $\vec{v} = (-1, 1, 1)$.

14. Obtenir deux vecteurs distincts $\vec{u}$ et $\vec{v}$ qui sont parallèles au plan dont l'équation est donnée par:

a) $\pi : x = 2$
b) $\pi : x + y + 1 = 0$
c) $\pi : 3x - y + z = 0$
d) $\pi : x = y$

15.   Déterminer l'équation normale du plan π et obtenir un vecteur unitaire $\vec{n_0}$ tel que $\vec{n_0}$ soit orthogonal à π si:

a) $\pi : x + y + z = 2$
b) $\pi : -x + 2y = 0$
c) $\pi : 3x - y + 2z = 1$.

16.   Obtenir l'équation algébrique du plan décrit par les trois points suivants:

a) $A(2, 0, -1)$, $B(0, 1, 1)$ et $C(-1, 2, 3)$
b) $A(0, 0, 0)$, $B(-1, 2, 1)$ et $C(0, 1, 0)$.

11.3   POSITIONS RELATIVES DE DEUX PLANS, D'UNE DROITE ET D'UN PLAN

Nous étudierons, dans cette section, quelles sont les différentes positions que deux plans peuvent avoir l'un par rapport à l'autre. Nous avons déjà une certaine expérience à les comparer géométriquement. Il nous faut maintenant pouvoir le faire à l'aide de leurs équations. Nous verrons finalement quelles sont les positions possibles d'une droite et d'un plan.

11.3.1   Plans parallèles, confondus ou distincts

Considérons les deux plans suivants:

$$\pi_1 : 2x - 4y + 6z = -1$$
$$\pi_2 : \ \ x - 2y + 3z = -4$$

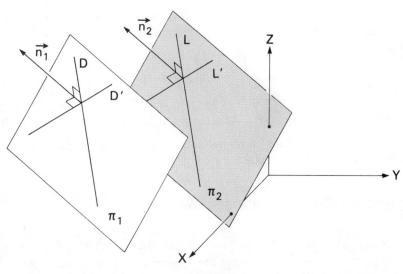

Fig. 11.6

Nous remarquons que les vecteurs normaux $\vec{n_1} = (2, -4, 6)$ et $\vec{n_2} = (1, -2, 3)$ de π_1 et π_2 respectivement sont colinéaires ($\vec{n_1} = 2\vec{n_2}$). Ainsi, $\vec{n_1}$ est aussi un vecteur normal à π_2 et $\vec{n_2}$ est un vecteur normal à π_1. De cette façon, toute droite D du plan π_1 est orthogonale à $\vec{n_2}$ et donc parallèle à une droite L de π_2 et toute droite L′ de π_2 est orthogonale à $\vec{n_1}$, donc parallèle à une droite D′ de π_1. Ces considérations justifient la définition suivante.

DÉFINITION: Deux plans π_1 et π_2 sont *parallèles* si toute droite de l'un est parallèle à une droite de l'autre et réciproquement.

Pratiquement, nous utiliserons plutôt la définition équivalente suivante.

DÉFINITION: Deux plans π_1 et π_2, de vecteurs normaux $\vec{n_1}$ et $\vec{n_2}$ respectivement, sont *parallèles* si $\vec{n_1}$ et $\vec{n_2}$ le sont aussi.

Tout comme pour des droites parallèles, il est possible, avec la définition que nous venons de donner, que deux plans parallèles aient un point commun. Dans ce cas, il est clair que tous leurs points le sont aussi et nous dirons alors que ces deux plans sont *confondus*. Si, par contre, deux plans parallèles n'ont aucun point commun, ils seront dits *distincts*.

Exemple: Quelle valeur faut-il donner à t pour que les deux plans π_1 et π_2 suivants soient confondus:

$$\pi_1 : x + y - 3z = 5$$

et

$$\pi_2 : 2x + 2y - 6z = t?$$

Vérifions d'abord que ces plans sont bien parallèles. Ils le sont puisque les vecteurs normaux $\vec{n_1} = (1, 1, -3)$ et $\vec{n_2} = (2, 2, -6)$ sont tels que $\vec{n_2} = 2\vec{n_1}$. Il faut ensuite qu'ils aient au moins un point commun. Mais, si P(a, b, c) est élément de π_1, c'est que

$$a + b - 3c = 5,$$

de sorte que $2(a + b - 3c) = 2a + 2b - 6c = 10$ et le point P(a, b, c) est aussi élément de π_2 si t = 10, puisqu'alors P(a, b, c) vérifie l'équation de π_2. Ainsi si t = 10, les plans π_1 et π_2 sont confondus.

Remarque: L'intersection de deux plans parallèles distincts est vide, alors que celle de deux plans confondus est l'un ou l'autre de ces plans.

11.3.2 Plans sécants - Droite d'intersection

DÉFINITION: Lorsque deux plans π_1 et π_2 ne sont pas parallèles, nous disons que π_1 et π_2 sont *sécants*, c'est-à-dire, si $\vec{n_1}$ et $\vec{n_2}$ sont des vecteurs normaux à π_1 et π_2 respectivement, $\vec{n_2} \neq k\vec{n_1}$ pour tout $k \in \mathbb{R}$.

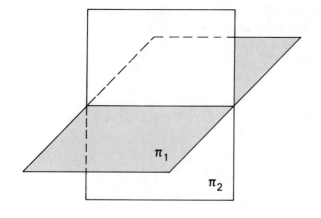

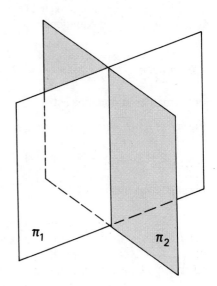

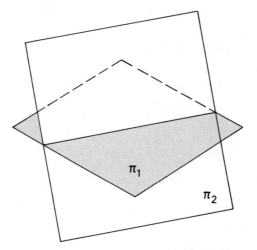

Fig. 11.7

Comme nous le remarquons sur les figures 11.7, l'intersection de deux plans sécants est un ensemble de points bien particulier: c'est une droite, commune à la fois au plan π_1 et au plan π_2. Il est intéressant de retrouver l'équation d'une telle droite, connaissant les équations des deux plans. Voyons ceci par un exemple.

Exemple: Soit π_1 et π_2, deux plans définis par:

π_1: $x - y + z = 2$

π_2: $2x + 3y - z = 1$.

Trouver la droite d'intersection de π_1 et π_2.

Nous vérifions d'abord que π_1 et π_2 sont bien sécants: $\vec{n_1} = (1, -1, 1)$, vecteur normal de π_1, n'est pas colinéaire avec $\vec{n_2} = (2, 3, -1)$, de sorte que π_1 et π_2 ne sont pas parallèles.

L'intersection cherchée est l'ensemble des points $P(x, y, z)$ vérifiant les équations de π_1 et π_2. Il faut dont résoudre le système d'équations:

$$\begin{cases} x - y + z = 2 \\ 2x + 3y - z = 1 \end{cases}$$

dont la matrice augmentée est:

$$\left(\begin{array}{ccc|c} 1 & -1 & 1 & 2 \\ 2 & 3 & -1 & 1 \end{array} \right)$$

qui est équivalente à

$$\left(\begin{array}{ccc|c} \dfrac{1}{2} & \dfrac{1}{3} & 0 & \dfrac{1}{2} \\[3mm] 0 & \dfrac{1}{3} & \dfrac{-1}{5} & \dfrac{-1}{5} \end{array} \right) \qquad \text{par } M_2^{1/5} \circ M_1^{1/2} \circ A_{12}^{1} \circ M_2^{1/3} \circ A_{21}^{-2}$$

c'est-à-dire:

$$\begin{cases} \dfrac{1}{2} x + \dfrac{1}{3} y = \dfrac{1}{2} \\[3mm] \dfrac{1}{3} y - \dfrac{1}{5} z = \dfrac{-1}{5} \end{cases}$$

ou $\dfrac{1}{2} - \dfrac{1}{2} x = \dfrac{1}{3} y = \dfrac{1}{5} z - \dfrac{1}{5}$

et $\dfrac{x-1}{-2} = \dfrac{y}{3} = \dfrac{z-1}{5}$.

Nous retrouvons donc les équations symétriques d'une droite D passant par le point $A(1, 0, 1)$ et de vecteur directeur $\vec{v} = (-2, 3, 5)$. Ainsi,

$$D: \dfrac{x-1}{-2} = \dfrac{y}{3} = \dfrac{z-1}{5}$$

est la droite d'intersection des plans π_1 et π_2 cherchée.

Remarquons que d'autres manipulations sur la matrice augmentée auraient pu mener à l'équation vectorielle $(x, y, z) = (1, 0, 1) + k(-2, 3, 5)$, $(k \in \mathbb{R})$.

Nous déduisons de l'exemple précédent qu'un point $P(x, y, z)$ vérifie les deux équations des plans π_1 et π_2 si est seulement si il vérifie les équations de la droite D d'intersection. Nous obtenons ainsi une autre façon de caractériser les droites de l'espace en admettant que toute droite puisse être représentée comme intersection de deux plans.

Soit

$$\pi_1 : a_1x + b_1y + c_1z = d_1$$

et

$$\pi_2 : a_2x + b_2y + c_2z = d_2,$$

les équations de deux plans sécants. Soit D, la droite d'intersection de π_1 et π_2. Nous appelons les équations

$$\begin{cases} a_1x + b_1y + c_1z = d_1 \\ a_2x + b_2y + c_2z = d_2, \end{cases}$$

équations algébriques de la droite D.

Remarque: Comme l'exemple l'a bien montré, les caractéristiques habituelles d'une droite (point lui appartenant et surtout vecteur directeur) ne peuvent pas être retrouvées aussi facilement avec les équations algébriques qu'avec les équations vues au chapitre précédent.

Soit π_1 et π_2, deux plans ayant pour vecteur normal $\vec{n_1}$ et $\vec{n_2}$ respectivement:
- π_1 et π_2 sont *parallèles* si $\vec{n_1} = k\vec{n_2}$ pour $k \in \mathbb{R}$;
- π_1 et π_2 sont *confondus* si $\vec{n_1} = k\vec{n_2}$ pour $k \in \mathbb{R}$ et s'il existe un point A commun à π_1 et π_2;
- π_1 et π_2 sont *distincts* s'ils sont parallèles et n'ont aucun point commun;
- π_1 et π_2 sont *sécants* si $\vec{n_1} \neq k\vec{n_2}$ pour tout $k \in \mathbb{R}$; dans ce cas, l'*intersection* de π_1 et π_2 est la droite commune à ces deux plans.

11.3.3   Positions relatives d'une droite et d'un plan

La figure 11.8 nous renseigne sur les positions possibles, dans l'espace, d'une droite et d'un plan.

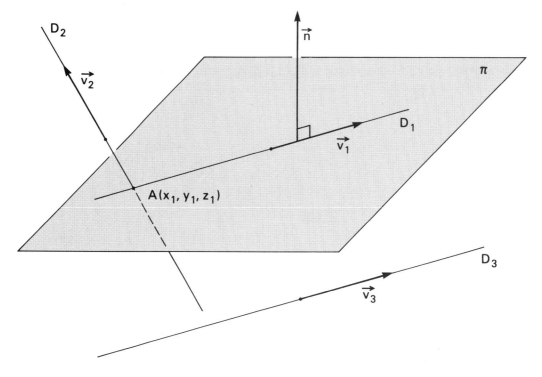

Fig. 11.8

D_1 est contenue totalement dans le plan π, D_2 le rencontre en un point A et D_3 n'a aucun point commun avec π. Dans $\mathbb{R}^3$, il n'y a aucune autre comparaison possible entre une droite et un plan. De cet exemple, nous justifions les définitions qui suivent.

- Une droite D, de vecteur directeur $\vec{v}$, est *parallèle* à un plan π de vecteur normal $\vec{n}$ si $\vec{v}$ et $\vec{n}$ sont orthogonaux. De plus, nous dirons que D est *contenue* dans π si tous les points de D sont éléments de π et nous dirons que D est *parallèle distincte* au plan π s'ils n'ont aucun point commun.

- Une droite D est *sécante* à un plan π s'ils ont exactement un point commun ou s'ils ne sont pas parallèles. Ce point commun est le *point d'intersection* de D et de π.

Exemple 1: Déterminer la position relative de la droite

$$D: \begin{cases} x = \quad\ \ 2t \\ y = -1 + \ t \\ z = \quad 3 + \ t \end{cases} \quad (t \in \mathbb{R})$$

et du plan

π: x + y - 3z = 1.

Un vecteur directeur de D est $\vec{v}$ = (2, 1, 1) et un vecteur normal à π est $\vec{n}$ = (1, 1, -3). Nous remarquons que

$\vec{n} \cdot \vec{v}$ = 2 + 1 - 3 = 0

de sorte que $\vec{n}$ et $\vec{v}$ sont orthogonaux. La droite D est donc parallèle au plan π; il reste à savoir si elle y est contenue ou si elle est distincte de π. Tout point de D est de la forme P(2t, -1 + t, 3 + t). Vérifions si un tel point satisfait l'équation algébrique de π. Nous avons alors

(2t) + (-1 + t) -3(3 + t) = 2t - 1 + t - 9 - 3t

= -10

$\neq$ 1

pour tout t $\in$ IR. Ainsi, aucun point de D n'est élément de π. Donc, la droite D est parallèle distincte au plan π.

Exemple 2:   Déterminer la position relative de la droite

$$D: \begin{cases} x = 1 + t \\ y = 2 - t \\ z = 5 + 2t \qquad (t \in \text{IR}) \end{cases}$$

et du plan

π: 2x + y - 3z = 5.

Un vecteur directeur de D est $\vec{v}$ = (1, -1, 2) et un vecteur normal à π est $\vec{n}$ = (2, 1, -3); nous remarquons que $\vec{n} \cdot \vec{v}$ = 2(1) + 1(-1) - 3(2) = -5 $\neq$ 0. La droite D est donc sécante au plan π. Cherchons le point d'intersection. Tout point P(x, y, z) de D est de la forme P(1 + t, 2 - t, 5 + 2t) de sorte qu'un tel point est élément de π si:

2(1 + t) + (2 - t) -3(5 + 2t) = 5 $\Longleftrightarrow$ 2 + 2t + 2 - t - 15 - 6t = 5

$\Longleftrightarrow$ -5t = 16

$\Longleftrightarrow$ t = $\dfrac{-16}{5}$;

c'est donc dire que le point P$\left(1 - \dfrac{16}{5}, 2 + \dfrac{16}{5}, 5 - \dfrac{32}{5}\right)$, c'est-à-dire le point P$\left(\dfrac{-11}{5}, \dfrac{26}{5}, \dfrac{-7}{5}\right)$, est élément à la fois de D et de π: c'est le point d'intersection cherché.

11.4   ANGLE ENTRE DEUX PLANS SÉCANTS

Comme nous l'avons fait avec deux droites sécantes ou avec deux droites gauches, nous allons essayer de définir une notion d'angle entre deux plans non parallèles. Nous nous servirons, pour cela, de la définition d'angle entre deux droites.

Considérons deux plans sécants, π_1 et π_2.

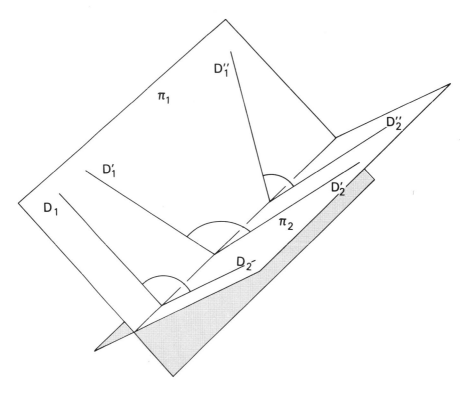

Fig. 11.9

Nous pourrions choisir, par exemple, l'angle que forme une droite D_1 quelconque contenue dans π_1 avec une droite D_2 quelconque contenue dans π_2. Ceci n'est pas justifiable puisqu'alors, comme nous pouvons le constater sur la figure ci-dessus, il y aurait autant d'angles différents que de couples de droites (D_1, D_2). Nous définissons plutôt cette notion d'angle à l'aide de deux droites de π_1 et π_2 bien particulières.

DÉFINITION: L'*angle* entre deux plans π_1 et π_2 sécants est celui entre deux droites, D_1, contenue dans π_1, et D_2, contenue dans π_2, toutes deux perpendiculaires à la droite d'intersection de π_1 et π_2.

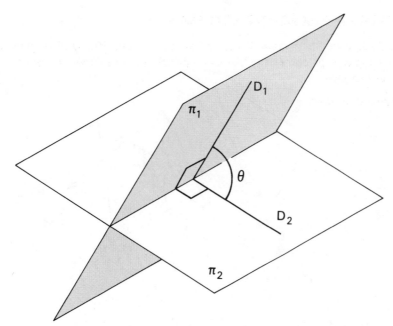

Fig. 11.10

L'angle θ est ainsi bien défini: c'est l'angle formé par D_1 et D_2, dans la figure 11.10. Nous tâcherons à présent de développer une expression nous permettant de déterminer θ.

Soit

$$\pi_1 : a_1x + b_1y + c_1z = d_1$$

et

$$\pi_2 : a_2x + b_2y + c_2z = d_2,$$

deux plans non parallèles.

Si θ est l'angle formé par les droites D_1 et D_2, θ est aussi l'angle aigu ou droit compris entre les vecteurs normaux $\vec{n_1}$ et $\vec{n_2}$, tels qu'indiqués sur la figure 11.11. En effet,

$$2\pi = (\pi - \phi) + \left(\frac{\pi}{2}\right) + \left(\frac{\pi}{2}\right) + \theta \qquad \text{(somme des quatre angles d'un quadrilatère)}$$

$$\Leftrightarrow \phi = \theta$$

La figure 11.11 illustre bien que

$$\phi = \theta.$$

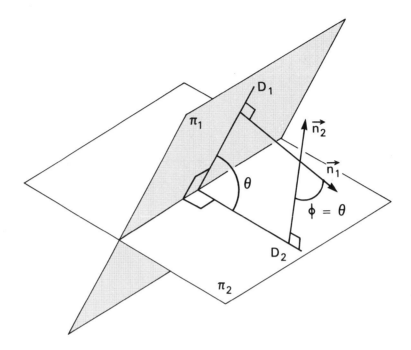

Fig. 11.11

De cette façon, pour les mêmes considérations que lors de l'étude de l'angle entre deux droites du plan, nous avons le résultat suivant.

L'*angle entre deux plans sécants* π_1 et π_2 de vecteur normal $\vec{n_1}$ et $\vec{n_2}$ est donné par:

$$\cos \theta = \frac{|\vec{n_1} \cdot \vec{n_2}|}{|\vec{n_1}|\ |\vec{n_2}|}.$$

Exemple: Cherchons les angles formés par le plan π d'équation

$$\pi : x + y + z = 1$$

et les plans de coordonnées XY, XZ et YZ.

Le plan π a pour vecteur normal $\vec{n} = (1, 1, 1)$ et $\vec{k} = (0, 0, 1)$ est un vecteur normal au plan XY, de sorte que l'angle entre le plan XY et π est donné par θ où:

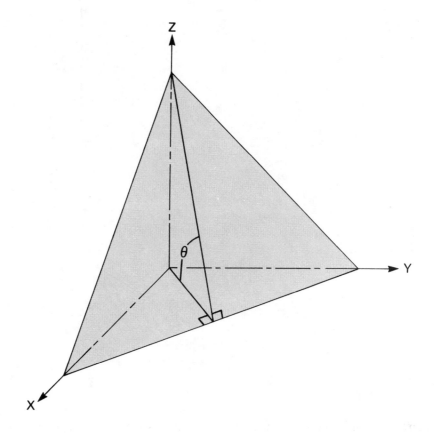

Fig. 11.12

$$\cos \theta = \frac{|(1, 1, 1) \cdot (0, 0, 1)|}{\sqrt{1+1+1} \sqrt{0+0+1}} = \frac{1}{\sqrt{3}} = \frac{\sqrt{3}}{3}.$$

Ainsi,

$$\theta = \text{arc cos } \frac{\sqrt{3}}{3} \simeq 54°45'$$

De la même façon, puisque $\vec{i}$ et $\vec{j}$ sont des vecteurs normaux aux plans YZ et XZ respectivement, les angles que font ces plans avec π sont également 54°45'.

Dans le cas particulier où les plans π_1 et π_2 sont perpendiculaires, c.-à-d. tels que leurs vecteurs normaux $\vec{n_1}$ et $\vec{n_2}$ sont orthogonaux, il suffit de vérifier que le produit scalaire $\vec{n_1} \cdot \vec{n_2}$ est bien nul (voir figure 11.13).

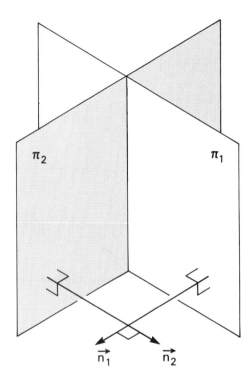

Fig. 11.13

11.5   NOTION DE DISTANCE

Tout comme nous l'avons fait lors de l'étude des droites, il est intéressant de pouvoir définir et mesurer quantitativement ce qui sépare deux plans parallèles ou un point de l'espace et un plan, par exemple. Nous développerons, dans cette section, des expressions permettant de faire ce calcul.

11.5.1   Distance d'un point à un plan

DÉFINITION: La *distance* d'un point P quelconque de l'espace à un plan π est la longueur du segment perpendiculaire reliant P à π.

Soit π, un plan de vecteur normal $\vec{n}$, passant par un point A. Soit également P, un point de l'espace.

Cherchons d(P, π), la distance du point P au plan π. Si B est le pied de la perpendiculaire abaissée de P sur π, cette distance est en fait la longueur du vecteur $\vec{PB}$. Nous ne connaissons pas les coordonnées de B, mais savons que A est élément du plan π. Or, $\vec{PB}$ est la projection orthogonale de $\vec{PA}$ sur $\vec{n}$:

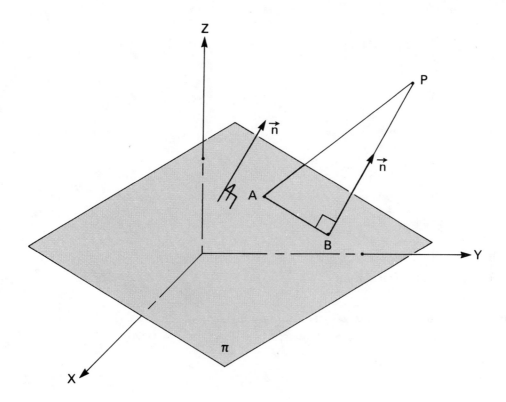

Fig. 11.14

$$\overrightarrow{PB} = \overrightarrow{PA}_{\vec{n}},$$

de sorte que

$$d(P, \pi) = \left|\overrightarrow{PA}_{\vec{n}}\right|.$$

En utilisant les résultats déjà obtenus sur les vecteurs-projections (voir section 8.2), nous avons:

$$\overrightarrow{PA}_{\vec{n}} = \frac{\overrightarrow{PA} \cdot \vec{n}}{\vec{n} \cdot \vec{n}} \ \vec{n}.$$

D'où

$$\left|\overrightarrow{PA}_{\vec{n}}\right| = \left|\left(\frac{\overrightarrow{PA} \cdot \vec{n}}{\vec{n} \cdot \vec{n}}\right) \vec{n}\right|$$

$$= \frac{|\overrightarrow{PA} \cdot \vec{n}|}{|\vec{n} \cdot \vec{n}|} \; |\vec{n}|$$

$$= \frac{|\overrightarrow{PA} \cdot \vec{n}|}{|\vec{n} \cdot \vec{n}|} \; |\vec{n}|$$

$$= \frac{|\overrightarrow{PA} \cdot \vec{n}|}{|\vec{n}|^2} \; |\vec{n}|$$

$$= \frac{|\overrightarrow{PA} \cdot \vec{n}|}{|\vec{n}|} \; .$$

Ainsi, nous obtenons le résultat suivant.

La *distance d entre un point P et un plan* π passant par un point A et de vecteur normal $\vec{n}$ est donnée par:

$$d = d(P, \pi) = \frac{|\overrightarrow{PA} \cdot \vec{n}|}{|\vec{n}|} \; .$$

Exemple: Soit le plan π d'équation

$$\pi: 2x + y - 3z = 4$$

et soit le point $P(-1, 2, 0)$. Donner la distance du point P à ce plan.

Un vecteur normal à π est donné par $\vec{n} = (2,1,-3)$ et un point élément de ce plan, par $A(2,0,0)$. Nous avons donc $d(P, \pi)$, la distance entre P et π:

$$d(P, \pi) = \frac{|\overrightarrow{PA} \cdot \vec{n}|}{|\vec{n}|}$$

$$= \frac{|(3,-2,0) \cdot (2,1,-3)|}{|(2,1,-3)|}$$

$$= \frac{4}{\sqrt{14}}$$

$$= \frac{2\sqrt{14}}{7} \; .$$

Il est possible de modifier un peu l'expression de la distance d en utilisant le fait que, si A est un point du plan π, ses coordonnées doivent vérifier l'équation de π.

Soit $A(x_2, y_2, z_2)$, un point du plan π d'équation:

$$\pi: \quad ax + by + cz = d$$

et soit $P(x_1, y_1, z_1)$, un point quelconque de l'espace. Alors $\vec{n} = (a, b, c)$ est un vecteur normal à π et le point $A(x_2, y_2, z_2)$ est tel que $ax_2 + by_2 + cz_2 = d$.

En calculant complètement le produit scalaire $\overrightarrow{PA} \cdot \vec{n}$ de la formule de la distance, nous obtenons:

$$\begin{aligned}
\overrightarrow{PA} \cdot \vec{n} &= (x_2 - x_1,\ y_2 - y_1,\ z_2 - z_1) \cdot (a, b, c) \\
&= a(x_2 - x_1) + b(y_2 - y_1) + c(z_2 - z_1) \\
&= ax_2 + by_2 + cz_2 - (ax_1 + by_1 + cz_1) \\
&= d - (ax_1 + by_1 + cz_1) \qquad \text{(puisque } A \in \pi\text{)},
\end{aligned}$$

c.-à-d., finalement, le résultat qui suit.

Si π est un plan d'équation $ax + by + cz = d$ et $P(x_1, y_1, z_1)$, un point quelconque de $\mathbb{R}^3$, la *distance de P à π* est:

$$d(P, \pi) = \frac{|ax_1 + by_1 + cz_1 - d|}{\sqrt{a^2 + b^2 + c^2}}$$

Remarque: Cette expression a l'avantage de ne pas faire intervenir de point A particulier du plan. De plus, si l'équation de π est sous sa forme normale, c.-à-d. si

$$a^2 + b^2 + c^2 = 1,$$

nous avons simplement:

$$d(P, \pi) = |ax_1 + by_1 + cz_1 - d|.$$

11.5.2   Distance entre deux plans parallèles

Il n'est possible de définir une distance entre deux plans que si ces deux plans sont parallèles. En effet, comme la figure 11.15 le fait remarquer, il n'existe pas de perpendiculaire commune à deux plans qui sont sécants.

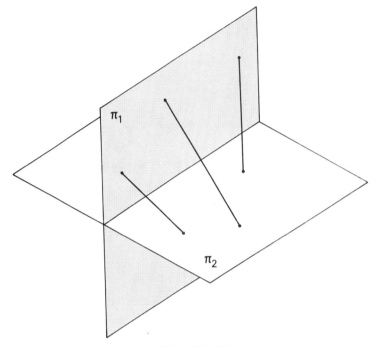

Fig. 11.15

DÉFINITION: La *distance* entre deux plans parallèles est la longueur d'un segment reliant perpendiculairement ces deux plans.

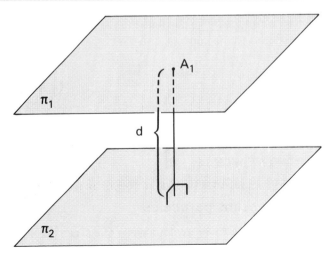

Fig. 11.16

Nous remarquons que cette définition correspond d'assez près à celle de la distance d'un point à un plan vue précédemment. En fait, si ce point était élément de l'un des plans, disons π_1 sur la figure 11.16, la distance entre π_1 et π_2 serait la distance du point A_1 au plan π_2.

> Soit π_1 et π_2, deux plans parallèles, et soit A_1 et A_2, deux points appartenant à π_1 et π_2, respectivement. Alors, la *distance d(π_1, π_2) entre le plan π_1 et π_2* est donnée par:
>
> $$d(\pi_1,\pi_2) = d(A_1,\pi_2) = d(A_2,\pi_1).$$

Exemple: Soit π_1 et π_2, deux plans d'équations:

π_1: $4x - 2y + 2z = 3$

π_2: $2x - y + z = 5.$

Déterminer, si elle existe, la distance entre π_1 et π_2.

π_1 a pour vecteur normal $\vec{n_1} = (4,-2,2)$ et $\vec{n_2} = (2,-1,1)$ est un vecteur normal à π_2. Nous avons

$$\vec{n_1} = 2\vec{n_2},$$

de sorte que π_1 et π_2 sont parallèles. Ainsi, puisque $A_1\left(0,0,\dfrac{3}{2}\right)$ est un point de π_2, nous obtenons:

$$d(\pi_1,\pi_2) = d(A_1,\pi_2) = \frac{|2(0) - 1(0) + 1(3/2) - 5|}{\sqrt{2^2 + (-1)^2 + 1^2}} = \frac{7/2}{\sqrt{6}} = \frac{7\sqrt{6}}{12}.$$

11.5.3   Applications à la recherche de points particuliers d'un plan

11.5.3.1   Point d'un plan le plus rapproché d'un point donné

Il est intéressant de connaître, pour un plan donné π et un point quelconque A de l'espace, quel est le point de π qui est le plus près de A.

Il est clair que lorsque nous mesurons la longueur du segment reliant le point A à un point quelconque de π, par exemple $|\vec{AB}|$, $|\vec{AC}|$ ou $|\vec{AD}|$, le segment le plus court est celui qui est perpendiculaire à π; sur la figure 11.17, il s'agit de AD. C'est pourquoi nous écrivons ce qui suit.

Si π est un plan et A, un point quelconque de l'espace, le point de π le plus rapproché du point A est le pied de la perpendiculaire abaissée de A sur π.

Essayons d'obtenir une expression permettant de retrouver un tel point.

Soit

π: $ax + by + cz = d,$

un plan et $A(x_1,y_1,z_1)$, un point quelconque de l'espace. Cherchons le point $D(x_0,y_0,z_0)$, élément de π, le plus rapproché de A. De par les considérations précédentes, nous pouvons écrire:

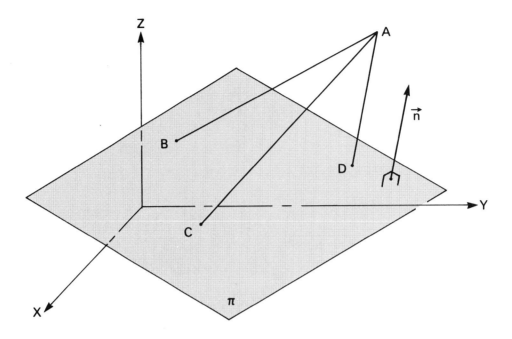

Fig. 11.17

$$\overrightarrow{AD} = (x_0 - x_1, \ y_0 - y_1, \ z_0 - z_1)$$
$$= k\,\vec{n}$$
$$= k(a, b, c)$$

pour k, un nombre réel, et $\vec{n}$, un vecteur normal à π. Nous avons donc:

$$\begin{cases} x_0 - x_1 = ka \\ y_0 - y_1 = kb \\ z_0 - z_1 = kc \end{cases}$$

et, de plus,

$$ax_0 + by_0 + cz_0 = d$$

puisque $D(x_0, y_0, z_0) \in \pi$. Il suffit donc de résoudre un système linéaire de quatre équations à quatre inconnues, x_0, y_0, z_0 et k.

Si π est un plan d'équation

$$\pi: \quad ax + by + cz = d$$

et $A(x_1, y_1, z_1)$ est un point de $\mathbb{R}^3$, alors le point $D(x_0, y_0, z_0)$ de π le plus rapproché de A est tel que:

$$\begin{cases} ax_0 + by_0 + cz_0 = d \\ x_0 \qquad\qquad - ka = x_1 \\ \qquad y_0 \qquad - kb = y_1 \\ \qquad\qquad z_0 - kc = z_1 \,. \end{cases}$$

Remarque: Il n'est pas utile de retenir les équations de ce système puisqu'il est facile de reprendre le procédé comme le montre l'exemple suivant.

Exemple: Considérons le plan

$$\pi: \quad 2x + y - z = 2$$

et le point de l'espace $A(2, 0, -1)$. Le point $D(x_0, y_0, z_0)$ de π le plus près du point A est tel que:

$$\begin{aligned} \overrightarrow{AD} &= (x_0 - 2, \ y_0, \ z_0 + 1) \\ &= k\overrightarrow{n} \\ &= k(2, 1, -1) \end{aligned}$$

pour k, un nombre réel. Nous avons donc

$$\begin{cases} x_0 - 2 = 2k \\ y_0 \quad = k \\ z_0 + 1 = -k \end{cases}$$

et, de plus, $2x_0 + y_0 - z_0 = 2$.

Il est facile alors de vérifier que la solution unique est donnée par

$$x_0 = 1, \ y_0 = -\frac{1}{2}, \ z_0 = -\frac{1}{2} \text{ et } k = -\frac{1}{2}.$$

Nous obtenons donc le point $D\left(1, -\frac{1}{2}, -\frac{1}{2}\right)$ cherché.

Le lecteur se souviendra du problème de la recherche de deux points particuliers de deux droites gauches pour lequel nous avions donné une solution à la fin du chapitre précédent. Nous établirons, dans la prochaine section, une autre solution à ce problème en considérant les notions que nous avons vues dans ce chapitre.

11.5.3.2 Points de deux droites gauches les plus rapprochés l'un de l'autre

Nous considérons le même exemple étudié à la section 10.7.2.

Soit deux droites gauches D_1 et D_2, telles que

$$D_1: \quad \frac{x+3}{3} = y - 1 = \frac{3-z}{2}$$

et

$$D_2: \quad 4 - x = y + 2 = z.$$

Cherchons les deux points A_1 et A_2 de D_1 et D_2, respectivement, qui sont les plus raprochés l'un de l'autre. Nous avions remarqué alors que ces points étaient tels que:

$$d(D_1, D_2) = d(A_1, A_2)$$

(voir figure 11.18).

Considérons les plans parallèles π_1 et π_2, contenant les droites D_1 et D_2, respectivement. Soit, de plus, le plan π_3 contenant D_1 et π_4 contenant D_2, π_3 et π_4 étant perpendiculaires à la fois à π_1 et π_2. La figure 11.18 situe la position de ces quatre plans et nous y constatons que le point A_1 cherché est l'intersection des plans π_1, π_3 et π_4, alors que le point A_2 est l'intersection des plans π_2, π_3 et π_4.

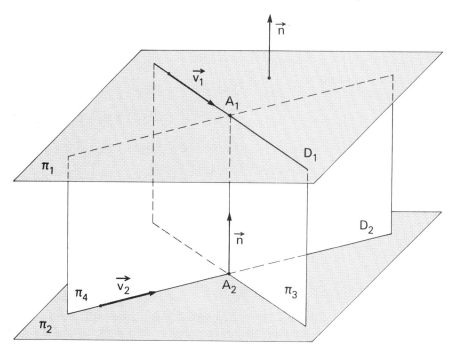

Fig. 11.18

Cette dernière déduction est claire quand nous remarquons que l'intersection des plans π_3 et π_4 est la droite perpendiculaire aux plans π_2 et π_1 contenant les deux points A_1 et A_2. Mais alors, l'intersection de cette droite avec le plan π_1 est le point A_1 et son intersection avec π_2 est le point A_2.

Il suffit à présent de retrouver les équations de ces quatre plans.

Puisque $\vec{v_1} = (3,1,-2)$ et $\vec{v_2} = (-1,1,1)$ sont des vecteurs directeurs de D_1 et D_2, respectivement, $\vec{n} = \vec{v_1} \times \vec{v_2} = (3,-1,4)$ est un vecteur normal à π_1 et π_2. De plus, $P_1(-3,1,3) \in D_1$ et $P_2(4,-2,0) \in D_2$: d'où $P_1 \in \pi_1$ et $P_2 \in \pi_2$. D'après la définition algébrique d'un plan, la constante d_1 de l'équation du plan π_1 est:

$$d_1 = \vec{n} \cdot \overrightarrow{OP_1} = (3,-1,4) \cdot (-3,1,3) = 2$$

et la constante d_2 de l'équation algébrique du plan π_2 est:

$$d_2 = \vec{n} \cdot \overrightarrow{OP_2} = (3,-1,4) \cdot (4,-2,0) = 14.$$

Nous avons ainsi:

$$\pi_1: \quad 3x - y + 4z = 2$$

$$\pi_2: \quad 3x - y + 4z = 14.$$

Maintenant, $\vec{v_1}$ et $\vec{n}$ étant deux vecteurs directeurs de π_3, $\vec{n_3} = \vec{v_1} \times \vec{n}$ est un vecteur normal à π_3:

$$\vec{n_3} = (3,1,-2) \times (3,-1,4) = (2,-18,-6).$$

De la même façon, puisque $\vec{v_2}$ et $\vec{n}$ sont deux vecteurs directeurs du plan π_4, $\vec{n_4} = \vec{v_2} \times \vec{n}$ est un vecteur normal à π_4:

$$\vec{n_4} = (-1, 1, 1) \times (3, -1, 4) = (5, 7, -2).$$

Enfin, la constante d_3 de l'équation algébrique de π_3 est donnée par:

$$d_3 = \vec{n_3} \cdot \overrightarrow{OP_1} = (2, -18, -6) \cdot (-3, 1, 3) = -42$$

puisque $P_1(-3, 1, 3)$ est un point de D_1, donc de π_3. La constante d_4 de l'équation algébrique de π_4 est:

$$d_4 = \vec{n_4} \cdot \overrightarrow{OP_2} = (5,7,-2) \cdot (4,-2,0) = 6$$

puisque $P_2(4,-2,0)$ est élément de D_2, donc également du plan π_4.

Nous avons:

$$\pi_3: \quad 2x - 18y - 6z = -42$$

$$\pi_4: \quad 5x + 7y - 2z = 6.$$

Le point A_1 est l'intersection des plans π_1, π_3 et π_4; il faut donc résoudre le système d'équations suivant:

$$\begin{cases} 3x - y + 4z = 2 \\ 2x - 18y - 6z = -42 \\ 5x + 7y - 2z = 6, \end{cases}$$

c.-à-d.

$$\begin{pmatrix} 3 & -1 & 4 \\ 2 & -18 & -6 \\ 5 & 7 & -2 \end{pmatrix} \begin{pmatrix} x \\ y \\ z \end{pmatrix} = \begin{pmatrix} 2 \\ -42 \\ 6 \end{pmatrix}.$$

Le lecteur vérifiera que

$$\begin{pmatrix} 3 & -1 & 4 \\ 2 & -18 & -6 \\ 5 & 7 & -2 \end{pmatrix}^{-1} = \frac{1}{26} \begin{pmatrix} 3 & 1 & 3 \\ -1 & -1 & 1 \\ 4 & -1 & -2 \end{pmatrix}$$

de sorte que:

$$\begin{pmatrix} x \\ y \\ z \end{pmatrix} = \frac{1}{26} \begin{pmatrix} 3 & 1 & 3 \\ -1 & -1 & 1 \\ 4 & -1 & -2 \end{pmatrix} \begin{pmatrix} 2 \\ -42 \\ 6 \end{pmatrix} = \frac{1}{13} \begin{pmatrix} -9 \\ 23 \\ 19 \end{pmatrix}.$$

Le point A_1 cherché est:

$$A_1(-9/13,\ 23/13,\ 19/13).$$

Le point A_2 est l'intersection du plan π_2, π_3 et π_4 obtenue en résolvant le système suivant:

$$\begin{cases} 3x - y + 4z = 14 \\ 2x - 18y - 6z = -42 \\ 5x + 7y - 2z = 6 \end{cases}$$

c.-à-d.

$$\begin{pmatrix} 3 & -1 & 4 \\ 2 & -18 & -6 \\ 5 & 7 & -2 \end{pmatrix} \begin{pmatrix} x \\ y \\ z \end{pmatrix} = \begin{pmatrix} 14 \\ -42 \\ 6 \end{pmatrix}$$

dont la solution est

$$\begin{pmatrix} x \\ y \\ z \end{pmatrix} = \frac{1}{26} \begin{pmatrix} 3 & 1 & 3 \\ -1 & -1 & 1 \\ 4 & -1 & -2 \end{pmatrix} \begin{pmatrix} 14 \\ -42 \\ 6 \end{pmatrix} = \frac{1}{13} \begin{pmatrix} 9 \\ 17 \\ 43 \end{pmatrix}$$

de sorte que le point A_2 cherché est:

$$A_2\left(\frac{9}{13}, \frac{17}{13}, \frac{43}{13}\right).$$

La solution du problème a ainsi été ramenée à la résolution de deux systèmes à trois équations au lieu du système à sept équations du chapitre précédent.

11.6 EXERCICES

1. Déterminer la position relative des plans π_1 et π_2 suivants:

a) π_1: $3x - 2y + z = 5$

   π_2: $x - y + 2z = 1$

b) π_1: $(x,y,z) = (3,-1,0) + k(2,1,2) + m(-1,2,4)$, $(k,m \in \mathbb{R})$

   π_2: $\begin{cases} x = 3 + k + 3m \\ y = 3k - m \\ z = 1 + 6k - 2m \end{cases}$ $(k,m \in \mathbb{R})$

2. Déterminer la valeur des paramètres a et b pour que les plans π_1 et π_2 soient parallèles:

a) π_1: $8x + ay - bz = 2$

   π_2: $ax - by + z = 4$

b) π_1: $\begin{cases} x = -1 + at - bs \\ y = 2 + bt + as \\ z = 5 - 2t - 3s \end{cases}$ $(t,s \in \mathbb{R})$

   π_2: $3x - 2y - 2z - 5 = 0$

3. Reprendre l'exercice 2 et calculer la distance entre π_1 et π_2 à l'aide des valeurs de a et b trouvées.

4. Donner l'équation du plan π contenant le point $A(0,-1,3)$ et parallèle au plan π': $2x - y + z = 0$.

5. Considérons le plan π d'équation π: $x - 2y + 2z = 1$. Obtenir les équations des plans parallèles à π et distants de deux unités de ce dernier.

6. Soit les plans π_1 et π_2 d'équations

   π_1: $x - 2y - 3z = 0$

   π_2: $2x + y + z = 2$.

Si π_1 et π_2 sont parallèles, calculer la distance qui les sépare, sinon, décrire complètement leur intersection.

7. Considérons les deux plans suivants:

   π_1: $x + 2y + z = 3$

   π_2: $-x - 3y + 5z = 0$.

Donner trois points distincts A, B, C, tous éléments de π_1 et π_2 à la fois. Ces points A, B et C sont-ils alignés? Expliquer.

8. Déterminer l'angle ϕ entre les plans π_1 et π_2 suivants:

a) π_1: $x - y - 3z = 4$

   π_2: $2x + y + z = 1$

b) π_1: $2x + y - 4z = 0$

π_2: $3x + 2y + 2z = 5$

c) π_1: $x + y - 2z = 2$

π_2: $3x + 3y - 6z = 7$.

9. Quelle doit être la valeur de k pour que le plan π: $kx - y - z = 2k$

a) fasse un angle de 45° avec le plan π_1: $2x + y + 3z = 0$

b) soit perpendiculaire au plan π_2: $4x + 2y - z = 1$

c) soit confondu au plan π_3: $x - 2y - 2z = 1$.

10. Obtenir l'équation d'un plan π qui est perpendiculaire aux plans

π_1: $2x - y + z = 2$ et

π_2: $x + y + 3z = 0$

simultanément. Quelle serait cette équation si π doit passer par l'origine?

11. Obtenir les points d'intersection des plans suivants avec les plans de coordonnées:

a) π: $2x + y - z = 2$

b) π: $x + 3y - 5z = 4$.

12. Calculer les angles que formes les plans de coordonnées avec le plan

$$\pi: \begin{vmatrix} 3 & -1 & 0 \\ 2 & 1 & 4 \\ x-1 & y & z+3 \end{vmatrix} = 0$$

13. Combien de façons trois plans sécants peuvent-ils se couper? Décrire dans chaque cas l'intersection obtenue.

14. Décrire la position relative des trois plans suivants:

π_1: $x - y + z = 2$

π_2: $2x + y - 3z = 4$

π_3: $6x + 3y - 9z = 1$.

15. Reprendre les données de l'exercice 14 en calculant

a) la distance entre les plans qui sont parallèles;

b) l'angle entre les plans qui sont sécants.

16. Considérons le tétraède dont la base est le triangle ABC et le sommet le point D avec A(0,0,0), B(0,4,0), C(−3,2,0) et D(−2,2,5). Calculer la hauteur de ce solide et représenter graphiquement.

17. Obtenir l'équation de la sphère centrée au point C(−1,2,1) et tangente au plan π: $2x - y + z = 5$.

18. Trouver l'équation d'un plan π faisant des angles de 30° et 60° avec les plans XZ et YZ respectivement et contenant le point A(2,1,−1).

19. Déterminer le point M élément du plan π d'équation π: $x + 2y - 3z = 2$ qui soit le plus près du point P(10,−1,9).

20. Soit le plan π: $2x - 3y + z = 5$.

a) Calculer la distance de l'origine à π.

b)   Obtenir les coordonnées du point M symétrique à O(0,0,0) par rapport au plan π.

21.   Déterminer le paramètre $t \in \mathbb{R}$ tel que la droite

$\quad$ D: $(x,y,z) = (0,1,3) + k(1,t,2)$, $(k \in \mathbb{R})$

soit parallèle au plan

$\quad \pi$: $x + y + 3z + 1 = 0$.

22.   Obtenir les points A_1 et A_2 éléments des deux droites gauches D_1 et D_2, respectivement, les plus rapprochés l'un de l'autre si:

D_1: $\dfrac{x - 2}{2} = \dfrac{y + 1}{2} = z$

D_2: $\begin{cases} x = 2 - \ m \\ y = 1 + 2m \\ z = \quad\ \ m \qquad (m \in \mathbb{R}) \end{cases}$

23.   Quelle est l'équation du plan π contenant la droite

$\quad$ L: $(x, y, z) = (-1, 0, 4) + s(2, 1, -3)$, $(s \in \mathbb{R})$

ainsi que le point A(2,0,1).

11.7 FAISCEAUX DE PLANS

$\quad$ Nous savons déjà que, par une droite donnée de $\mathbb{R}^3$, passent une infinité de plans. Nous donnons un nom particulier à cet ensemble de plans.

DÉFINITION: La famille de tous les plans ayant pour intersection commune une droite fixe D a pour nom *faisceau de plans d'arête D*.

$\quad$ Essayons de caractériser les points appartenant à l'un ou l'autre des plans d'un faisceau. Pour ce faire, nous décrirons l'arête de ce faisceau comme l'intersection de deux plans appartenant à ce faisceau.

$\quad$ Soit donc une droite D définie par les équations algébriques de deux plans dont elle est l'intersection:

$$D:\begin{cases} \pi_1: & a_1 x + b_1 y + c_1 z = d_1 \\ \pi_2: & a_2 x + b_2 y + c_2 y = d_2 \end{cases}$$

avec, bien sûr, π non parallèle à π_2.

$\quad$ Alors, tout point P(x,y,z) est élément d'un plan π du faisceau considéré, si la distance de P à π_1 est proportionnelle à la distance de P à π_2, cette proportion étant constante pour tous les points de π (voir figure 11.19).

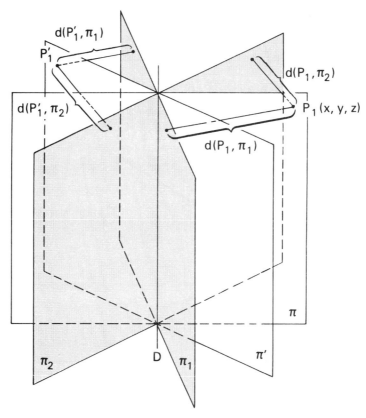

Fig. 11.19

Soit D l'intersection des plans π_1 et π_2.

Un point $P(x,y,z)$ appartient à un plan π du faisceau d'arête D si et seulement si il existe k_1 ou $k_2 \in \mathbb{R}$ tel que

$$d(P, \pi_1) = k_1 d(P, \pi_2) \text{ ou } d(P, \pi_2) = k_2 d(P, \pi_1),$$

cette valeur de k_1 ou k_2 étant la même pour tous les points P de π.

Remarque: Pour tous les plans π différents de π_1 et π_2, l'une ou l'autre des équations ci-dessus serait suffisante. Cependant, il faudra utiliser la première avec $k_1 = 0$ pour retrouver le plan π_1, alors que le plan π_2 sera obtenu en faisant $k_2 = 0$ dans la deuxième équation.

Tâchons à présent d'obtenir une expression qui caractérise les points d'un plan d'un faisceau donné, c.-à-d. en fait, les plans de ce faisceau.

Si nous réécrivons,

$d(P, \pi_1) = kd(P, \pi_2),$

en utilisant ce que nous avons obtenu à la section 11.5.1, nous avons, pour un k réel fixe,

$d(P, \pi_1) = kd(P, \pi_2)$

$$\Leftrightarrow \quad \frac{|a_1x + b_1y + c_1z - d_1|}{|n_1|} = k \frac{|a_2x + b_2y + c_2z - d_2|}{|n_2|}$$

$$\Leftrightarrow \quad \frac{(a_1x + b_1y + c_1z - d_1)}{|n_1|} = \pm k \frac{(a_2x + b_2y + c_2z - d_2)}{|n_2|}$$

$$\text{(puisque } |s| = |t| \Leftrightarrow s = \pm t$$

$$\text{pour tout } s, t \in \mathbb{R}).$$

$$\Leftrightarrow \quad (a_1x + b_1y + c_1z - d_1) \pm k \frac{|\vec{n_1}|}{|\vec{n_2}|} (a_2x + b_2y + c_2z - d_2) = 0$$

$$\Leftrightarrow \quad (a_1 \pm \lambda a_2)x + (b_1 \pm \lambda b_2)y + (c_1 \pm \lambda c_2)z = d_1 \pm \lambda d_2$$

en posant $\lambda = k \dfrac{|\vec{n_1}|}{|\vec{n_2}|}$.

Cette dernière expression est l'équation algébrique d'un plan, ou plutôt de deux plans π et π' :

$$\pi: (a_1 + \lambda a_2)x + (b_1 + \lambda b_2)y + (c_1 + \lambda c_2)z = (d_1 + \lambda d_2)$$

$$\pi': (a_1 - \lambda a_2)x + (b_1 - \lambda b_2)y + (c_1 - \lambda c_2)z = (d_1 - \lambda d_2)$$

que le lecteur pourra situer sur la figure 11.19. Il notera surtout qu'il existe bien deux plans, π et π' dont les points sont à une distance proportionnelle fixée k de π_1 et π_2 :

pour un k fixé,

$$P_1(x, y, z) \in \pi \Leftrightarrow d(P_1, \pi_1) = kd(P_1, \pi_2)$$

et

$$P_1'(x, y, z) \in \pi' \Leftrightarrow d(P_1', \pi_1) = kd(P_1', \pi_2).$$

Puisque k peut prendre toutes les valeurs de $\mathbb{R}$,

$$\lambda = k \frac{|\vec{n_1}|}{|\vec{n_2}|}$$

parcourt également $\mathbb{R}$ de sorte qu'en faisant varier λ dans l'intervalle $]-\infty, \infty[$, nous retrouvons toutes les équations algébriques des plans du faisceau donné, sauf, bien sûr, celle du plan π_2.

DÉFINITION: Nous appelons *équation paramétrique du faisceau* dont l'arête est l'intersection des plans

$$\pi_1: a_1 x + b_1 y + c_1 z = d_1$$

et

$$\pi_2: a_2 x + b_2 y + c_2 z = d_2,$$

l'équation

$$(a_1 + \lambda a_2) x + (b_1 + \lambda b_2) y + (c_1 + \lambda c_2) z = d_1 + \lambda d_2$$

ou, encore,

$$(a_1 x + b_1 y + c_1 z - d_1) + \lambda(a_2 x + b_2 y + c_2 z - d_2) = 0$$

pour $\lambda \in \mathbb{R}$.

Il faut bien remarquer qu'il n'est pas possible de retrouver l'équation du plan π_2 dans l'expression ci-dessus, pour une certaine valeur de λ; nous pourrions cependant utiliser l'équation paramétrique

$$(a_2 x + b_2 y + c_2 z - d_2) + \lambda(a_1 x + b_1 y + c_1 z - d_1) = 0,$$

laquelle nous permet d'obtenir tous les plans du faisceau sauf, cette fois, celle de π_1.

Comme application à ce résultat, il est facile d'obtenir les équations des plans bissecteurs des angles formés par deux plans donnés. En effet, il suffit de poser k = 1 (pourquoi?). Nous obtenons alors

$$\lambda = \pm \frac{|\vec{n_1}|}{|\vec{n_2}|}$$

et les équations des deux plans bissecteurs sont:

$$\pi: \left(a_1 + \frac{|\vec{n_1}|}{|\vec{n_2}|} a_2\right) x + \left(b_1 + \frac{|\vec{n_1}|}{|\vec{n_2}|} b_2\right) y$$
$$+ \left(c_1 + \frac{|\vec{n_1}|}{|\vec{n_2}|} c_2\right) z = \left(d_1 + \frac{|\vec{n_1}|}{|\vec{n_2}|} d_2\right)$$

et

$$\pi': \left(a_1 - \frac{|\vec{n_1}|}{|\vec{n_2}|} a_2\right) x + \left(b_1 - \frac{|\vec{n_1}|}{|\vec{n_2}|} b_2\right) y$$
$$+ \left(c_1 - \frac{|\vec{n_1}|}{|\vec{n_2}|} c_2\right) z = \left(d_1 - \frac{|\vec{n_1}|}{|\vec{n_2}|} d_2\right)$$

Exemple: Soit les plans

$$\pi_1: -2x - 2y + z = 7$$

et

$$\pi_2: -2x + 4y - 4z = 2.$$

Le faisceau des plans d'arête $D = \pi_1 \cap \pi_2$ a pour équation paramétrique

$$(-2 - 2\lambda)x + (-2 + 4\lambda)y + (1 - 4\lambda)z = (7 + 2\lambda)$$

En particulier, les équations algébriques des deux plans bissecteurs des angles formés par π_1 et π_2 sont obtenues en faisant

$$\lambda = \frac{|\vec{n_1}|}{|\vec{n_2}|} = \frac{|(-2, -2, 1)|}{|(-2, 4, -4)|} = \frac{\sqrt{9}}{\sqrt{36}} = \frac{1}{2},$$

de sorte que:

$$\pi: -3x - z = 8$$

et

$$\pi': -x - 4y + 3z = 6$$

sont les plans bissecteurs cherchés.

11.8 PLANS PROJETANTS D'UNE DROITE

Le lecteur aura sans doute remarqué que l'équation algébrique d'un plan dans laquelle il manque une ou plusieurs variables x, y ou z représente un plan parallèle à l'axe de coordonnée correspondant à la variable manquante (ou aux variables manquantes).

Par exemple, le plan

$$\pi_1: x + y = 1$$

est parallèle à l'axe OZ.

En effet, l'équation vectorielle de π_1 s'écrit:

$$\pi_1: (x, y, z) = (0, 1, 0) + s(1, -1, 0) + t(0, 0, 1) \qquad (s, t \in \mathbb{R})$$

de sorte que $\vec{k} = (0, 0, 1)$ est un vecteur directeur du plan π_1. Cela signifie que la droite engendrée par $\vec{k}$, soit l'axe 0Z, est parallèle à π_1.

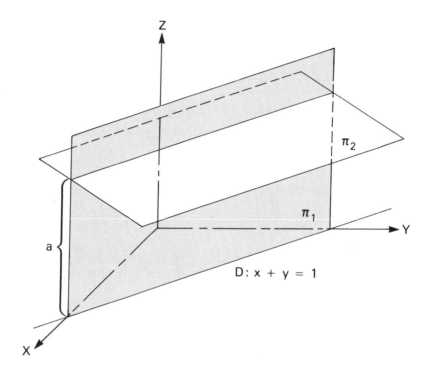

Fig. 11.20

Remarquons que pour chaque valeur fixée de z, z = a, nous obtenons un plan

$$\pi_2: z = a$$

parallèle à XOY et l'intersection de π_2 avec π_1 représente une droite D d'équation

$$D: \begin{cases} x + y = 1, \\ z = a \end{cases}$$

contenue dans π_1.

De la même façon, le plan

$$\pi_2: y = 6$$

est un plan parallèle à la fois aux axes OX et OZ, donc au plan XOZ.

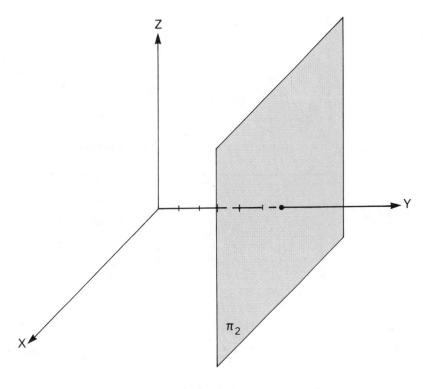

Fig. 11.21

Nous donnons un nom particulier à de tels plans.

DÉFINITION: Étant donnée une droite D, sont appelés *plans projetants de D* tous les plans contenant D qui sont parallèles aux axes de coordonnées.

Les plans projetants d'une droite D sont des éléments particuliers du faisceau de plans dont D est l'arête.

Essayons de caractériser les plans projetants d'une droite D donnée.

Soit une droite D de l'espace, d'équations symétriques:

$$D: \frac{x - x_1}{a} = \frac{y - y_1}{b} = \frac{z - z_1}{c}$$

avec a, b, c non nuls. Alors, un plan projetant π de D doit être parallèle à l'un des axes OX, OY ou OZ, c'est-à-dire que la variable x, y ou z ne doit pas être restreinte dans l'équation de ce plan. π doit également contenir la droite D. Par exemple, en laissant varier x dans ℝ, l'équation

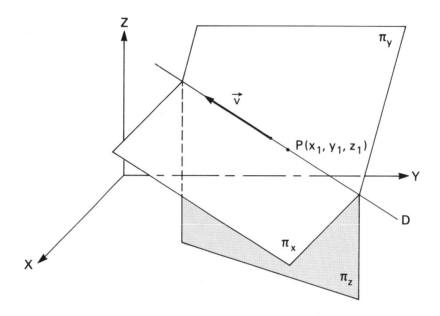

Fig. 11.22

$$\pi_x: \frac{y - y_1}{b} = \frac{z - z_1}{c} \iff \pi_x: c(y - y_1) = b(z - z_1)$$

$$\iff \pi_x: cy - bz = cy_1 - bz_1$$

correspond à un plan contenant D, puisqu'un point vérifiant l'équation de D vérifie a fortiori l'équation de π_x, et est parallèle à l'axe OX, car aucune contrainte n'est imposée à la variable x dans cette équation. π_x est l'un des plans projetants de D. De la même façon, nous obtenons les deux autres équations des plans projetants: π_y et π_z.

Remarque 1:   Si D est une droite parallèle à l'un des plans de coordonnées sans l'être aux axes correspondants, il n'y a que deux plans projetants de D, puisque l'un d'eux est parallèle au plan de coordonnées en question, donc parallèle aux deux axes correspondants (voir exemple 2).

Remarque 2:   Si D est une droite parallèle à l'un des axes de coordonnées, il existe une infinité de plans projetants de D parallèles à cet axe. En effet, tous les plans contenant D sont alors parallèles à l'axe en question. Ces plans projetants sont les éléments du faisceau d'arête D. Parmi eux, deux plans particuliers sont parallèles aux deux autres axes (voir exemple 3).

Remarque 3:   Nous remarquons que dans les deux cas particuliers ci-dessus, les équations symétriques de la droite D n'existent pas, puisqu'alors une ou plusieurs composantes a, b ou c d'un vecteur directeur de D sont nulles. Pour retrouver les équations des plans projetants de D, nous utilisons alors les équations paramétriques de D.

Soit D, une droite de l'espace de vecteur directeur $\vec{v} = (a, b, c)$ et passant par le point $A(x_1, y_1, z_1)$. Les *plans projetants* de D, si les équations symétriques de D existent, sont donnés par:

$$\pi_x: \frac{y - y_1}{b} = \frac{z - z_1}{c} \qquad \text{(plan parallèle à OX)}$$

$$\pi_y: \frac{x - x_1}{a} = \frac{z - z_1}{c} \qquad \text{(plan parallèle à OY)}$$

$$\pi_z: \frac{x - x_1}{a} = \frac{y - y_1}{b} \qquad \text{(plan parallèle à OZ)}$$

Exemple 1:   Soit la droite D d'équations symétriques:

$$D: \frac{x - 1}{2} = y + 5 = \frac{z - 2}{3} .$$

Trouver les plans projetants de D.

Nous avons, dans ce cas, trois plans projetants différents, puisque D n'est parallèle à aucun axe ni à aucun plan de coordonnées:

$$\pi_x: y + 5 = \frac{z - 2}{3}$$

$$\pi_y: \frac{x - 1}{2} = \frac{z - 2}{3}$$

$$\pi_z: \frac{x - 1}{2} = y + 5$$

ou, encore,

$$\pi_x: \quad 3y - z = -17$$
$$\pi_y: 3x \quad - 2z = -1$$
$$\pi_z: x - 2y \quad = 11.$$

Exemple 2:   Considérons la droite D de vecteur directeur $\vec{v} = (3, -1, 0)$ et passant par le point $A(2, 5, 4)$.

Cette droite est parallèle au plan XOY puisque $\vec{v}$ possède une composante nulle en $\vec{k}: \vec{v} = 3\vec{i} - \vec{j}$, tout en n'étant parallèle ni à OX, ni à OY. Nous avons

$$\begin{cases} x = 2 + 3t \\ y = 5 - t \\ z = 4 \qquad\qquad (t \in \mathbb{R}) \end{cases}$$

les équations paramétriques de D. Il n'y a, dans ce cas, que deux plans projetants de D:

1)   le plan $\pi_x = \pi_y$: $z = 4$ et

2)   le plan π_z : $\dfrac{x-2}{3} = \dfrac{y-5}{-1}$

   $\Longleftrightarrow \pi_z$: $x + 3y = 17$,

   obtenu des équations en x et y de la droite D.

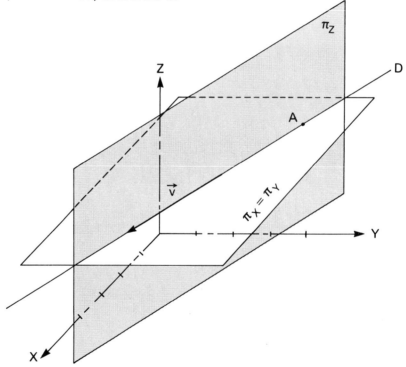

Fig. 11.23

Exemple 3:   Soit la droite D:

$$D: \begin{cases} x = 2 \\ y = 3 \\ z = t \end{cases}$$

où $t \in \mathbb{R}$. Un vecteur directeur à D est $\vec{v} = (0, 0, 1) = \vec{k}$ et le point A$(2, 3, 0)$ est élément de D. Cette droite est parallèle à l'axe OZ.

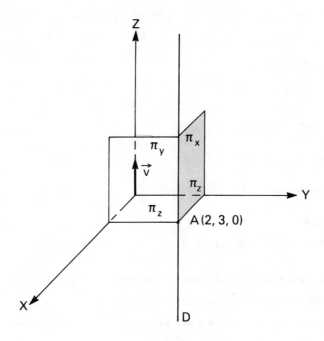

Fig. 11.24

1) Il y a deux plans projetants de D parallèles, l'un à OX, l'autre à OY: π_x, de vecteur normal $\vec{j} = (0, 1, 0)$ et passant par le point A$(2, 3, 0)$

$$\pi_x: y = 3 \qquad \text{(plan parallèle à OX)}$$

et le plan π_y, de vecteur normal $\vec{i} = (1, 0, 0)$ et passant par le point A$(2, 3, 0)$:

$$\pi_y: x = 2 \qquad \text{(plan parallèle à OY)}.$$

2) Il y a cependant une infinité de plans projetants de D parallèles à l'axe OZ. En fait, tous les plans du faisceau d'arête D sont des plans projetants de D parallèles à OZ, en particulier π_x et π_y.

11.9   EXERCICES

1. Considérons les deux plans π_1 et π_2 suivants:

$\pi_1: \quad x + 2y - z = 1$

$\pi_2: -x - 3y + z = 2$

a) Donner l'équation paramétrique du faisceau de plans d'arête $\pi_1 \cap \pi_2$.

b) Quelle est l'équation du plan de ce faisceau parallèle au vecteur $\vec{u} = (0, 1, 2)$?

c) Quel est le plan de ce faisceau qui contient l'origine?

2. Trouver les équations des plans bissecteurs des angles formés par les plans π_1 et π_2 décrits ci-après?

a) $\pi_1:\ x + y + z = 2$

   $\pi_2: 2x - y - z = 1$

b) $\pi_1: 2x - y + 3z = 0$

   $\pi_2:\ x + 3y - z = 2$

c) $\pi_1: 3x + y + z = 2$

   $\pi_2: 5x - y + 2z = 3$

d) $\pi_1: -x + 3y - z = 1$

   $\pi_2:\ 2x - 6y + 2z = 0$

3. Soit les plans π_1 et π_2 décrits par les équations:

$\pi_1:\ \ x + 2y + 2z = 0$

$\pi_2: -4x + 4y - 2z = 3$

a) Obtenir les équations des plans bissecteurs π et π', des angles formés par π_1 et π_2.

b) Calculer l'angle que forment π et π'.

c) Généraliser ce résultat en considérant les équations des plans bissecteurs obtenus à la section 11.7.

4. Donner les équations des plans projetants de la droite D passant par les points $A_1(-1, 2, 0)$ et $A_2(1, 2, 3)$.

5. Décrire les plans projetants de chacun des axes de coordonnées OX, OY et OZ.

6. Trouver les équations des plans projetants de la droite L de vecteur directeur $\vec{v} = \vec{j} - 2\vec{k}$ et passant par le point A$(3, 1, -1)$.

7. Quelle est l'équation paramétrique décrivant la famille des plans contenant tous la droite L décrite à l'exercice précédent.

ANNEXE

Résumé de trigonométrie

REMARQUE PRÉLIMINAIRE: Il ne faut pas s'attendre à trouver ici un exposé de trigonométrie. C'est un résumé volontairement restreint de notions d'usage courant, adaptées au contexte du présent manuel et rappelées sans prétention quant à la rigueur. Les figures et le texte se complètent mutuellement et, d'un point de vue mnémotechnique, la mémorisation de certaines figures est conseillée.

1- *Radian et degré:* Soit un cercle de rayon r dont la circonférence mesure c $= 2\pi r$ unités. Un *radian* (rad) est la mesure d'un angle au centre interceptant un arc de longeur r sur la circonférence tandis qu'un *degré* ($^\circ$) est la mesure d'un angle au centre interceptant un arc égal à $1/360^e$ de la circonférence.

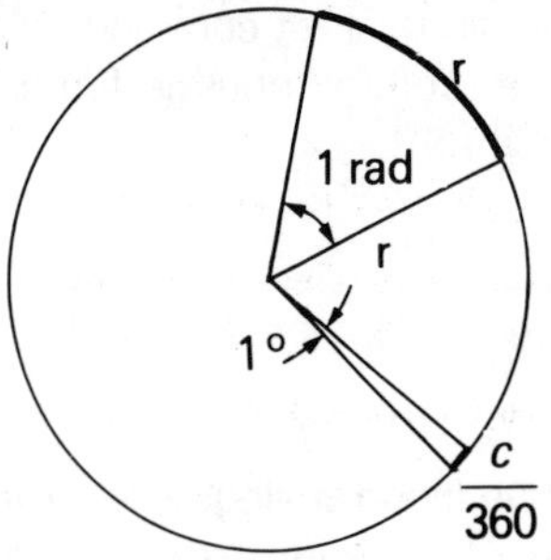

> La relation 2π rad $= 360^\circ$ donne:
>
> 1 rad $= \dfrac{180^\circ}{\pi}$ et $1^\circ = \dfrac{\pi}{180}$ rad

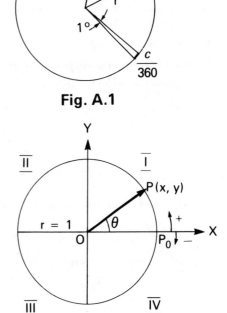

Fig. A.1

2- *Cercle trigonométrique:* Dans un repère cartésien XOY, considérons un cercle de centre O(0, 0) dont *le rayon mesure une unité.* Soit P(x, y) un "point mobile" sur la circonférence de ce cercle avec P_0(1, 0) comme position de départ. Nous conviendrons d'appeler le segment de droite OP le *"rayon vecteur"* (ou *"vecteur tournant"*) du cercle trigonométrique et nous le noterons $\overrightarrow{OP}$. Si, partant de OP_0, le rayon vecteur $\overrightarrow{OP}$ tourne dans le sens contraire des aiguilles d'une montre, *l'angle* θ engendré est *positif*; dans l'autre sens, *l'angle est négatif*.

Tous les angles correspondant à une position donnée de $\overrightarrow{OP}$ sont appelés *angles coterminaux.* Ainsi, θ, $\theta + 2\pi$, $\theta - 2\pi$, ..., $\theta + 2k\pi$ avec $k \in \mathbb{Z}$ sont coterminaux. Ces angles ne sont pas égaux; ils sont dits *congrus.*

Fig. A.2

Les quadrants du cercle trigonométrique sont numérotés conventionnellement comme sur la figure A.2.

3- *Fonctions trigonométriques:* En nous référant au cercle trigonométrique de la figure A.3 ou de la figure A.4, projetons $\overrightarrow{OP}$ orthogonalement sur les axes des Y et sur l'axe des X de façon à obtenir les vecteurs-projections $\overrightarrow{OA}$ et $\overrightarrow{OB}$.

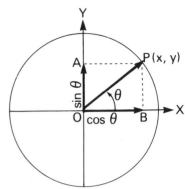

Fig. A.3

a)   À l'angle θ (et à tous les angles coterminaux à θ), associons le nombre réel y qui est la mesure algébrique du vecteur $\overrightarrow{OA}$ et que nous appellerons le *sinus* de l'angle θ (ou de $\theta +$ $2k\pi$, $k \in \mathbb{Z}$). Nous écrirons: $\sin \theta = y$. Sans confondre $\overrightarrow{OA}$ et $\sin \theta$, il est commode d'écrire $\sin \theta$ le long de $\overrightarrow{OA}$ ou encore, comme nous le ferons à la figure A.7, le long du segment BP.

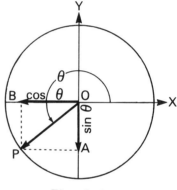

b)   De façon analogue, le *cosinus* de l'angle θ, sera le réel x qui est la mesure algébrique du vecteur $\overrightarrow{OB}$. Nous écrirons $\cos \theta = x$.

Fig. A.4

Même si ce n'est pas indispensable, il est commode de définir d'autres fonctions trigonométriques:

c)   La *tangente* de l'angle θ (tg θ) est égale à $\dfrac{\sin \theta}{\cos \theta} = \dfrac{y}{x}$ pour $x \neq 0$.

d)   La *cotangente* de l'angle θ (cotg θ) est égale à $\dfrac{1}{\text{tg } \theta} = \dfrac{x}{y}$ pour $y \neq 0$.

e)   La *sécante* de l'angle θ (séc θ) est égale à $\dfrac{1}{\cos \theta} = \dfrac{1}{x}$ pour $x \neq 0$.

f)   La *cosécante* de l'angle θ (coséc θ) est égale à $\dfrac{1}{\sin \theta} = \dfrac{1}{y}$ pour $y \neq 0$.

4- *Signes des fonctions trigonométriques:* D'après les définitions retenues en 3), sin θ sera positif quand $\overrightarrow{OP}$ sera "au-dessus" de l'axe des X et négatif "au-dessous"; ou encore, sin $\theta > 0$ pour $0 < \theta < \pi$ et sin $\theta < 0$ pour $\pi < \theta < 2\pi$.

De même, cos θ sera positif lorsque $\overrightarrow{OP}$ sera "à droite" de l'axe des Y et négatif "à gauche"; c.-à-d. cos $\theta > 0$ pour $-\dfrac{\pi}{2} < \theta < \dfrac{\pi}{2}$ et cos $\theta < 0$ pour $\dfrac{\pi}{2} < \theta < \dfrac{3\pi}{2}$.

La fonction tangente, lorsqu'elle est définie, obéit à la règle des signes et, ainsi, est positive dans les quadrants $\underline{I}$ et $\underline{III}$, négative dans les autres. Comme cotg θ, séc θ et coséc θ sont les inverses multiplicatifs de tg θ, cos θ et sin θ, ils sont de même signe que ces derniers dans les mêmes quadrants.

En résumé:

> Sont positives:
>
> a) dans le 1er quadrant, toutes les fonctions trigonométriques;
>
> b) dans le 2e quadrant, seul le sinus (ou la coséccante);
>
> c) dans le 3e quadrant, seule la tangente (ou la cotangente);
>
> d) dans le 4e quadrant, seul le cosinus (ou la sécante)
>
> La figure A.5 illustre ce résumé: (Sais - $\underline{Tu}$ - $\underline{C}$omment ?)

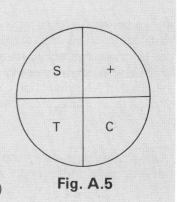

Fig. A.5

5- *Valeurs absolues des fonctions trigonométriques d'angle θ quelconque:*

a) Reportons-nous encore au cercle trigonométrique (Fig. A.6a): si le rayon vecteur s'arrête en OP_2, quelque part dans le 2e quadrant, après avoir tourné d'un angle θ ($+ 2k\pi$, $k \in \mathbb{Z}$) depuis $\overrightarrow{OP_0}$, ses projections $\overrightarrow{OA}$ et $\overrightarrow{OB}$ sont respectivement de même longueur que les projections $\overrightarrow{OA}$ et $\overrightarrow{OB'}$ du vecteur $\overrightarrow{OP_1}$ correspondant à un angle $\phi = \pi - \theta$ du 1er quadrant. Ainsi, dans le 2e quadrant:

$$|\sin \theta| = \sin (\pi - \theta) = \sin \phi$$

et $$|\cos \theta| = \cos (\pi - \theta) = \cos \phi$$

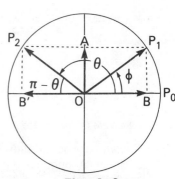

Fig. A.6a

b)   Si $\vec{OP}$ s'immobilise dans le 3e quadrant (Fig. A.6b), en construisant ϕ égal à $\theta - \pi$, nous obtenons:

$|\vec{OA'}| = |\vec{OA}|$ et $|\vec{OB'}| = |\vec{OB}|$ d'où, dans le 3e quadrant:

$$|\sin\theta| = \sin(\theta - \pi) = \sin\phi$$

et $|\cos\theta| = \cos(\theta - \pi) = \cos\phi$

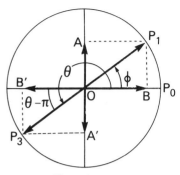

Fig. A.6b

c)   De même, dans le 4^e quadrant (Fig. A.6c), en construisant $\phi = 2\pi - \theta$, nous obtenons:

$|\vec{OA'}| = |\vec{OA}|$ et $|\vec{OB'}| = |\vec{OB}|$ de telle sorte que, dans le 4e quadrant:

$$|\sin\theta| = \sin(2\pi - \theta) = \sin\phi$$

et $|\cos\theta| = \cos(2\pi - \theta) = \cos\phi$

d)   Les autres fonctions trigonométriques étant définies à partir des fonctions sinus et cosinus, nous pouvons vérifier que leurs valeurs absolues respectives pour des angles des 2e, 3e et 4e quadrants peuvent s'exprimer en fonction d'un angle ϕ du 1er quadrant tout comme le sinus et le cosinus. D'où, *la règle unique, facile à retenir:*

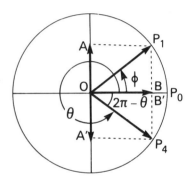

Fig. A.6c

La *valeur absolue* d'une *fonction trigonométrique* (quelle qu'elle soit) d'un angle θ (quelconque) est égale à la valeur de cette fonction pour l'angle aigu que forme $\vec{OP}$ avec la droite portant l'axe des X.

Remarque: Pour compléter la règle précédente, rappelons que

$$\sin \pm \frac{\pi}{2} = \text{coséc} \pm \frac{\pi}{2} = \pm 1, \quad \cos \pm \frac{\pi}{2} = 0 \text{ et que les autres fonctions ne sont pas définies pour}$$

$$\theta = \pm \frac{\pi}{2}.$$

6-   *Le cercle trigonométrique "tout garni":*

Remarque: Pour la suite de ce résumé, nous convenons de désigner la longueur d'un segment de droite MN par le symbole $\overline{MN}$.

Nous venons de voir en 4) comment déterminer le signe d'une fonction trigonométrique d'un angle quelconque et, en 5), que la valeur absolue d'une telle fonction est celle d'une fonction d'angle ϕ du 1er quadrant. Tenant compte de ce qui précède, les relations que nous établirons à partir de considérations sur la figure A.7 sont générales et s'appliquent à des angles quelconques.

Il est impératif, pour comprendre ce qui suit, de se rappeler que dans le cercle trigonométrique, *l'unité de mesure est le rayon du cercle*.

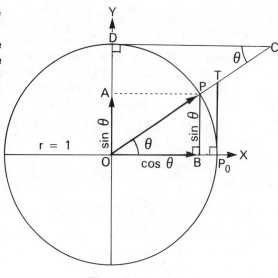

Fig. A.7

Pour construire la figure A.7, prolongeons OP et menons les segments P_0T et DC, respectivement perpendiculaires à OX et à OY. Nous retrouvons l'angle θ en OCD.

Comme $|\overrightarrow{OA}| = \overline{BP}$, reportons sin θ sur BP.

En appliquant les propriétés des triangles semblables aux trois triangles rectangles OBP, OP_0T et CDO, nous obtenons, en relation avec les définitions des fonctions trigonométriques:

a) $\dfrac{\overline{P_0T}}{\overline{OP_0}} = \dfrac{\overline{BP}}{|\overrightarrow{OB}|} \Rightarrow \dfrac{\overline{P_0T}}{1} = \dfrac{\sin\theta}{\cos\theta} \Rightarrow \overline{P_0T} = \text{tg}\,\theta$

b) $\dfrac{\overline{OT}}{\overline{OP_0}} = \dfrac{|\overrightarrow{OP}|}{|\overrightarrow{OB}|} \Rightarrow \dfrac{\overline{OT}}{1} = \dfrac{1}{\cos\theta} \Rightarrow \overline{OT} = \text{séc}\,\theta$

c) $\dfrac{\overline{CD}}{\overline{DO}} = \dfrac{\overline{OP_0}}{\overline{P_0T}} \Rightarrow \dfrac{\overline{CD}}{1} = \dfrac{1}{\text{tg}\,\theta} \Rightarrow \overline{CD} = \text{cotg}\,\theta$

d) $\dfrac{\overline{CO}}{\overline{DO}} = \dfrac{|\overrightarrow{OP}|}{\overline{BP}} \Rightarrow \dfrac{\overline{CO}}{1} = \dfrac{1}{\sin\theta} \Rightarrow \overline{CO} = \text{coséc}\,\theta$

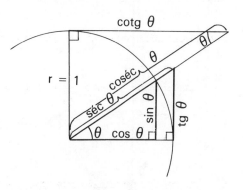

Fig. A.8

En dépouillant la figure A.7 pour y reporter les résultats obtenus ci-dessus, nous obtenons la figure A.8 qu'il est facile et utile de mémoriser pour la suite.

7- *Représentation graphique des fonctions*
sinus, cosinus et tangente: Comme nous avons choisi de définir les fonctions sinus et cosinus à partir de projections sur les axes de coordonnées et comme nous avons, par la suite, trouvé une interprétation géométrique à la tangente d'un angle, il est naturel de poursuivre dans cette veine en traçant les graphiques des fonctions sinus et tangente par projection des segments BP et P_0T sur des droites parallèles à l'axe des Y. De même, nous obtiendrons le graphique de la fonction cosinus par projection du segment OB sur des parallèles à l'axe des X. Il faut cependant ''adapter'' le procédé dans le cas de la tangente pour tenir compte du fait que celle-ci est négative dans le 2e et le 4e quadrant. La figure A.9.1 représente les fonctions sinus et cosinus et la figure A.9.2 la fonction tangente.

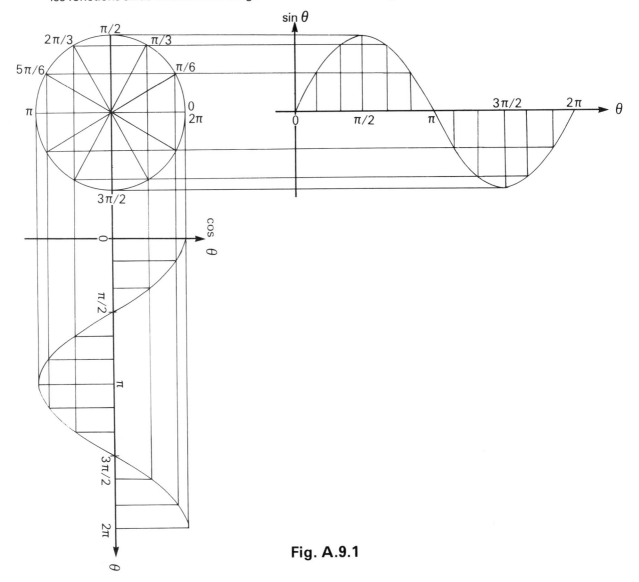

Fig. A.9.1

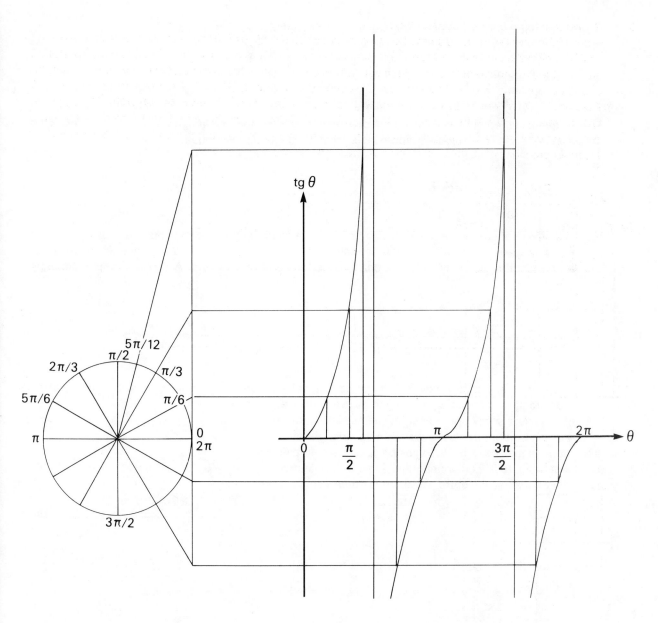

Fig. A.9.2

8- *Quelques identités d'usage courant:*

Nous supposons que le lecteur connaît le domaine de chaque fonction et qu'il suppléera aux lacunes du texte.

Les trois identités suivantes découlent directement des définitions 3f, 3e et 3d:

a) $\sin \theta \ \text{coséc} \ \theta = 1$

b) $\cos \theta \ \text{séc} \ \theta = 1$

c) $\text{tg} \ \theta \ \text{cotg} \ \theta = 1$

En appliquant le théorème de Pythagore à chacun des trois triangles de la figure A.8, nous obtenons les trois identités suivantes, valables, rappelons-le, pour un angle θ quelconque:

d) $\sin^2 \theta + \cos^2 \theta = 1$

e) $\text{tg}^2 \theta + 1 = \text{séc}^2 \theta$

f) $1 + \text{cotg}^2 \theta = \text{coséc}^2 \theta$

Nous pouvons transformer ces identités au besoin. Une façon traditionnelle d'apprendre ''à jouer'' avec elles consiste à exprimer chacune des fonctions à l'aide d'une seule, choisie à l'avance, et, aussi, à exprimer une fonction donnée à l'aide de chacune des autres à tour de rôle. À titre d'exemple, vérifions que:

$$\sin \theta = \pm \sqrt{1 - \cos^2 \theta} = \pm \frac{\text{tg} \ \theta}{\sqrt{\text{tg}^2 \theta + 1}} = \pm \frac{1}{\sqrt{1 + \text{cotg}^2 \theta}} = \pm \frac{\sqrt{\text{séc}^2 \theta - 1}}{\text{séc} \ \theta} = \frac{1}{\text{coséc} \ \theta}$$

9-   *Résolution des triangles rectangles:* Convenons d'identifier les sommets (et les angles) d'un triangle rectangle de grandeur quelconque au moyen de majuscules et les côtés qui leur sont opposés par les mêmes lettres mais minuscules. Comparons les côtés d'un tel triangle avec leurs homologues des trois triangles (du plus petit au plus grand) de la figure A.8 en donnant, à l'angle θ, la valeur de l'angle A du triangle ci-contre. Ainsi, nous obtenons:

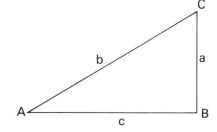

Fig. A.10

$$\frac{a}{b} = \frac{\sin \theta}{1} \Rightarrow \sin A = \frac{a}{b} \Rightarrow a = b \sin A \Rightarrow b = \frac{a}{\sin A} = a \ \text{coséc} \ A$$

$$\frac{c}{b} = \frac{\cos \theta}{1} \Rightarrow \cos A = \frac{c}{b} \Rightarrow c = b \cos A \Rightarrow b = \frac{c}{\cos A} = c \ \text{séc} \ A$$

$$\frac{a}{c} = \frac{\text{tg} \ \theta}{1} \Rightarrow \text{tg} \ A = \frac{a}{c} \Rightarrow a = c \ \text{tg} \ A \Rightarrow c = \frac{a}{\text{tg} \ A} = a \ \text{cotg} \ A$$

En appliquant ce qui précède à l'angle C qui, incidemment, est le complément de l'angle A, nous véri-fions aussi que:

$$\sin C = \frac{c}{b}, \quad \cos C = \frac{a}{b} \quad \text{et tg C} = \frac{c}{a} \; ; \text{ d'où:}$$

$$\sin A = \cos C, \quad \text{tg A} = \text{cotg C}, \quad \text{séc A} = \text{coséc C, et réciproquement.}$$

10- *Fonctions de 30°, 45° et 60°:*

Servons-nous des résultats ci-dessus pour déterminer les valeurs des fonctions trigonométriques des angles de

$$30° = \frac{\pi}{6}, \quad 45° = \frac{\pi}{4} \quad \text{et} \quad 60° = \frac{\pi}{3}.$$

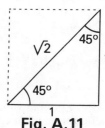

Fig. A.11

À cette fin, construisons un carré de une unité de côté et menons une diagonale dont la longueur est $\sqrt{2}$ et un trian-gle équilatéral de côté égal à deux unités dont la hauteur est $\sqrt{2^2 - 1^2} = \sqrt{3}$.

Le lecteur est invité à établir la liste des dix-huit valeurs cherchées. Par exemple:

$$\sin 45° = \cos 45° = \frac{1}{\sqrt{2}} = \frac{\sqrt{2}}{1} \quad \text{et}$$

$$\text{tg } 30° = \text{cotg } 60° = \frac{1}{\sqrt{3}} = \frac{\sqrt{3}}{3}$$

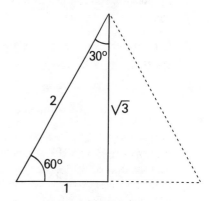

Fig. A.12

11- *Résolution des triangles quelconques:*

Soit ABC un triangle quelconque de côtés a, b et c.

a)   De chacun des sommets, menons une hauteur per-pendiculairement au côté opposé ou à son prolongement. Comme le sinus d'un angle est égal au sinus de son com-plément (d'après 4) et 5a)), nous obtenons:

$$h_1 = c \sin B = b \sin C \Rightarrow \frac{\sin B}{b} = \frac{\sin C}{c}$$

$$h_2 = c \sin A = a \sin C \Rightarrow \frac{\sin A}{a} = \frac{\sin C}{c}$$

$$h_3 = b \sin A = a \sin B \Rightarrow \frac{\sin A}{a} = \frac{\sin B}{b}$$

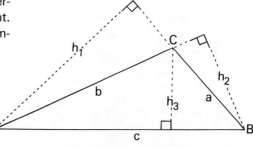

Fig. A.13

Ce système de trois équations est consistant et, par transitivité, mène à

la loi des sinus: $\dfrac{\sin A}{a} = \dfrac{\sin B}{b} = \dfrac{\sin C}{c}$

b)   Au chapitre 8 (section 8.2), nous avons démontré partiellement la *loi des cosinus*. Formulons-la:

La loi des cosinus: Dans tout triangle, le carré de l'un des côté est égal à la somme des carrés des deux autres côtés moins deux fois leur produit par le cosinus de l'angle inclus entre eux.

Autrement dit, en nous référant à la figure ci-dessus:

$$a^2 = b^2 + c^2 - 2\,bc \cos A, \quad b^2 = c^2 + a^2 - 2\,ca \cos B, \quad c^2 = a^2 + b^2 - 2ab \cos C$$

Remarque: Vérifier que, si un des angles est droit, la loi des cosinus se réduit au théorème de Pythagore.

12-   *Quelques autres relations:*

Soit A et B des angles quelconques.

a) $\sin (A + B) = \sin A \cos B + \cos A \sin B$. (La démonstration de cette identité apparaît dans tout manuel de trigonométrie.)

Remplaçant B par $-B$ dans (a), nous obtenons:

b) $\sin (A - B) = \sin A \cos B - \cos A \sin B$.

c) $\cos (A \pm B) = \cos A \cos B \mp \sin A \sin B$. (Même remarque qu'en a).)

d) $\text{tg} (A \pm B) = \dfrac{\sin (A \pm B)}{\cos (A \pm B)} = \dfrac{\text{tg } A \pm \text{tg } B}{1 \mp \text{tg } A \,\text{tg } B}$

Dans les cas particuliers où A = B;

e) $\sin 2A = 2 \sin A \cos A$.

f) $\cos 2A = \cos^2 A - \sin^2 A = 1 - 2 \sin^2 A = 2 \cos^2 A - 1$.

g) $\text{tg } 2A = \dfrac{2 \text{ tg } A}{1 - \text{tg}^2 A}$

De f), en isolant $\sin A$ et $\cos A$, nous obtenons:

h) $\sin A = \pm \sqrt{\dfrac{1 - \cos 2A}{2}}$ et $\cos A = \pm \sqrt{\dfrac{1 + \cos 2A}{2}}$.

En posant $2A = C$, h) devient;

i) $\sin \dfrac{C}{2} = \pm\sqrt{\dfrac{1 - \cos C}{2}}$ et $\cos \dfrac{C}{2} = \pm\sqrt{\dfrac{1 + \cos C}{2}}$

De a), b) et c) nous tirons:

j) $\sin A + \sin B = 2 \sin \dfrac{A + B}{2} \cos \dfrac{A - B}{2}$.

k) $\sin A - \sin B = 2 \cos \dfrac{A + B}{2} \sin \dfrac{A - B}{2}$.

l) $\cos A + \cos B = 2 \cos \dfrac{A + B}{2} \cos \dfrac{A - B}{2}$.

m) $\cos A - \cos B = 2 \sin \dfrac{A + B}{2} \sin \dfrac{A - B}{2}$.

RÉPONSES

CHAPITRE 1

1.6:

1. Scalaires: b), f), g), h), j), l), m).
    Vectorielles: a), c), d), e), i), k).

2. a) $\vec{BD}$: $\vec{CE}$;

    $\vec{CB}$: $\vec{ED}$;

    $\vec{DE}$: $\vec{BC}$;

    $\vec{AC}$:   aucun vecteur autre que $\vec{AC}$ lui-même.

    b) $\vec{AD}$: $\vec{DA}$;

    $\vec{BD}$: $\vec{DB}$ et $\vec{EC}$.

3. b) Sa longueur est d'environ 7,5 km et sa direction est d'environ 28° à l'est du nord.

4. Ce sont, à partir de $\vec{OA}$ et en tournant dans le sens contraire des aiguilles d'une montre: $\vec{OA}$, $\vec{OA} + \vec{OB}$, $\vec{OB}$, $\vec{OB} - \vec{OA}$, $-\vec{OA}$, $-\vec{OA} - \vec{OB}$, $-\vec{OB}$, $\vec{OA} - \vec{OB}$.

5. a) $\vec{HC}$;   f) $\vec{HB}$;

    b) $\vec{HC}$;   g) $\vec{HB}$;

    c) $\vec{HF}$;   h) $\vec{AG}$;

    d) $\vec{HB}$;   i) $\vec{BG}$;

    e) $\vec{AG}$;   j) $\vec{0}$.

6. a) $\vec{CB}$;   e) $\vec{OB}$;

    b) aucun;   f) $\vec{OB}$;

    c) $\vec{DC}$;   g) $\vec{OD}$;

    d) $\vec{OB}$;   h) $\vec{OD}$.

8. b) direction: 65,5° à l'est du nord;

    c) longueur: 6,22 milles.

9. vitesse: 12,65 noeuds; direction: 18,26° au sud de l'ouest.

10. a) longueur: $\sqrt{89 + 40\sqrt{2}} \simeq 12,07$;

    b) angle: arc sin $\dfrac{5\sqrt{2}}{2\sqrt{89 + 40\sqrt{2}}} \simeq 17,03°$

11. a) $\sqrt{125} \simeq 11,18$;   b) arc sin $\dfrac{4\sqrt{5}}{25} \simeq 20,96°$

14. $\vec{u} + \vec{v} + \vec{w}$ représente la diagonale du cube et sa longueur est de $\sqrt{3}|\vec{u}|$ (ou $\sqrt{3}|\vec{v}|$, ou $\sqrt{3}|\vec{w}|$).

16. b) $|\vec{a} + \vec{b}| = |\vec{a}| + |\vec{b}|$;

   d) $|\vec{a} + \vec{c}| < |\vec{a}| + |\vec{c}|$.

20. $2\sqrt{3}$.

1.8:

7. $\overrightarrow{AD} = 3\vec{v} - \vec{u}$;

   $\overrightarrow{CD} = -3\vec{u}$.

9. a) D: (8,1) ou D: (−4,−11);

   b) pour D: (8,1), $\overrightarrow{AE} = -\dfrac{1}{6}\overrightarrow{CD}$, et $k = -\dfrac{1}{6}$; pour D: (−4,−11), $\overrightarrow{AE} = \dfrac{1}{6}\overrightarrow{CD}$, et $k = \dfrac{1}{6}$.

11. a) $2\vec{u} + 3\vec{v} + 4\vec{w}$;

   b) 13.

12. $3\overrightarrow{AD}$

CHAPITRE 2

2.3:

1. b) $\overrightarrow{OB} \simeq \dfrac{3}{4}\overrightarrow{OA} + \dfrac{1}{2}\overrightarrow{OC}$.

2. a) $\overrightarrow{AB} \simeq \dfrac{2}{5}\overrightarrow{CD} - \dfrac{6}{5}\overrightarrow{EF}$;

   b) $\overrightarrow{CD} \simeq \dfrac{14}{5}\overrightarrow{AB} + \dfrac{17}{5}\overrightarrow{EF}$;

   c) $\overrightarrow{EF} \simeq \dfrac{-5}{6}\overrightarrow{AB} + \dfrac{5}{16}\overrightarrow{CD}$.

3. b) non;   c) non;   d) non;   e) oui.

4. a) impossible;   b) non;   c) non;   d) oui.

9. b) oui;   c) $\vec{a} = 3\vec{b} + 4\vec{c}$;   d) $\vec{d} = -\dfrac{1}{2}\vec{u} - \vec{v} - 4\vec{w}$;   e) $\vec{e} = -\dfrac{3}{2}\vec{u} - 3\vec{v} - 12\vec{w}$.

10. a) $\overrightarrow{OM} = \dfrac{1}{2}\overrightarrow{OQ} + \dfrac{1}{2}\overrightarrow{OR}$;   b) $\overrightarrow{PM} = -\overrightarrow{OP} + \dfrac{1}{2}\overrightarrow{OQ} + \dfrac{1}{2}\overrightarrow{OR}$.

11. le point (6,2).

12. $\vec{c} = \dfrac{3\sqrt{3}}{5}\,\vec{a} + \dfrac{1}{2}\vec{b};$

$\vec{b} = 2\vec{c} - \dfrac{6\sqrt{3}}{5}\,\vec{a}.$

13. k = 3,06 et b = 2,06.

2.7:

1. les ensembles B, C et E.

2. a) A: impossible;

B: $\vec{v} = -\dfrac{5}{2}\,(-2,0) + \dfrac{2}{3}(0,-3);$

C: $\vec{v} = 0\,(3,-1) + 1\,(5,-2);$

D: $\vec{v} = 0(10,-4) + 5\left(1,-\dfrac{2}{5}\right)$

ou $\vec{v} = (10,-4) - 5\left(1,-\dfrac{2}{5}\right),$

ou tout ensemble de scalaires a et b tels que 10a + b = 5.

E: $\vec{v} = \left(\dfrac{5\sqrt{3}}{2} - 1\right)\left(\dfrac{\sqrt{3}}{2},\dfrac{1}{2}\right) + \left(\sqrt{3} + \dfrac{5}{2}\right)\left(\dfrac{1}{2}, -\dfrac{\sqrt{3}}{2}\right).$

3. E.

4. i) des vecteurs;

ii) a = 2, b = 1.

5. a) $\overrightarrow{AB} = (3,-2); \overrightarrow{AC} = (-4,-4); \overrightarrow{BC} = (-7,-2);$

b) D: (9,5).

6. $p = -\dfrac{1}{4}.$

7. $\vec{a} \,/\!/\, \vec{c}\,, \vec{b} \,/\!/\, \vec{d}\,, \vec{e} \,/\!/\, \vec{f}.$

8. a) $\dfrac{1}{3}$ et $\dfrac{1}{3};$ b) 0 et 0; c) oui; d) $|\vec{a}| = \sqrt{5}, \quad |\vec{b}| = \sqrt{2}.$

10. b) $4\sqrt{5};$ c) $\left(-\dfrac{1}{2},0\right).$

11. a) (1,7); b) (9,8); c) (0,10); d) (1+6a,3−2a); e) $\left(\dfrac{16}{5},\dfrac{5}{2}\right).$

12. a) non;

b) < (2,3),(−6,4) > ou < (−6,4),(4,6) >;

c) $(5,8) = \dfrac{34}{13}(2,3) + \dfrac{1}{26}(-6,4),\quad (5,8) = \dfrac{1}{26}(-6,4) + \dfrac{17}{13}(4,6).$

15. a)   b = 0 et c = 0;   b)   a = 0;   c)   c = 0.

16. a)   (3,6,5);

b)   (1−x,5−y,2−z).

18. x = −5, y = 2, z = 10.

19. $\vec{w}$ = (−a + 2b, 3a, 2a − b), où a, b ∈ ℝ.

20. a)   oui;   b)   non.

21. a) $\vec{AB}$ = (−3,0,−1),

$\vec{BA}$ = (3,0,1);

b)   (3,4,7);

c) $\sqrt{13}$;

d) $\sqrt{74}$.

22. $\vec{u}$ = (7,2,−4),

$\vec{v}$ = (−4,1,−1).

23. les vecteurs de a) et ceux de c).

24. a)   non;

b) $\langle(4,-1,2),(1,0,3),(2,-1,0)\rangle$

ou $\langle(4,-1,2),(1,0,3),(3,2,3)\rangle$

ou $\langle(4,-1,2),(2,-1,0),(3,2,3)\rangle$

ou $\langle(1,0,3),(2,-1,0),(3,2,3)\rangle$;

c) $(2,3,6) = \frac{9}{2}(4,-1,2) - (1,0,3) - \frac{15}{2}(2,-1,0)$

$= -\frac{9}{13}(4,-1,2) + \frac{17}{13}(1,0,3) + \frac{15}{13}(3,2,3)$

$= \frac{9}{4}(4,-1,2) - \frac{17}{4}(2,-1,0) + \frac{1}{2}(3,2,3)$

$= (1,0,3) - (2,-1,0) + (3,2,3)$.

25. a) $2\vec{i} + 3\vec{j} + 5\vec{k}$;   b) $\vec{d}$.

26. a) $\left(\frac{3}{2}, \frac{3}{2}, \frac{7}{2}\right)$;   b) $\left(\frac{9}{4}, \frac{11}{4}, \frac{17}{4}\right)$.

27. a) $\sqrt{101}$;

b) $\vec{v} = \frac{1}{\sqrt{101}}(2,-4,9)$ et $\vec{w} = -\frac{1}{\sqrt{101}}(2,-4,9)$.

2.9:

1. a) parallèles confondues, parallèles distinctes, sécantes;

   b) parallèles confondues, parallèles distinctes, sécantes, gauches;

   c) parallèles confondus, parallèles distincts, sécants;

   d) 3 plans parallèles confondus,
   2 plans parallèles confondus, 1 parallèle distinct,

   3 plans parallèles distincts,

   2 plans parallèles confondus, 1 sécant,
   2 plans parallèles distincts, 1 sécant,

   3 plans sécants deux à deux,
   3 plans sécants sur une droite,
   3 plans sécants en un point;

   e) droite contenue dans un plan,
   droite parallèle et extérieure à un plan,
   droite sécante à un plan.

3. a) une infinité;

   b) un seul;

   c) aucun.

4. a) une infinité;

   b) une infinité;

   c) une infinité si les points sont alignés, un seul s'ils ne sont pas alignés.

5. une droite perpendiculaire au segment MN et le coupant en son milieu.

6. un plan perpendiculaire à MN et le coupant en son milieu.

7. une droite du plan donné, située à égale distance de D_1 et D_2.

8. deux droites appartenant au même plan, et bissectrices des angles formés par D_1 et D_2.

9. un plan perpendiculaire au plan contenant D_1 et D_2, et situé à égale distance de D_1 et D_2.

10. deux plans bissecteurs des angles formés par D_1 et D_2.

11. un cylindre de longueur infinie, de rayon égal à r et ayant la droite D comme axe.

12. un cercle de centre O et dont le rayon est de longueur k.

13. une sphère de centre O et dont le rayon est de longueur k.

15. a) le plan parallèle à l'axe OZ et bissecteur de l'angle XOY;

   b) un cercle de rayon r, contenu dans le plan XOZ et tangent aux axes OX et OZ;

   c) une paraboloïde;

   d) un cylindre parabolique dont l'axe est parallèle à l'axe OY;

   e) un cône à deux nappes dont la génératrice forme un angle θ avec l'axe OZ;

f)   une demi-sphère située dans la région de l'espace où X et Y sont positifs et Z, négatif;

g)   une ellipsoïde dont le grand axe est sur l'axe OY et les petits, sur les axes OX et OZ;

h)   une couronne cylindrique d'axe OY.

16. a)   plan XY $= \left\{ (x,y,z) \in \mathbb{R} \times \mathbb{R} \times \mathbb{R} : z = 0 \right\}$,
plan XZ $= \left\{ (x,y,z) \in \mathbb{R} \times \mathbb{R} \times \mathbb{R} : y = 0 \right\}$,
plan YZ $= \left\{ (x,y,z) \in \mathbb{R} \times \mathbb{R} \times \mathbb{R} : x = 0 \right\}$;

b)   axe OX $= \left\{ (x,y,z) \in \mathbb{R} \times \mathbb{R} \times \mathbb{R} : y = z = 0 \right\}$,
axe OY $= \left\{ (x,y,z) \in \mathbb{R} \times \mathbb{R} \times \mathbb{R} : x = z = 0 \right\}$,
axe OZ $= \left\{ (x,y,z) \in \mathbb{R} \times \mathbb{R} \times \mathbb{R} : x = y = 0 \right\}$.

17. a)   la coordonnée en x est fixe;   b)   la coordonnée en z est fixe;   c)   la coordonnée en y est fixe.

18. a)   le point x = 3;   b)   la droite x = 3;   c)   le plan parallèle au plan YZ pour lequel x = 3.

19. a)   le point (1,2);   b)   la droite parallèle à l'axe OZ, passant par le point (1,2,0).

20. a) $\left\{ (x,y,z) \in \mathbb{R} \times \mathbb{R} \times \mathbb{R} : |z| = 3 \right\}$ b) $\left\{ (x,y,z) \in \mathbb{R} \times \mathbb{R} \times \mathbb{R} : y = 5 \right\}$.

21. 1 dimension: a)   2 points situés à une distance égale à 2 de l'origine;

b)   un segment de 4 unités ayant l'origine comme point milieu, extrémités exclues;

c)   comme en b), mais avec les extrémités;

d)   la droite, en excluant c).

2 dimensions: a)   un cercle centré à l'origine, ayant un rayon 2;

b)   l'intérieur de a);

c)   l'intérieur de a), avec la circonférence;

d)   le plan, en excluant c).

3 dimensions: a)   une sphère centrée à l'origine, de rayon 2;

b)   l'intérieur de a);

c)   l'intérieur de a), avec sa sphère;

d)   l'espace, en excluant c).

22. a)   perpendiculaire au segment AB, passant par le point milieu de AB;

b)   ellipse ayant A et B comme foyers;

c)   aucun lieu ne satisfait à ces conditions.

23. a)   cylindre circulaire de rayon égal à 3 et ayant l'axe OZ comme axe: $\left\{ (x,y,z) \in \mathbb{R} \times \mathbb{R} \times \mathbb{R} : d((x,y,z),OZ) = 3 \right\}$;

b)   avec le plan XY: $\left\{ (x,y,z) \in \mathbb{R} \times \mathbb{R} \times \mathbb{R} : x^2 + y^2 = 9, z = 0 \right\}$;
avec le plan XZ: $\left\{ (x,y,z) \in \mathbb{R} \times \mathbb{R} \times \mathbb{R} : x = \pm 3, y = 0, z \in \mathbb{R} \right\}$;
avec le plan YZ: $\left\{ (x,y,z) \in \mathbb{R} \times \mathbb{R} \times \mathbb{R} : x = 0, y = \pm 3, z \in \mathbb{R} \right\}$.

c)   avec l'axe OX: $\left\{ (x,y,z) \in \mathbb{R} \times \mathbb{R} \times \mathbb{R} : x = \pm 3, y = 0, z = 0 \right\}$;
avec l'axe OY: $\left\{ (x,y,z) \in \mathbb{R} \times \mathbb{R} \times \mathbb{R} : y = \pm 3, x = 0, z = 0 \right\}$;
avec l'axe OZ: ϕ.

CHAPITRE 3

3.3:

1. a) non;   b) oui;   c) oui si a = -2 et b = 3;   d) oui si k = 2.

2. a) $(3,11,1,17,12)$;   b) $(17,12,-2,-3,-4)$;   c) $(0,-12,-6,-26,-22)$;   d) $(18,30,-12,24,6)$;   e) $(2,5,17,16,24)$;

   f) impossible.

3. a) impossible;   b) c = -16;   c) a = 2, b = 4 et c = 0.

4. a) $x_1 = 3$ et $x_2 = -2$;   b) impossible.

3.5:

1. a) oui;   b) oui;   c) oui;   d) oui;   e) oui.

3. a) 0;   b) 1;   c) 2;   d) 2;   e) 2.

7. a) $\{(x,y,z,0) : x, y, z \in \mathbb{R}\}$;   b) oui.

8. a) $\vec{t} = \frac{1}{2}\vec{u} + \frac{1}{6}\vec{v} + \frac{1}{12}\vec{w} + \frac{1}{4}\vec{s}$;   b) $\vec{s} = -2\vec{u} - \frac{2}{3}\vec{v} - \frac{1}{3}\vec{w} + 4\vec{t}$;   c) non;   d) oui.

11. 2.

12. $\sqrt{n}$.

13. Il suffit de prendre trois vecteurs de $\mathbb{R}^2$ dont deux au moins ne sont pas colinéaires.

14. Il suffit de prendre deux vecteurs non colinéaires de $\mathbb{R}^3$.

15. La dimension de cet espace vectoriel est 4.

16. La dimension de cet espace vectoriel est $\leqslant 3$.

17. Oui, un sous-espace de $\mathbb{R}^3$.

3.6:

3. a) $\vec{v} = (150, 300, 550, 275, 425)$;

   b) $\vec{w} = (130,44, 260,87, 478,27, 239,14, 369,57)$, $\vec{v} = 1,15\vec{w}$;

   c) $\vec{x} = (172,50, 345, 632,50, 316,25, 488,75)$;

   d) $\vec{y} = (452,94, 905,88, 1\ 660,77, 830,39, 1\ 283,32)$;

   e) $\vec{z} = (126,83, 253,65, 465,02, 232,51, 359,33)$;

   f) $\vec{u} = (326,11, 652,23, 1\ 195,75, 597,88, 923,99)$.

4. A) i) $(13\ 000, 23\ 000, 307\ 000, 13\ 000)$;

   ii) $(12\ 000, 23\ 000, 217\ 000, 16\ 000)$;

   iii) $(0,92, 1, 0,71, 1,23)$;

   B) i) $(8\ 000, 20\ 000, 300\ 000, 9\ 000)$;

ii) (14 000, 35 000, 366 000, 20 000);

iii) (1,75, 1,75, 1,22, 2,22);

C) iv) (5 000, 3 000, 7 000, 4 000);

v) (0,83, 0,75, 0,51, 0,99);

D) Québec;

E) Ontario.

5. a) (14, 16, 18, 19,5, 22, 26, 29,5),

(34, 38, 44, 48,5, 56, 63,5, 78);

b) (20, 22, 26, 29, 34, 37,5, 48,5);

c) non;

d) (143, 137, 144, 149, 154, 144, 164);

e) non.

6. Par exemple:

a) $\vec{d}_p = (2, 0, 3)$,

$\vec{d}_h = (0, 5, 0)$,

$\overrightarrow{d_{pub}} = (3, 8, 5)$,

$\vec{d}_g = (3, 4, 3)$,

$\overrightarrow{d_{mul}} = (7, 8, 6)$;

b) $\overrightarrow{d_{tot}} = (15, 29, 20)$;

c) $\vec{p} = (10, 25, 15)$;

d) $\vec{r} = (150, 725, 300)$;

e) $\vec{b} = (5, 660, 175)$;

g) par excès de simplifications...

CHAPITRE 4

4.4:

1. $a_{13} = 3$, $a_{31} = 4$, $b_{23} = 0$, c_{42} n'existe pas, $d_{12} = -1$, $e_{23} = 3$, d_{21} n'existe pas.

2. a) $(40 \ -5)$

b) $\begin{pmatrix} 10 & 8 & 3 & 2 \\ -1 & 4 & -1 & 1 \\ 5 & 8 & 4 & 3 \end{pmatrix}$;

d) $\begin{pmatrix} 9 & 1 & -1 \\ 1 & 12 & 0 \\ 1 & 3 & 6 \end{pmatrix}$;

f) N'existe pas.

I est d'ordre 3.

c) $\begin{pmatrix} 7 & 1 & -5 \\ 9 & -2 & -6 \\ -1 & 1 & 2 \end{pmatrix}$;

e) $\begin{pmatrix} 8 & 1 & 1 \\ -3 & 17 & 3 \\ 2 & 4 & 6 \end{pmatrix}$;

3. a) $\begin{pmatrix} -7 & -1 & 5 \\ -9 & 2 & 6 \\ 1 & -1 & -2 \end{pmatrix}$;   b) $\begin{pmatrix} -10 & -1 & 11 \\ -21 & 17 & 15 \\ 4 & 2 & -2 \end{pmatrix}$;

c) $\begin{pmatrix} -6 & 0 & 2 \\ -4 & 0 & 3 \\ 1 & 1 & -5 \end{pmatrix}$;   d) $\begin{pmatrix} 22/3 & 4/3 & -8/3 \\ 4 & 22/3 & -2 \\ 2/3 & 10/3 & 8/3 \end{pmatrix}$.

6. $\begin{pmatrix} 78{,}25 & 78{,}15 \\ 67{,}50 & 76{,}00 \\ 71{,}25 & 69{,}40 \end{pmatrix}$.

7. a) $B_1 = \dfrac{1}{4{,}55} A_1 \simeq \begin{pmatrix} 39{,}56 \\ 24{,}18 \\ 34{,}07 \end{pmatrix}$ et $B_2 = \dfrac{1}{4{,}55} A_2 \simeq \begin{pmatrix} 35{,}60 \\ 22{,}42 \\ 30{,}33 \end{pmatrix}$;

b) $C_1 = 0{,}45 A_1 = \begin{pmatrix} 81 \\ 49{,}50 \\ 69{,}75 \end{pmatrix}$ et $C_2 = 0{,}45 A_2 = \begin{pmatrix} 72{,}90 \\ 45{,}90 \\ 62{,}10 \end{pmatrix}$;

c) $C_1 = 4{,}55 \cdot 0{,}45 \ B_1 = 2{,}0475 \ B_1$ et $C_2 = 4{,}55 \cdot 0{,}45 \ B_2 = 2{,}0475 \ B_2$;

d) $C_T = 0{,}85 C_1 + 0{,}9 C_2 = \begin{pmatrix} 68{,}85 \\ 42{,}075 \\ 59{,}2875 \end{pmatrix} + \begin{pmatrix} 65{,}61 \\ 41{,}31 \\ 55{,}89 \end{pmatrix} \simeq \begin{pmatrix} 134{,}46 \\ 83{,}39 \\ 115{,}18 \end{pmatrix}$.

4.7:

1. a) 3×3;   b) 2×3;   c) 2×1;   d) 3×2;   e) 2×4;   f) incompatible;   g) 3×4;

h) 3×2;   i) 3×3;   j) incompatible;   k) 3×3;   l) 3×3;   m) 3×2;   n) 2×4;

o) 2×2;   p) incompatible.

2. a) $\begin{pmatrix} 11 & 17 & -12 \\ 13 & 26 & -6 \\ -2 & 4 & 12 \end{pmatrix}$;   b) $\begin{pmatrix} -1 & 22 & 9 \\ -8 & -3 & -3 \end{pmatrix}$;   c) $\begin{pmatrix} 21 \\ 26 \end{pmatrix}$;   d) $\begin{pmatrix} 3a_1 + 2a_2 & 0 \\ 4a_1 + a_2 & 0 \\ -2a_2 & 0 \end{pmatrix}$;

e) $\begin{pmatrix} -23 & 53 & 63 & 180 \\ -5 & -9 & -62 & -67 \end{pmatrix}$;   f) n'existe pas   g) $\begin{pmatrix} -6 & 22 & 169 & 179 \\ -13 & 46 & 207 & 267 \\ -6 & 20 & -22 & 34 \end{pmatrix}$;

h) $\begin{pmatrix} 3a_1^2 + 2a_1 a_2 & 0 \\ 4a_1^2 + a_1 a_2 & 0 \\ -2a_1 a_2 & 0 \end{pmatrix}$;   i) $\begin{pmatrix} 133 & 753 & 421 \\ 124 & 684 & 388 \\ -64 & -384 & -208 \end{pmatrix}$;   j) n'existe pas;

k) voir i);   l) $\begin{pmatrix} 14 & 48 & 1 \\ 17 & 54 & 8 \\ -2 & -12 & 8 \end{pmatrix}$;   m) $\begin{pmatrix} 174 & 20 \\ -50 & -8 \\ 126 & 16 \end{pmatrix}$;

n) $\begin{pmatrix} 8 & -25 & -14 & -73 \\ & & & \\ 27 & -64 & -73 & -215 \end{pmatrix}$; o) $\begin{pmatrix} a_1^3 & & 0 \\ & & \\ a_1^2 a_2 & & 0 \end{pmatrix}$; p) n'existe pas.

a) $AB = \begin{pmatrix} -2 & 0 & 0 \\ 0 & -2 & 0 \\ 0 & 0 & -2 \end{pmatrix}$; $BA = \begin{pmatrix} -2 & 0 & 0 \\ 0 & -2 & 0 \\ 0 & 0 & -2 \end{pmatrix}$;

b) $BC = \begin{pmatrix} -2 & -4 & -6 \\ 2 & 10 & 20 \\ 6 & 16 & 28 \end{pmatrix}$; $CB = \begin{pmatrix} 34 & -10 & -16 \\ 6 & -4 & -4 \\ -12 & 4 & 6 \end{pmatrix}$;

c) $AC = \begin{pmatrix} 1 & 2 & 3 \\ 9 & 9 & 7 \\ -3 & -1 & 2 \end{pmatrix}$; $CA = \begin{pmatrix} 8 & 1 & 1 \\ 7 & 4 & -2 \\ -4 & -1 & 0 \end{pmatrix}$.

6. a) L'indice de nilpotence est 3; b) $A^r = 0$.

8. a) $AB = \begin{pmatrix} 0 & 0 \\ 0 & 0 \end{pmatrix} = 0$ et $A0 = 0$.

9. a) $\begin{pmatrix} ca_1 & ca_2 & ca_3 \\ 0 & 0 & 0 \end{pmatrix}$; b) $\begin{pmatrix} 0 & 0 & 0 \\ db_1 & db_2 & db_3 \end{pmatrix}$; c) $\begin{pmatrix} ca_1 & ca_2 & ca_3 \\ b_1 & b_2 & b_3 \end{pmatrix}$;

d) $\begin{pmatrix} a_1 & a_2 & a_3 \\ db_1 & db_2 & db_3 \end{pmatrix}$; e) $\begin{pmatrix} ca_1 & a_2 & a_3 \\ cb_1 & b_2 & b_3 \end{pmatrix}$; f) $\begin{pmatrix} a_1 & a_2 & da_3 \\ b_1 & b_2 & db_3 \end{pmatrix}$;

g) $\begin{pmatrix} ca_1 & 0 & 0 \\ cb_1 & 0 & 0 \end{pmatrix}$; h) $\begin{pmatrix} 0 & ca_2 & 0 \\ 0 & cb_2 & 0 \end{pmatrix}$.

10. a) $B = (1 \; 0)$; c) $B = \begin{pmatrix} 1 \\ 0 \\ 0 \end{pmatrix}$; e) $B = \begin{pmatrix} 1 & 0 \\ 0 & 1 \\ 0 & 0 \end{pmatrix}$.

11. a) $AB = \begin{pmatrix} -3 & -3 & 0 & 1 \\ 1 & 15 & 0 & -5 \\ -3 & 15 & 0 & -5 \end{pmatrix}$; $AC = \begin{pmatrix} -3 & -3 & 0 & 1 \\ 1 & 15 & 0 & -5 \\ -3 & 15 & 0 & -5 \end{pmatrix}$.

15. a) $AX = \begin{pmatrix} 2x_1 + x_2 \\ 4x_1 + 3x_2 \end{pmatrix}$; BX n'existe pas ; b) $X = \begin{pmatrix} 1 \\ 2 \end{pmatrix}$; c) $X = \begin{pmatrix} -2 \\ 3 \end{pmatrix}$.

4.9:

1. a) $\begin{pmatrix} 2 & 1 \\ 5 & 3 \\ 6 & 2 \end{pmatrix}$; b) $\begin{pmatrix} -1 & 0 \\ 2 & 1 \\ 0 & 2 \end{pmatrix}$; c) $\begin{pmatrix} 0 & 1 & 2 \\ & & \\ 5 & 6 & 1 \end{pmatrix}$; d) $\begin{pmatrix} 1 & 1 \\ 7 & 4 \\ 6 & 4 \end{pmatrix}$; e) voir d) ;

f) $\begin{pmatrix} 17 & 7 \\ 46 & 25 \end{pmatrix}$; g) $\begin{pmatrix} 5 & 8 & 5 \\ 15 & 23 & 13 \\ 10 & 18 & 14 \end{pmatrix}$; h) $\begin{pmatrix} 4 & 2 \\ 10 & 6 \\ 12 & 4 \end{pmatrix}$; i) voir h);

j) $^t(^tA) = A$; k) $\begin{pmatrix} 7 & 2 & 2 \\ -8 & 15 & -6 \\ 2 & 4 & 5 \end{pmatrix}$; l) voir k); m) $\begin{pmatrix} -17 & -7 \\ 80 & 39 \\ 92 & 50 \end{pmatrix}$;

n) voir m).

4.11:

1. $A = \begin{pmatrix} 1 & 3 & -4 & 1 \\ 3 & 0 & -8 & 3 \end{pmatrix}$; $B = \begin{pmatrix} -1 & 7 & 1 \\ -2 & 21 & 0 \end{pmatrix}$.

2. a) $A = 2\vec{e_1} + 5\vec{e_2}$ b) $B = a\vec{e_1} + b\vec{e_2}$

   d) C'est une base de $M_{2 \times 1}$.

3. a) $E_{11} = \begin{pmatrix} 1 & 0 \\ 0 & 0 \end{pmatrix}$; $E_{12} = \begin{pmatrix} 0 & 1 \\ 0 & 0 \end{pmatrix}$;

   $E_{21} = \begin{pmatrix} 0 & 0 \\ 1 & 0 \end{pmatrix}$; $E_{22} = \begin{pmatrix} 0 & 0 \\ 0 & 1 \end{pmatrix}$;

   b) $A = 2E_{11} + 4E_{12} + E_{21} + 5E_{22}$

   c) $B = aE_{11} + bE_{12} + cE_{21} + dE_{22}$

   e) C'est une base de $M_{2 \times 2}$.

CHAPITRE 5

5.4:

1. a) $-4\det(\vec{a_1}, \vec{a_2}, \vec{a_3}, \vec{a_4})$; b) $3\det(\vec{a_1}, \vec{a_2}, \vec{a_3}, \vec{a_4})$;

   c) $5\det(\vec{a_1}, \vec{a_2}, \vec{a_3}, \vec{a_4})$.

3. a) $-6\det(\vec{e_1}, \vec{e_2}, \vec{e_3})$; b) $-14\det(\vec{e_1}, \vec{e_2}, \vec{e_3})$; c) $-56\det(\vec{e_1}, \vec{e_2}, \vec{e_3})$;

   d) $-35\det(\vec{e_1}, \vec{e_2}, \vec{e_3})$.

   Comme $\det(\vec{e_1}, \vec{e_2}, \vec{e_3}) = 1$, les déterminants en a), b), c) et d) valent respectivement $-6, -14, -56$ et -35.

5.6:

1. $|A| = -106, |B| = -1250, |C| = 6, |D| = -18, |E| = -5/68$.

2. a) $\det F = 4^3 \cdot 6 = 384$;

   b) $\det G = -132$;

   c) $\det H = 40$;

   d) $\det K = -106 \times 6 = -636$

5.10:

1. a)   0;   b) −2;   c) 2;   d) 3;

    e)   4;   f) −4;   g) 16.

2. a)

    $-4 \quad \begin{vmatrix} -2 & 5 \\ -3 & 4 \end{vmatrix} \quad + 1 \quad \begin{vmatrix} 1 & 8 \\ -3 & 4 \end{vmatrix} \quad - 2 \quad \begin{vmatrix} 1 & 8 \\ -2 & 5 \end{vmatrix};$

    b)

    $+ 1 \quad \begin{vmatrix} 1 & 5 \\ 2 & 4 \end{vmatrix} \quad - 4 \quad \begin{vmatrix} -2 & 5 \\ -3 & 4 \end{vmatrix} \quad + 8 \quad \begin{vmatrix} -2 & 1 \\ -3 & 2 \end{vmatrix};$

    c)

    $-3 \quad \begin{vmatrix} 4 & 8 \\ 1 & 5 \end{vmatrix} \quad - 2 \quad \begin{vmatrix} 1 & 8 \\ -2 & 5 \end{vmatrix} \quad + 4 \quad \begin{vmatrix} 1 & 4 \\ -2 & 1 \end{vmatrix};$

    d)   −42.

3. a)   30;   b) 245;   c) 13/2;   d) 230;   e) −316/21;   f) −8;

    g)   254.

4. a)   −8;   b) −17;   c) −8;   d) 136;   e) −2125;   f) 136;   g) 136;

    $|AB| = |A| \, |B|.$

5. a)   288;   b) −86;   c) 96;   d) $(c - a)(b - a)(c - b)$;   e) 0;

    f) $a(b - a)(c - b)(d - c)$;   g) 0.

7. a) $AB = \begin{pmatrix} 19 & 22 \\ 43 & 50 \end{pmatrix}$; $BA = \begin{pmatrix} 23 & 34 \\ 31 & 46 \end{pmatrix}$; ${}^{t}(AB) = \begin{pmatrix} 19 & 43 \\ 22 & 50 \end{pmatrix}$;

    $A^{t}B = \begin{pmatrix} 17 & 23 \\ 39 & 53 \end{pmatrix}$; ${}^{t}A^{t}B = {}^{t}(BA) = \begin{pmatrix} 23 & 31 \\ 34 & 46 \end{pmatrix}$; ${}^{t}AB = \begin{pmatrix} 26 & 30 \\ 38 & 44 \end{pmatrix}$;

    c) $|AB| = |BA| = |{}^{t}(AB)| = |A^{t}B| = |{}^{t}A^{t}B| = |{}^{t}AB| = 4.$

9. a)   oui;   b) non;   c) oui;   d) oui.

10. b) $|A| = a_{11} a_{22} a_{33}$

5.12:

1. a)   Vrai;   b) Faux;   c) Vrai.

2. a)   2;   b) 3;   c) 2;   d) 0;   e) 1.

4. $r(A) \leqslant 2.$

5. a) $r(A) \leqslant 3$;   b) $r(A) = 4.$

CHAPITRE 6

6.2:

1.

$$\text{cof A} = \begin{pmatrix} 1 & 4 \\ -3 & 2 \end{pmatrix};$$

$$\text{adj A} = \begin{pmatrix} 1 & -3 \\ 4 & 2 \end{pmatrix};$$

$$\text{cof B} = \begin{pmatrix} 2 & -2 & -2 \\ 1 & -1 & -1 \\ 0 & 0 & 0 \end{pmatrix};$$

$$\text{adj B} = \begin{pmatrix} 2 & 1 & 0 \\ -2 & -1 & 0 \\ -2 & -1 & 0 \end{pmatrix};$$

$$\text{cof C} = \begin{pmatrix} -1 & 2 & 2 \\ 3 & -1 & -1 \\ 0 & 0 & -5 \end{pmatrix};$$

$$\text{adj C} = \begin{pmatrix} -1 & 3 & 0 \\ 2 & -1 & 0 \\ 2 & -1 & -5 \end{pmatrix};$$

$$\text{cof D} = \begin{pmatrix} -4 & 0 & 0 & 0 \\ 0 & 0 & -4 & 0 \\ 0 & -2 & 0 & 0 \\ 2 & 0 & 0 & -2 \end{pmatrix};$$

$$\text{adj D} = \begin{pmatrix} -4 & 0 & 0 & 2 \\ 0 & 0 & -2 & 0 \\ 0 & -4 & 0 & 0 \\ 0 & 0 & 0 & -2 \end{pmatrix}.$$

2.   Régulières: A, C, D; singulière: B.

4.   a) $r(A) < n$;   b) $r(A) = n$.

6.5:

1.

$$A^{-1} = \begin{pmatrix} \dfrac{1}{14} & -\dfrac{3}{14} \\ \dfrac{2}{7} & \dfrac{1}{7} \end{pmatrix};$$

$$C^{-1} = \begin{pmatrix} \dfrac{-1}{5} & \dfrac{3}{5} & 0 \\ \dfrac{2}{5} & \dfrac{-1}{5} & 0 \\ \dfrac{2}{5} & \dfrac{-1}{5} & -1 \end{pmatrix}.$$

B^{-1} n'existe pas;

$$D^{-1} = \begin{pmatrix} 1 & 0 & 0 & -\dfrac{1}{2} \\ 0 & 0 & \dfrac{1}{2} & 0 \\ 0 & 1 & 0 & 0 \\ 0 & 0 & 0 & \dfrac{1}{2} \end{pmatrix}.$$

2.   a) $\begin{pmatrix} \dfrac{3}{10} & \dfrac{1}{10} \\ \dfrac{-2}{5} & \dfrac{1}{5} \end{pmatrix}$ b) $\begin{pmatrix} 0 & \dfrac{1}{4} \\ 1 & \dfrac{-1}{2} \end{pmatrix}$ c) $\begin{pmatrix} \dfrac{2}{7} & \dfrac{-3}{7} & 0 \\ \dfrac{-1}{7} & \dfrac{-2}{7} & 1 \\ \dfrac{1}{7} & \dfrac{2}{7} & 0 \end{pmatrix}.$

3. a) $\begin{pmatrix} \dfrac{1}{9} & \dfrac{-8}{9} \\ 0 & 1 \end{pmatrix}$ b) $\begin{pmatrix} \dfrac{1}{27} & \dfrac{-26}{27} \\ 0 & 1 \end{pmatrix}.$

4. $\begin{pmatrix} \cos\theta & \sin\theta \\ -\sin\theta & \cos\theta \end{pmatrix}.$

5. a) A est inversible pour toute valeur de x réelle;

B n'est pas inversible pour x = 0 ni pour x = 1;

b) $A^{-1} = \begin{pmatrix} 1-x & x \\ x & -(x+1) \end{pmatrix};$ $B^{-1} = \begin{pmatrix} 1/(1-x) & -x/(1-x) \\ -(1+x)/x(1-x) & (x^2+1)/x(1-x) \end{pmatrix}.$

8. a) $\begin{pmatrix} 6-x & -11 & 6 \\ 1 & -x & 0 \\ 0 & 1 & -x \end{pmatrix};$ b) $-x^3 + 6x^2 - 11x + 6;$

d) $x = 1, x = 2$ et $x = 3;$ e) oui;

f) $\begin{pmatrix} \dfrac{1}{2} & -\dfrac{5}{2} & 3 \\ -2 & 8 & -6 \\ \dfrac{3}{2} & -\dfrac{9}{2} & 3 \end{pmatrix};$ g) $\begin{pmatrix} 1 & 0 & 0 \\ 0 & 2 & 0 \\ 0 & 0 & 3 \end{pmatrix}.$

9. a) $\begin{pmatrix} 2-x & -2 & 1 \\ 2 & -3-x & 2 \\ -1 & 2 & -x \end{pmatrix};$ b) $(1-x)(x^2+2x-3);$

d) $x = 1$ et $x = -3;$ e) oui;

f) $\begin{pmatrix} \dfrac{1}{4} & -\dfrac{1}{2} & \dfrac{1}{4} \\ \dfrac{5}{4} & -\dfrac{1}{2} & \dfrac{1}{4} \\ \dfrac{1}{2} & 0 & \dfrac{1}{2} \end{pmatrix};$ g) $\begin{pmatrix} -3 & 0 & 0 \\ 0 & 1 & 0 \\ 0 & 0 & 1 \end{pmatrix}.$

CHAPITRE 7

7.2:

1. a) m = 3, n = 3, homogène; b) m = 3, n = 3, non homogène;

c) m = 3, n = 4, non homogène; d) m = 2, n = 3, non homogène;

e) m = 2, n = 2, non homogène; f) m = 5, n = 4, non homogène;

g) m = 3, n = 4, homogène.

2. Non.

4. a)

$$S_2 \begin{cases} x_1 + 2x_2 - x_3 + 3x_4 = 8 \\ x_1 \quad - x_3 + x_4 = -1 \, ; \\ 3x_1 - 2x_2 + x_3 - x_4 = 0 \end{cases}$$

b)

$$S_3 \begin{cases} 3x_1 - 2x_2 + x_3 - x_4 = 0 \\ 2x_1 \quad - 2x_3 + 2x_4 = -2 \, ; \\ x_1 + 2x_2 - x_3 + 3x_4 = 8 \end{cases}$$

c)

$$S_4 \begin{cases} 3x_1 - 2x_2 + x_3 - x_4 = 0 \\ - 2x_2 \quad - 2x_4 = -9 \, ; \\ x_1 + 2x_2 - x_3 + 3x_4 = 8 \end{cases}$$

d)

$$S_5 \begin{cases} 3x_1 - 2x_2 + x_3 - x_4 = 0 \\ 2x_1 + 2x_2 - 2x_3 + 4x_4 = 7 \, ; \\ x_1 + 2x_2 - x_3 + 3x_4 = 8 \end{cases}$$

e)

$$S_6 \begin{cases} 3x_1 - 2x_2 + x_3 - x_4 = 0 \\ - 2x_2 \quad - 2x_4 = -9 \, . \\ 2x_1 + 4x_2 - 2x_3 + 6x_4 = 16 \end{cases}$$

5. c) Une des solutions: $S_2 = M_i^{-1} \circ A_{ji}^1 \circ A_{ij}^{-1} \circ A_{ji}^1 \, (S_1)$.

6. a) Une solution: $T = A_{23}^1 \circ P_{23} \, (S)$.

   b) Une solution: $T = P_{23} \circ A_{13}^2 \circ M_1^{-2} \, (S)$.

7.4:

1. a) Consistant; une seule solution. b) Consistant; une infinité de solutions. c) Inconsistant; aucune solution. d) Consistant; une infinité de solutions. e) Consistant; une infinité de solutions. f) Consistant; une infinité de solutions. g) Consistant; une seule solution.

4. a) $\left\{ (-1, 2) \right\}$; b) ϕ;   c) $\left\{ \left(\dfrac{28}{13} \, , \dfrac{18}{13} \right) \right\}$;

   d) $\left\{ \left(0, 1, 0, -\dfrac{3}{4} \right) + \overline{x} \, (1, 0, 0, \dfrac{1}{4}) + \overline{z} \, \left(0, 0, 1, -\dfrac{3}{4} \right) : \overline{x}, \, \overline{z} \in \mathbb{R} \right\}$; e) ϕ.

5. $\left\{ \dfrac{1}{13} \, (0, -2, -1, 3) + \dfrac{\overline{x_1}}{13} \, (13, 5, -17, -1) : \overline{x_1} \in \mathbb{R} \right\}$;

   $\left\{ \dfrac{1}{5} \, (2, 0, -3, 1) + \dfrac{\overline{x_2}}{5} \, (13, 5, -17, -1) : \overline{x_2} \in \mathbb{R} \right\}$;

   $\left\{ \dfrac{1}{17} \, (-1, -3, 0, 4) + \dfrac{\overline{x_3}}{17} \, (-13, -5, 17, 1) : \overline{x_3} \in \mathbb{R} \right\}$.

6. $\left\{ (0, -2, 0) + \overline{x} \, (1, 1, 0) + \overline{z} \, (0, -3, 1) : \overline{x} \text{ et } \overline{z} \in \mathbb{R} \right\}$;

$$\left\{ \frac{1}{3} \, (0, 0, -2) + \frac{\overline{x}}{3} \, (3, 0, 1) + \frac{\overline{y}}{3} \, (0, 3, -1) : \overline{x} \text{ et } \overline{y} \in \mathbb{R} \right\}.$$

7.6:

1. a) Matricielle:

$$\begin{pmatrix} 1 & -2 & -3 & 2 \\ 2 & 5 & -8 & 0 \\ 3 & -1 & 1 & -1 \end{pmatrix} \begin{pmatrix} x \\ y \\ z \\ w \end{pmatrix} = \begin{pmatrix} 2 \\ 2 \\ 4 \end{pmatrix}.$$

Vectorielle:

$$x \begin{pmatrix} 1 \\ 2 \\ 3 \end{pmatrix} + y \begin{pmatrix} -2 \\ 5 \\ -1 \end{pmatrix} + z \begin{pmatrix} -3 \\ -8 \\ 1 \end{pmatrix} + w \begin{pmatrix} 2 \\ 0 \\ -1 \end{pmatrix} = \begin{pmatrix} 2 \\ 2 \\ 4 \end{pmatrix}.$$

b) Matricielle:

$$\begin{pmatrix} 1 & 2 & 2 \\ 3 & -2 & -1 \\ 2 & -5 & 3 \\ 1 & 4 & 6 \end{pmatrix} \begin{pmatrix} x \\ y \\ z \end{pmatrix} = \begin{pmatrix} 2 \\ 5 \\ -4 \\ 0 \end{pmatrix}.$$

Vectorielle:

$$x \begin{pmatrix} 1 \\ 3 \\ 2 \\ 1 \end{pmatrix} + y \begin{pmatrix} 2 \\ -2 \\ -5 \\ 4 \end{pmatrix} + z \begin{pmatrix} 2 \\ -1 \\ 3 \\ 6 \end{pmatrix} = \begin{pmatrix} 2 \\ 5 \\ -4 \\ 0 \end{pmatrix}.$$

2. Solution unique: $\left\{ (-1, -1, 2) \right\}$.

7.8:

1. a) $\left\{ (4, 4) \right\}$;

b) $\left\{ \left(\dfrac{11}{3} , \dfrac{5}{3}, 0 \right) + \overline{t} \left(\dfrac{-1}{3} , \dfrac{-1}{3}, 1 \right) : \overline{t} \in \mathbb{R} \right\}$;

c) ϕ;

d) $\left\{ \left(\dfrac{-3}{5}, \dfrac{2}{5}, 3, 0 \right) + \overline{w} \, (0, 0, -1, 1) : \overline{w} \in \mathbb{R} \right\}$;

e) $\left\{ \left(0, 4. \dfrac{8}{3} \right) \right\}$;

f) ϕ;

g) $\left\{ (0, 0, 2) \right\}$;

h) $\left\{ (9, -3, -9, 0) + \overline{w} \, (2, -1, -3, 1) : \overline{w} \in \mathbb{R} \right\}$.

3. a) $\left\{\left(\dfrac{4}{3}, \dfrac{8}{3}\right)\right\}$;   b) $\{(6, -6)\}$;   c) $\{(1, -1)\}$ d) $\{(2, -7)\}$;

e) $\left\{\left(\dfrac{9}{41}, \dfrac{2}{41}, \dfrac{34}{41}\right)\right\}$;   f) $\left\{\left(\dfrac{2}{3}, \dfrac{-10}{3}, \dfrac{10}{3}\right)\right\}$;

g) $\left\{\left(\dfrac{57}{38}, \dfrac{114}{38}, \dfrac{-95}{38}\right)\right\}$;   h) ϕ .

4. a) $\{(-1, 2, 0) + \overline{z}\,(-7, 2, 1) : \overline{z} \in \mathbb{R}\}$;

b) $\left\{\left(\dfrac{17}{4}, \dfrac{-1}{8}, 0, 0\right) + \overline{w}\left(\dfrac{-3}{2}, \dfrac{-1}{2}, \dfrac{1}{2}, 1\right) : \overline{w} \in \mathbb{R}\right\}$.

5. Oui.

6. Non.

7. a) Inconsistant.

b) Consistant, solution unique.

c) Consistant, infinité de solutions.

d) Inconsistant.

e) Inconsistant.

8. a) $\left\{\left(\dfrac{13}{7}, \dfrac{-10}{7}\right)\right\}$;   b) $\left\{\left(16, \dfrac{23}{2}\right)\right\}$;

c) $\left\{\left(\dfrac{-5}{2}, \dfrac{-1}{2}\right)\right\}$;   d) $\left\{\left(\dfrac{105}{56}, \dfrac{-91}{56}, \dfrac{-1}{8}\right)\right\}$;

e) $\left\{\left(\dfrac{-59}{17}, \dfrac{-57}{17}, \dfrac{-64}{17}\right)\right\}$;   f) $\left\{\left(\dfrac{-183}{27}, \dfrac{35}{27}, \dfrac{68}{27}\right)\right\}$;   g) ϕ .

9. a) Pour $k \in \mathbb{R} - \{2, -2\}$.   b) Pour $k \neq 1, 9$.

10. a) $\left\{\left(2, \dfrac{3}{2}, -4, 0\right) + \overline{w}\,(1, 0, -1, 1) : \overline{w} \in \mathbb{R}\right\}$;

b) $\left\{\left(2, \dfrac{1}{5}, 0, \dfrac{4}{5}\right)\right\}$;   c) $\left\{(1, 0, 0, 0) + \dfrac{\overline{w}}{4}\,(10, 1, -5, 4) : \overline{w} \in \mathbb{R}\right\}$;

d) $\left\{\left(\dfrac{9}{13}, \dfrac{6}{13}, 0\right) + \overline{z}\left(\dfrac{4}{13}, \dfrac{7}{13}, 1\right) : \overline{z} \in \mathbb{R}\right\}$;

e) $\{(-1, 0, 1) + \overline{y}\,(-2, 1, 0) : \overline{y} \in \mathbb{R}\}$;   f) $\left\{\left(\dfrac{3}{22}, \dfrac{7}{44}, \dfrac{1}{2}\right)\right\}$;

g) $\left\{\left(\dfrac{11}{9}, \dfrac{44}{9}, 0, 0\right) + \overline{z}\left(\dfrac{1}{9}, \dfrac{13}{9}, 1, 0\right) + \overline{w}\left(\dfrac{-1}{9}, \dfrac{-22}{9}, 0, 1\right) : \overline{z}, \overline{w} \in \mathbb{R}\right\}$;

h) ϕ ;   i) ϕ ;   j) ϕ ;

k) $\{(2, 3, 5)\}$ l) $\{(0, 0, 0)\}$;

m) $\{(0, 0, 0)\}$; n) $\{\overline{x}\,(1, 0, -1) : \overline{x} \in \mathbb{R}\}$;

o) $\left\{\overline{w}\left(\dfrac{1}{4}, -\dfrac{1}{2}, -\dfrac{3}{4}, 1\right) : \overline{w} \in \mathbb{R}\right\}$.

11. 14,5 % et 12,8 %.

12. 327.

13. 2, −1, 0 et 3.

7.10:

1. a) $\begin{pmatrix} 0{,}4 & 0{,}2 \\ 0{,}3 & -0{,}1 \end{pmatrix}$.   b) $\begin{pmatrix} -1 & 1 \\ 2 & -1 \end{pmatrix}$.

c) $\begin{pmatrix} 1 & 2 \\ 0 & -1 \end{pmatrix}$.   d) $\begin{pmatrix} 1 & -2 & 0 \\ 0 & 1 & 0 \\ 0 & 0 & 1 \end{pmatrix}$.

e) $\dfrac{1}{18}\begin{pmatrix} -5 & 1 & 7 \\ 1 & 7 & -5 \\ 7 & -5 & 1 \end{pmatrix}$.   f) $\dfrac{1}{10}\begin{pmatrix} -1 & 4 & 3 & -1 \\ 6 & -24 & 2 & -4 \\ 1 & 6 & -3 & 1 \\ -3 & 12 & -1 & 7 \end{pmatrix}$.

2. Ensemble-solution: $\left\{\left(\dfrac{5}{11}, \dfrac{4}{11}, \dfrac{2}{11}\right)\right\}$.

3. a) $\left\{\left(\dfrac{4}{3}, \dfrac{8}{3}, 0\right) + \overline{t}\left(-\dfrac{2}{3}, -\dfrac{1}{3}, 1\right) : \overline{t} \in \mathbb{R}\right\}$,

et $\left\{\left(\dfrac{5}{3}, \dfrac{10}{3}, 0\right) + \overline{q}\left(-\dfrac{2}{3}, -\dfrac{1}{3}, 1\right) : \overline{q} \in \mathbb{R}\right\}$.

b) $\left\{\left(-\dfrac{3}{2}, \dfrac{3}{2}, 3\right)\right\}$ et $\{(-17, -4, 12)\}$

7.12:

1. a) 3;   b) 3;   c) 4;   d) 3.

2. a) une seule solution;   b) système inconsistant;

c) une seule solution;   d) une infinité de solutions.

3. a) L.I.;   b) L.I.;   c) L.I.;   d) L.I..

CHAPITRE 8

8.3:

1. a) 3;   b) $\dfrac{3}{2}$;   c) 0;   d) 2;

e) 0; f) −5; g) n'existe pas; h) −3.

2. a) $\dfrac{-15}{4}$; b) 8.

3. a) 14; b) 14; c) 78; d) 312;

e) n'existe pas; f) (−52, 78).

4. a) $y = -4$; b) $x = 4$; c) $z = 4$.

5. a) (3, −2, 0), (3, −2, 4) …; b) (3, −5, 0), (0, 8, −3) …;

c) (0, −9, 3), (2, −9, 3) …

6. $\left(\dfrac{3}{2}, 1, \dfrac{3\sqrt{91}}{2} \right)$ ou (12, 8, 0), …

7. a) rectangle en A; b) $\left| \text{médiane} \right| = \dfrac{\sqrt{91}}{2}$,

$\left| \text{hypothénuse} \right| = \sqrt{91}$.

9. b) 182.

10. $\dfrac{a^2}{2}$.

11. a) $\arccos \dfrac{-7}{\sqrt{170}} \simeq 122,48°$; b) $\arccos \dfrac{-13}{\sqrt{1378}} \simeq 110,5°$;

12. a) $\arccos \dfrac{12}{\sqrt{148}} \simeq 9,47°$; b) $0°$.

13. $k = 3,5$ et $h = -4$.

14. D: (7,9,8) ou D: (−3,−1,−2).

15. a) $\left(\dfrac{205}{33}, \dfrac{-82}{33}, \dfrac{-82}{33} \right)$; b) $\dfrac{41}{\sqrt{33}} \simeq 7,14$.

16. a) $m \cdot a \cdot (\vec{u}_{\vec{v}}) = \dfrac{6}{\sqrt{13}} = |\vec{u}_{\vec{v}}|$; b) $m \cdot a \cdot (\vec{u}_{\vec{v}}) = \dfrac{11}{5} = |\vec{u}_{\vec{v}}|$;

c) $m \cdot a \cdot (\vec{u}_{\vec{v}}) = \dfrac{-11}{\sqrt{14}} = -|\vec{u}_{\vec{v}}|$; d) $m \cdot a \cdot (\vec{u}_{\vec{v}}) = \dfrac{13}{\sqrt{21}} = |\vec{u}_{\vec{v}}|$.

17. a) $\vec{a}_{\vec{b}} = \left(0, \dfrac{-4}{5}, \dfrac{8}{5} \right)$, $\vec{b}_{\vec{a}} = \left(\dfrac{2}{7}, \dfrac{4}{7}, \dfrac{6}{7} \right)$;

b) $m \cdot a \cdot (\vec{a}_{\vec{b}}) = \dfrac{4\sqrt{5}}{5} = |\vec{a}_{\vec{b}}|)$; $m \cdot a \cdot (\vec{b}_{\vec{a}}) = \dfrac{2\sqrt{14}}{7} = |\vec{b}_{\vec{a}}|$.

19. 39 joules.

20. $\left| \vec{F} \text{ efficace} \right| = 10,68$; $\left| \vec{F} \text{ soulèvement} \right| = 10,53$.

8.5:

1. a) (−1, −3, −2); b) (0, −2, −1);

c) (1, 3, 2);

d) (−1, −4, −2);

e) (−10, 4, −3);

f) (−8, 2, 1);

g) (−1, −1, 2).

2. $|\vec{a} \times \vec{b}| \simeq 9.7$.

3. a) $\dfrac{1}{\sqrt{59}}$ (3, 1, 7) ou $\dfrac{-1}{\sqrt{59}}$ (3, 1, 7);

b) arc cos $\dfrac{-5}{\sqrt{84}} \simeq 123,1°$.

7. $\dfrac{\sqrt{59}}{2}$.

8.7:

1. a) 0;   b) −54;   c) 0.

2. a) L.D.;   b) L.I.;   c) L.I.;   d) L.D.;

e) L.D..

3. $2\vec{a} \cdot (\vec{b} \times \vec{c})$.

4. a) a = 0;   b) a = −1.

5. 24.

6. 7.

7. $a = \pm\sqrt{\dfrac{13}{2}}$, hauteur: $\dfrac{5\sqrt{14}}{7}$.

8. i) 11;   ii) −11;   iii) 11;   iv) (−1,11,3);

v) (13,24,−22);   vi) (−14,−13,25);

vii) 37;   viii) (−63,−36,−54);   ix) (11,−33,−11).

CHAPITRE 9

9.3:

1. a) (x,y) = (3,2) + k(2,2),   k ∈ ℝ;

b) (x,y) = (−1,4) + k(0,3),   k ∈ ℝ;

c) (x,y) = (0,5) + k(4,−1),   k ∈ ℝ;

d) (x,y) = (2,−6) + k(−3,0),   k ∈ ℝ.

2. a)   x = 3 + 2k

y = 2 + 2k   (k ∈ ℝ);

b)   x = −1

y = 4 + 3k   (k ∈ ℝ);

c) $\begin{cases} x = \quad\; 4k \\ y = 5 - k \quad (k \in \mathbb{R}); \end{cases}$

d) $\begin{cases} x = 2 - 3k \\ y = -6 \quad\quad (k \in \mathbb{R}). \end{cases}$

3. a) $\dfrac{x-3}{2} = \dfrac{y-2}{2}$;

b) n'existe pas;

c) $\dfrac{x}{4} = \dfrac{y-5}{-1}$;

d) n'existe pas.

4. a) $y = 2$;

b) $-2x + y = 4$;

c) $3x - y = -6$.

5. a) $\vec{v} = (-3,0)$; D: $(x,y) = (5,2) + k(-3,0)$, $k \in \mathbb{R}$; Éq. sym.: n'existe pas;

b) $\vec{v} = (1,2)$; D: $(x,y) = (0,4) + k(1,2)$, $k \in \mathbb{R}$; Éq. sym.: D: $x = \dfrac{y-4}{2}$;

c) $\vec{v} = (1,3)$; D: $(x,y) = (-1,3) + k(1,3)$, $k \in \mathbb{R}$; Éq. sym.: D: $x + 1 = \dfrac{y-3}{3}$.

6. D_1: a) $(3,4), (0, \frac{38}{5})$; b) $(5, -6), (10, -12)$; c) $(6,5)$; d) $(1,2)$;

D_2: a) $(0, \frac{5}{2}), (1,1)$; b) $(-2,3), (-4,6)$; c) $(3,2)$; d) $(0,0)$;

D_3: a) $(3,-2), (7,-11)$; b) $(4,-9), (-4,9)$; c) $(9,4)$; d) $(3,0)$;

D_4: a) $(-2,0), (-2,5)$; b) $(0,5), (0,-5)$; c) $(5,0)$; d) $(1,0)$;

D_5: a) $(3,8), (5,6)$; b) $(-1,1), (1,-1)$; c) $(1,1)$; d) $(3,1)$;

D_6: a) $(0,5), (1,8)$; b) $(1, 3), (-1, -3)$; c) $(3,-1)$; d) $(0, 1)$.

7. a) D: $-x + 5y = 23$;

b) D: $3x - y = -11$;

c) D: $2x - y = 3$;

d) D: $x - 3y = -20$;

e) D: $y = -1$;

f) D: $x = -3$.

9.7:

1. a) parallèles distinctes;

b)   sécantes: $P: \left(-\dfrac{41}{5}, \dfrac{37}{5} \right)$;

c)   parallèles confondues;

d)   parallèles distinctes;

e)   sécantes: $P: \left(\dfrac{41}{3}, \dfrac{10}{3} \right)$.

2. a) $P: (0,0)$, $\theta = \dfrac{\pi}{4}$;

b) $P: (-1,-1)$, $\theta = \dfrac{\pi}{2}$;

c) $P: \left(\dfrac{9}{17}, -\dfrac{3}{17} \right)$, $\theta = \arccos \dfrac{30}{\sqrt{1189}}$

3. a)   oui;   b)   non, elles sont parallèles;   c)   non, elles sont parallèles.

4.

		p.d.	p.c.	sec.
a)	a	4	aucune	$\neq$ 4
b)	a	aucune	$-\dfrac{4}{5}$	$\neq -\dfrac{4}{5}$

5. a)   non;   b)   oui.

6. a) $\dfrac{14\sqrt{17}}{17}$;   b) $\dfrac{10\sqrt{17}}{17}$;   c) $\dfrac{27}{2\sqrt{13}}$ ou $\dfrac{27\sqrt{13}}{26}$.

7. a) $\dfrac{7\sqrt{2}}{4}$;   b) $\dfrac{\sqrt{5}}{2}$;   c)   pas parallèles.

9. a) $\beta \simeq 53,13°$ $\left(\arccos \dfrac{3}{5} \right)$;   b) $\alpha \simeq 4,76°$ $\left(\arccos \dfrac{12}{\sqrt{145}} \right)$.

10. $\bar{A} \simeq 82,23°$ $\left(\arccos \dfrac{3}{\sqrt{493}} \right)$; $\bar{B}$ $57,53°$ $\left(\arccos \dfrac{7}{\sqrt{170}} \right)$;

$\bar{C} \simeq 40,24°$ $\left(\arccos \dfrac{13}{\sqrt{290}} \right)$; $\overset{\bullet}{\sum} = 180°$.

11. $|c|$.

12. a) $2x - 5y = -9$;   b) $5x + 2y = -8$.

13. a)   oui, parce que D , D_3 et $D_2 \parallel D_4$;

b) $(-5, 4)$, $\left(8, -\dfrac{14}{3} \right)$, $\left(-7, \dfrac{14}{3} \right)$ et $(6, -4)$.

14. $2x - y = 0$.

15. $\dfrac{25}{2} u^2$.

16. a) $P: (2, -3)$;   c)   oui;

d) $k = \dfrac{-1}{18}$,   D: $35x - 21y = 133$.

17.   Deux droites d'équations $D_3 : x + 7y = 2$ et $D_4 : 7x - y = 0$.

18.   Deux droites, $D_3 : 14x - 5y = -1$ et $D_4 : 38x + 5y = 1$.

19. $\{(x,y) \in D_3 \cup D_4 : \quad D_3 : x + 4y = -5, \quad D_4 : 2x + 2y = -7\}$.

20.   b) $\{(x,y) \in D_1 \cup D_2 : \quad D_1 : x - 2y = -5 + 2\sqrt{5}, \quad D_2 : x - 2y = -5 - 2\sqrt{5}\}$.

21.   a) $\{(x,y) \in \mathbb{R}^2 : \quad y = -x^2 - 4 \text{ ou } y = x^2 - 4\}$;

   b)   Deux paraboles.

CHAPITRE 10

10.2:

1.   a)   une seule;   b)   une seule;   c)   une seule;

2.   a)   oui;   b)   non;   c)   non;   d)   oui;   e)   non;

   f)   non;   g)   oui;   h)   non.

3.   a)   une infinité;   b)   par exemple: $\vec{v}, \vec{i}$; une seule;

   c)   une infinité.

4.   b) $L: (x, y, z) = (3, 0, -1) + k(1, 2, 4)$ $(k \in \mathbb{R})$;

$$L: \begin{cases} x = \ \ 3 + \ k \\ y = \qquad 2k \\ z = -1 + 4k \qquad (k \in \mathbb{R}) \end{cases}$$

$L: \quad x - 3 = \dfrac{y}{2} = \dfrac{z + 1}{4}$.

5. $D: (x, y, z) = (-2, 4, 6) + k(3, -1, 2)$ $(k \in \mathbb{R})$;

$$D: \begin{cases} X = -2 + 3k \\ y = \ \ 4 - \ k \\ z = \ \ 6 + 2k \qquad (k \in \mathbb{R}) \end{cases}$$

$D: \dfrac{x + 2}{3} = \dfrac{y - 4}{-1} = \dfrac{z - 6}{2}$.

6. $L: (x,y,z) = (0,-1,4) + k(2,2,1)$ $(k \in \mathbb{R})$.

7.   a) et b)   un point;   c)   un segment fermé;   d) et e)   une demi-droite.

8.   b)   par exemple, $\vec{k} = (0, 0, 1)$;   c) $\begin{cases} x = 0 \\ y = 1 \\ z = -2 + k \qquad (k \in \mathbb{R}) \end{cases}$

les équations symétriques n'existent pas.

9.   D: $\begin{cases} x = 1 - k \\ y = 3 + 2k \\ z = 4k \qquad (k \in \mathbb{R}) \end{cases}$ $\qquad$ D: $\dfrac{x-1}{-1} = \dfrac{y-3}{2} = \dfrac{z}{4}$;

10.   a) $\begin{cases} x = 1 + k \\ y = 0 \\ z = 1 + k \qquad (k \in \mathbb{R}) \end{cases}$ $\qquad$ les équations symétriques n'existent pas ;

   b) $\begin{cases} x = -1 + k \\ y = 3 - k \\ z = 2 + k \qquad (k \in \mathbb{R}), \end{cases}$ $\qquad$ $x + 1 = 3 - y = z - 2$;

   c) $\begin{cases} x = 2 + k \\ y = -1 + 5k \\ z = 1 + 4k \qquad (k \in \mathbb{R}), \end{cases}$ $\qquad$ $x - 2 = \dfrac{y+1}{5} = \dfrac{z-1}{4}$;

   d) $\begin{cases} x = k \\ y = k \\ z = 1 - k \qquad (k \in \mathbb{R}), \end{cases}$ $\qquad$ $x = y = 1 - z$.

11.   D: $(x,y,z) = (2,0,1) + k(1,0,0)$ $\qquad (k \in \mathbb{R})$

10.5:

1.   a)   parallèle: par exemple, $(-2,1,5)$;

   sécante et gauche: $(t_1, t_2, t_3) \neq k(-2,1,5)$ pour tout $k \in \mathbb{R}$;

   b)   sécantes ou gauches .

2.   a)   gauches ;   b)   sécantes avec $(2,1,3)$ comme point d'intersection ;

   c)   parallèles distinctes ;   d)   parallèles confondues .

3. $b = -2$; $(1,-3,0)$.

4.   a) $a = 0$, $b = -\dfrac{1}{2}$ (dans ce cas les équations symétriques de L_2 n'existent pas) ;

   b) $a \in \mathbb{R}$, $b = 2$;

   c) $3a - 2b = 1$ $(a \neq 0)$.

5.   non; environ $82,18°$.

6. $60°$; gauches.

7.   a) $60°$;   b) $60°$.

8.   a) $(1/\sqrt{2}, 1/\sqrt{2}, 0)$;   b) $(2/\sqrt{5}, 0, 1/\sqrt{5})$;   c) pour OX: $(1, 0, 0)$; pour OY: $(0, 1, 0)$; pour OZ: $(0, 0, 1)$;

   d) $(\sqrt{3}/3, \sqrt{3}/3, \sqrt{3}/3)$.

9. $4 \, (1/2, \sqrt{2}/2 \,, 1/2)$

10. non.

10.8

1. $\dfrac{13\sqrt{14}}{14} \simeq 3,47$.

2. $\sqrt{59/6} \simeq 3,14$.

3. $\sqrt{152/21} \simeq 2,69$.

4. $L = \left\{ (x, y, z) \in \mathbb{R}^3 : (x-3)^2 + (x-2)^2 = 25, 2 \in \mathbb{R} \right\}$

5. a) $7\sqrt{27/95} \simeq 3,73$;

   b) $\sqrt{2/3} \simeq 0,82$.

6. $11\sqrt{17}/17 \simeq 2,67$.

7. $P(2, 0, 3)$.

8. a) $A_1 : (15/26, \; 15/26, \; 15/26)$; $A_2 : (6/13, \; 7/13, \; 19/26)$;

   b) $A_1 : (10/7, \; -1/7, \; 9/7)$; $A_2 : (3/7, \; -8/7, \; 16/7)$.

9. a) $C_1 \, (0, 3, 1), \; C_2 \, (-1, 2, 0), \; C_3 \, (2, 4, 0)$;

   b) non;   c) $\sqrt{2426} \simeq 49,25$;

   d) non; $\sqrt{3}/3$;   e) $13\sqrt{69/14} \simeq 28,86$;

   f) sécantes; non;   g) $70,89°$.

10. a) pour b et c fixés: D: $\begin{cases} x = -1 + 2kb \\ y = kb \\ z = 2 + kc \quad (k \in \mathbb{R}) \end{cases}$

   b) $D_1 : \begin{cases} x = -1 + 2t \\ y = t \\ z = 2 - (5/2)t \quad (t \in \mathbb{R}) \end{cases}$ ou $D_2 : \begin{cases} x = -1 + 2t \\ y = t \\ z = 2 + (5/2)t \quad (t \in \mathbb{R}) \end{cases}$

CHAPITRE 11

11.2:

1. a) faux;   b) faux;   c) faux;   d) faux;   e) faux;
   f) faux;   g) faux.

3. c) impossible.

6. $\pi : 3x + 2z = 0$.

7.

a)
$$\begin{cases} x = 2 + 3k_1 + 3k_2 \\ y = -k_1 - 2k_2 \\ z = 1 - 2k_2 \end{cases} \quad (k_1, k_2 \in \mathbb{R})$$

b)
$$\begin{cases} x = 3k_1 + 2k_2 \\ y = 1 + k_1 + k_2 \\ z = 2k_1 - k_2 \end{cases} \quad (k_1, k_2 \in \mathbb{R})$$

c)
$$\begin{cases} x = 2 - 2k_1 + k_2 \\ y = 1 + 3k_1 + k_2 \\ z = 3 + 6k_1 + 2k_2 \end{cases} \quad (k_1, k_2 \in \mathbb{R})$$

d)
$$\begin{cases} x = 2 + k_1 - 4k_2 \\ y = k_1 \\ z = -1 + 5k_1 + 2k_2 \end{cases} \quad (k_1, k_2 \in \mathbb{R})$$

8. $\pi: z = 4$.

9.   a)   par exemple, $A(3, 0, -1)$, $B(3, 1, -3)$ et $C(4, 2, 3)$.

   b) $\vec{n} = (8, -2, -1)$;   c) non;   d) oui;

   e)   avec OX: $A(25/8, 0, 0)$, avec OY: $A(0, -25/2, 0)$ et avec OZ: $(0, 0, -25)$.

10.   a)   par exemple, $A(2, 0, 0)$, $B(1, 1, -2)$ et $C(2, 1, -1)$;

   b) $\vec{n} = (1, -1, -1)$;   c) oui;   d) oui;

   e)   avec OX: $A(2, 0, 0)$, avec OY: $A(0, -2, 0)$ et avec OZ: $A(0, 0, -2)$.

11.   a)   le point $A(4, 5, 5)$;   b) la droite d'équation $(x, y, z) = (1, 5, -2) + k(2, 1, 3)$, $k \in \mathbb{R}$;

   c)   le segment d'extrémités: $A(-3, 0, -3)$ et $B(1, 2, 3)$;

   d)   la demi-droite d'équation: $(x, y, z) = (0, 3, -1) + t(-1, -2, 1)$ avec $t \leqslant -1$;

   e)   le quadrilatère de sommets $A(0, 3, -1)$, $B(-1, 1, 0)$, $C(2, 4, 2)$ et $D(1, 2, 3)$;

   f)   le demi-plan π avec $k \geqslant 0$.

12. Oui; $\pi: x + y + z = 2$.

13.   a) $x + y - z = 0$;   b) $x - 2y + 3z = 14$.

14.   a)   p.e. $\vec{u} = (0, -1, -6)$ et $\vec{v} = (0, 1, 0)$;

   b)   p.e. $\vec{u} = (1, -1, -2)$ et $\vec{v} = (1, -1, -1)$;

   c)   p.e. $\vec{u} = (1, 3, 0)$ et $\vec{v} = (0, 1, 1)$;

   d)   p.e. $\vec{u} = (1, 1, 2)$ et $\vec{v} = (-1, -1, 0)$.

15.   a) $\pi: (\sqrt{3}/3)x + (\sqrt{3}/3)y + (\sqrt{3}/3)z = 2\sqrt{3}/3$; $\vec{n}_0 = (\sqrt{3}/3, \sqrt{3}/3, \sqrt{3}/3)$;

   b) $\pi: (-\sqrt{5}/5)x + (2\sqrt{5}/5)y = 0$; $\vec{n}_0 = (-\sqrt{5}/5, 2\sqrt{5}/5, 0)$;

   c) $\pi: (3\sqrt{14}/14)x - (\sqrt{14}/14)y + (\sqrt{14}/7)z = \sqrt{14}/14$; $\vec{n}_0 = (3\sqrt{14}/14, -\sqrt{14}/14, \sqrt{14}/7)$

16. a) $2y - z = 1$;   b) $x + z = 0$.

11.6:

1. a)   sécants;   b) parallèles distincts.

2. a) $a = 4$ et $b = -2$;   b) $a = 0$ et $b = 2$.

3. a) $\dfrac{\sqrt{21}}{7}$;   b) $22\sqrt{17}/17$.

4. $\pi: 2x - y + z = 4$.

5. $\pi_1: x - 2y + 2z = -5$ et $\pi_2: x - 2y + 2z = 7$.

6. intersection: D: $6 - 7x = y = (2 - 7z)/5$.

7. Par exemple, A$(-4, 3, 1)$, B$(-17, 9, 2)$ et C$(9, -3, 0)$; oui.

8. a) $75,75^\circ$;   b) $\pi/2$;   c) π_1 et π_2 sont parallèles.

9. a) $k = (-8 + \sqrt{70})/3$ ou $k = (-8 - \sqrt{70})/3$;   b) $k = \dfrac{1}{4}$;   c) n'existe pas.

10. par exemple, $\pi: 4x + 5y - 3z = d$ $(d \in \mathbb{R})$; passant par l'origine: $d = 0$.

11. a)   avec XOY: $D_1: 2x + y = 2, z = 0$;
            avec XOZ: $D_2: 2x - z = 2, y = 0$;
            avec YOZ: $D_3: y - z = 2, x = 0$;
       b)   avec XOY: $L_1: x + 3y = 4, z = 0$;
            avec XOZ: $L_2: x - 5z = 4, y = 0$;
            avec YOZ: $L_3: 3y - 5z = 4, x = 0$.

12. avec XOY: $68,43^\circ$, avec YOZ: $72,90^\circ$ et avec XOZ: $28,08^\circ$.

13. Intersection: soit l'ensemble vide, soit un point ou soit une droite.

14. π_1 et π_2 sont sécants, π_1 et π_3 sont sécants et π_2 et π_3 sont parallèles distincts.

15. a) $d(\pi_2, \pi_3) = 11\sqrt{126}/126$;   b) $(\pi_1, \pi_2) = (\pi_1, \pi_3) \simeq 72,02^\circ$.

16. Hauteur égale 5.

17. $(x + 1)^2 + (y-2)^2 + (z-1)^2 = 32/3$.

18. $\pi: ax \pm a\sqrt{3}y = 2a \pm a\sqrt{3}$ $(a \in \mathbb{R})$.

19. M$\left(\dfrac{23}{2}, 2, \dfrac{9}{2}\right)$.

20. a) $5\sqrt{14}/14$;   b) M$(10/7, -15/7, 5/7)$.

21. $t = -7$.

22. A$_1 (38/15, -7/15, 4/15)$;   A$_2 (38/15, -1/15, -8/15)$.

23. $\pi: x + y + z = 3$.

11.9:

1. a) $(1-\lambda)x + (2-3\lambda)y + (-1+\lambda)z = 1 + 2\lambda$ $(\lambda \in \mathbb{R})$;

b) π: $x + 2y - z = 1$;

c) π: $3x + 7y - 3z = 0$.

2. a) π': $(1+\sqrt{2})x + (1-\sqrt{2}/2)y + (1-\sqrt{2}/2)z = 2 + \sqrt{2}/2$;

   π'': $(1-\sqrt{2})x + (1+\sqrt{2}/2)y + (1+\sqrt{2}/2)z = 2 - \sqrt{2}/2$;

   b) π': $(2 + \sqrt{154}/11)x + (-1 + 3\sqrt{154}/11)y + (3-\sqrt{154}/11)z = 2\sqrt{154}/11$;

   π'': $(2-\sqrt{154}/11)x + (-1-3\sqrt{154}/11)y + (3 + \sqrt{154}/11)z = -2\sqrt{154}/11$;

   c) π': $(3 + \sqrt{330}/6)x + (1-\sqrt{330}/30)y + (1 + \sqrt{330}/15)z = 2 + \sqrt{330}/10$;

   π'': $(3-\sqrt{330}/6)x + (1 + \sqrt{330}/30)y + (1-\sqrt{330}/15)z = 2 - \sqrt{330}/10$;

   d) il n'existe pas de faisceau.

3. a) π': $-x + 4y + z = 3/2$

   π'': $x + z = -\dfrac{1}{2}$;

   b) $\pi/2$.

4. $\pi_x = \pi_z$: $y = 2$, $x, z \in \mathbb{R}$;

   π_y: $3x - 2z = -3$, $y \in \mathbb{R}$.

5. a) pour l'axe OX: π_x: tous les plans du faisceau d'arête OX;

   π_y: $z = 0$, π_z: $y = 0$;

   b) pour l'axe OY: π_x: $z = 0$, π_z: $x = 0$;

   π_y: tous les plans du faisceau d'arête OY;

   c) pour l'axe OZ: π_x: $y = 0$, π_y: $x = 0$;

   π_z: tous les plans du faisceau d'arête OZ.

6. π_x: $2y + z = 1$;

   $\pi_y = \pi_z$: $x = 3$.

7. $\lambda x + 2y + z = 1 + 3\lambda$.

INDEX